A

Andrée et Charles,

BUG-JARGAL

☆

LE DERNIER JOUR
D'UN CONDAMNÉ

☆

CLAUDE GUEUX,

ces oeuvres les plus méconnues
et les plus engagées de Hugo,

avec toute ma joie
de les revoir.

[signature]

(Paris, le 5/7/97)

L'œuvre romanesque
de
Victor Hugo

Édition en 8 volumes
établie et présentée par Georges Belle

I	*Han d'Islande*
II	*Bug-Jargal* *Le Dernier Jour d'un condamné* *Claude Gueux*
III	*Notre-Dame de Paris*
IV	*Les Misérables* (tome I)
V	*Les Misérables* (tome II)
VI	*Les Travailleurs de la mer*
VII	*L'Homme qui rit*
VIII	*Quatrevingt-treize*

Victor Hugo

BUG-JARGAL

☆

LE DERNIER JOUR D'UN CONDAMNÉ

☆

CLAUDE GUEUX

FRANCE LOISIRS
123, boulevard de Grenelle, Paris

ISBN : 2-7441-0005-6

PRÉFACE

Dans notre édition, ce volume sera le seul à réunir plusieurs titres de l'œuvre romanesque complète de Victor Hugo. Le premier s'étend sur à peine plus de deux cents pages, le deuxième ne dépasse pas cent cinquante pages, le troisième et dernier en compte moins de cinquante. Si Bug-Jargal, *le plus long, se présente comme un récit traditionnel,* Le Dernier Jour d'un condamné *prend l'aspect d'un monologue moderne ; quant à* Claude Gueux, *il est une nouvelle aux allures de chronique judiciaire. D'écritures différentes, ils ressemblent fort peu à l'image que le lecteur garde des fresques épiques de l'auteur des* Misérables.

Leur regroupement ne tient pas à la seule brièveté des textes. Tous datent du début de la carrière de Hugo : Bug-Jargal *a été édité en 1826,* Le Dernier Jour d'un condamné *en 1829,* Claude Gueux *en 1834, soit entre sa vingt-quatrième et sa trente-deuxième année (seul* Han d'Islande *— voir le volume I — les précéda en librairie). Ils sont, sur le double plan des idées et de l'expression, le deuxième en particulier, parmi les plus forts et les plus neufs que l'auteur a écrits. Méconnus, ils n'en restent pas moins remarquables, et pleins d'enseignement. C'est un Hugo « travaillé » par la peine de mort et les insurrections, le rachat individuel et les aveuglements sociaux que dévoilent ces pages de jeunesse : généreuse et intelligente position d'un « juste » qui, déjà,* *veut comprendre et réformer. Comme le fait remarquer Raymond Jean, dans sa préface aux* Écrits sur la peine de mort *de Victor Hugo (rassemblés en 1979 chez Actes Sud), cette exigence morale « est peut-être un des éléments les plus constants de son éthique : on le sait en général assez peu, et pourtant il s'agit là d'une dimension fondamentale de sa pensée et de son action ».*

Nombreux à l'époque, y compris parmi ses amis écrivains, étaient ceux qui pensaient que, poète et romancier de la Restauration, il « se perdait » en s'engageant ainsi et en ferraillant avec l'ordre établi. Comment auraient-ils pu imaginer que, depuis son enfance, les humiliations, les supplices et les exécutions infligés aux « damnés de la terre », qu'il avait croisés en chemin (des Choses vues *qu'il n'oubliera jamais), le fascinaient et le tourmentaient au point d'en être traumatisé ? Même si ces fictions réalistes, nées de faits divers et de débats personnels, cédaient au sentiment, à la rhétorique et à la grandiloquence, elles éclairaient les guerres coloniales à venir et le problème, toujours d'actualité, du « crime légal », selon l'expression chère à Victor Hugo. Romantiques elles l'étaient, mais tout autant vécues et visionnaires.*

Claude Gueux *mis à part (l'œuvre, composée en quatre jours, quasiment d'un seul jet, est un plaidoyer — que Hugo lut d'ailleurs, avec émotion et fierté, à Juliette Drouet, un bel après-midi de juin 1834, sur la colline de Montmartre), il ne semble pas que l'auteur ait pris conscience de la force et de la portée de ces proses d'un genre nouveau. Après coup, oui (il suffit, pour s'en convaincre, de lire la préface qu'il ajouta, en 1832, au* Dernier Jour d'un condamné*), mais certainement pas durant leur rédaction. Seule devait alors le passionner la grandeur perdue des « héros », que le destin et la société acculaient à la mort. Êtres déchus et rédemp-*

teurs, tous les personnages d'élection de Hugo finissent mal — qui, ayant lu ses neuf romans, ne l'a pas constaté? Des « amants de la mort », sur qui le dieu Hugo laisse tomber — dogmes, lois ou choses — le glaive de la fatalité.

Bug-Jargal

Cette aventure mélodramatique est une œuvre pionnière (écrite, puis réécrite) qui en dit long sur l'art romanesque que Victor Hugo entendait créer de toutes pièces. Nous reprenons ici la seconde version, tenue par l'auteur pour définitive et parue en volume en 1826 : grossie, enrichie, rendue plus complexe — déjà très hugolienne de débordements et de réflexions. En présentant le roman (dans la collection Folio), Roger Borderie relève : « En même temps que Bug-Jargal se bat pour l'affranchissement des siens, Hugo entend se libérer d'un autre esclavage, celui des conventions littéraires. » Tordant le cou au classicisme, verbalement trop tempéré et timoré pour lui, il plonge dans les profondeurs de l'être et se saoule de couleurs, d'impressions et d'idiomes exotiques. Inconsciemment ou délibérément « incorrect », le grand inspiré? Ses « repentirs » de créateur libre, qui modèle et remodèle l'œuvre au gré de la seule imagination, n'auront jamais à voir avec la prudente litote, n'en déplaise au jeune Eugène Ionesco de 1935 (il faut lire son Hugoliade, *un exercice de tir méchant mais drôle). En effet, Victor Hugo n'efface ni n'atténue, il ajoute et enfle.*

Publié d'abord dans Le Conservateur littéraire *(la revue des frères Hugo) en 1820,* Bug-Jargal, *sous sa forme initiale, avait été écrit en quinze jours, deux années auparavant, par un débutant encore adolescent. Fruit d'un pari entre collégiens — que seul Victor parvint à tenir —, le morceau, dans l'esprit de l'auteur, devait inaugurer un ensemble de récits militaires, intitulé* Contes sous la tente. *En fait, le projet tourna court : nulle autre aventure ne prit le relais. Contrairement à Mérimée, Maupassant ou Nodier, jamais Hugo ne s'adonna à des recueils de proses brèves et thématiques : il éprouvait par trop le besoin de développer ses fictions, de les envelopper de « parlantes » digressions. Remarquons encore que le premier roman de Victor Hugo traite de la Révolution française, comme le fera, en 1874,* Quatrevingt-treize, *le dernier. Pareillement, le bon sergent Thadée, un « second rôle » de* Bug-Jargal, *se retrouvera, dans* Quatrevingt-treize, *sous les traits du sergent Radoub. Preuve que l'auteur avait de la suite dans les idées (sans compter que, fidèle à ses admirations filiales, il a donné quelques traits de son père, le général Léopold Hugo, au caractère de ces vieux soldats de métier ; et même le prénom Léopold au noble capitaine d'Auverney).*

Sept ans donc après sa gageure, Victor Hugo, désireux de tirer parti de ses pages, reprend Bug-Jargal *et, comme il devait le faire avec ses grands romans, les remanie et les épaissit sans se préoccuper outre mesure de l'équilibre final de l'œuvre. Apparaissent Marie, la vierge blanche (peut-être violée), une fille de bonne famille promise à un homme d'avenir, et, surtout, le bouffon-sorcier Habibrah, prototype hugolien du monstre, un gnome haineux qui est le sosie tropical de* Han d'Islande *(l'autre homme-bête mis au monde par l'auteur à cette époque de création enfiévrée). Du coup, les héros de l'histoire, Bug-Jargal et le capitaine d'Auverney, ennemis de classe et de race, prennent une dimension mythique : déjà guerriers et justiciers, les voilà rivaux de cœur. Tellement imbriquées sont leurs passions jumelles, qu'ils se sacrifieront à tour de rôle, presque l'un pour l'autre. Mais à quelles croisades perdues participent-ils ? Que signifie cette lutte de géants, où Hugo se plaît à voir « trois mondes intéressés dans la question, l'Europe et l'Afrique pour combattants, l'Amérique pour champ de bataille »?*

Loin de toute reconstitution historique, Victor Hugo, soucieux de l'actualité politique, a choisi d'évoquer le soulèvement des Noirs à Saint-Domingue (ancien nom de l'île d'Haïti), en 1791 : il s'agit de l'une des premières « répliques » de la Révolution française, qu'étudiera en 1962 le poète Aimé Césaire dans son essai sur Toussaint-Louverture. *Hugo s'y emploie sous une forme romanesque flamboyante, baroque, qui transfigure constamment le récit que, la mort dans l'âme, un officier français est censé faire à ses compagnons de bivouac. On devine, dans cet emportement, que le jeune romancier (pourtant disciple de Chateaubriand et chevalier de la Légion d'honneur), pas plus que son héros de couleur n'accepte l'asservissement colonial, ne supporte la servitude des belles-lettres. Malgré la chape de plomb de la triste Restauration et, plus encore, l'indécision de ses propres convictions (elle l'habitera jusqu'à l'exil de 1851), il veut montrer « grandeur nature » le cataclysme que représente une révolte d'esclaves poussés à bout, traités comme des chiens. Ah! les scènes de l'incendie de l'île, du camp des nègres, de la lutte au bord du précipice! Spectacles en Technicolor que ne renierait aucune superproduction actuelle.*

Ainsi, les forces obscures, amoureuses et vengeresses qui tourmentaient Hugo sont venues s'ajouter au combat moral et social initial. En mettant au monde Marie (la femme) et Habibrah (le fou), le poète n'a pas pu s'empêcher, en romantique incarné, de grossir le cours du récit d'une crue énorme, jaillie d'on ne sait quelle tempête intérieure. Dès lors, tout Hugo est là : un lieu en révolution, une héroïne inaccessible, un « chevalier servant » à la fois frère et amant (deux même, puisque l'auteur s'est dédoublé en d'Auverney, un Blanc, et

Bug-Jargal, un Noir), un monstre fabuleux, la fatalité qui arrache et la mort qui efface. La psychologie des profondeurs, associée au Verbe et à l'Histoire, ne connaît pas les interdits : elle peut et dit tout.

Au propre comme au figuré, que de chutes dans l'abîme! Dans ce roman retouché, où chaque être court au désastre, où toute action est vouée à l'échec, Victor Hugo fait montre d'un pessimisme sacré. Jusqu'à notre « guillotine nationale » qui aiguise son couperet à l'ombre des chapitres. Et pourtant — comme toujours avec Hugo — rien n'est déprimant. « A quoi bon ? » ne cesse de répéter le capitaine d'Auverney, vieux à trente ans. A ceci, peut-être : témoin d'un drame (l'auteur, ici comme ailleurs, ne veut pas qu'on s'identifie à ses personnages), le lecteur est amené à plonger dans un univers qui, en magnifiant le mal et le bien, le force à regarder et à réfléchir.

Le Dernier Jour d'un condamné

De toutes les œuvres en prose de Victor Hugo, Le Dernier Jour d'un condamné *est sans doute la plus originale et la plus moderne, tant elle tranche, par sa forme, sur l'ensemble des titres, tant elle reste, aujourd'hui, d'une terrible véracité. On a écrit que ce monologue d'une* Fin de partie *était déjà du Beckett. Comment ne pas être saisi par ce « nouveau roman », où s'élève la voix d'un condamné à mort — un Lazare éperdu qu'aucun Christ ne ressuscitera — qui a si lucidement conscience que son récit ignorera le dernier mot de « la farce » ? On comprend que le théâtre contemporain adapte et mette souvent en scène cette plainte doublée d'une dénonciation.*

Parce que la question de la peine de mort était publiquement débattue et parce que le sujet « allait merveilleu-

sement à son sombre et énergique talent » (comme le relevait Charles Nodier), Victor Hugo a jeté sur le papier, en moins de deux mois (fin 1828), ces pages pathétiques où se lisent le traumatisme et la révolte d'un homme. « Livre enfanteur », jugeait de son côté Edmond de Goncourt; si novateur qu'avec son argot et son humanitarisme il devait ouvrir la voie au futur Eugène Sue des Mystères de Paris. A croire qu'en cette fin des années vingt, alors que les « Trois Glorieuses » (27, 28 et 29 juillet 1830) allaient balayer le régime de Charles X, le jeune et fier écrivain, au physique comme au moral, changeait. Troublé par les drames familiaux qui l'assaillaient, par les responsabilités littéraires qu'on lui attribuait, il s'interrogeait en secret et travaillait à outrance; déjà, il vieillissait. Nul doute que Le Dernier Jour d'un condamné, comme bientôt Claude Gueux, labourait le terrain des Misérables. « Émouvoir pour convaincre », donner à tous l'horreur du châtiment suprême, tel était alors le credo de Victor Hugo.

Morbide peut-être, Hugo ne cessait d'aller à la rencontre des victimes, célèbres ou inconnues, coupables ou innocentes, de la société. Il découvrait leur détresse et leurs souffrances, comme il prenait conscience des sévices que la justice, en prison, au bagne, sur l'échafaud, leur prodiguait. A quoi cela servait-il, vengeance barbare et exemple inutile? Pourquoi le peuple, grand ou petit, se gargarisait-il de ces supplices primitifs, de ces punitions infamantes? Hugo, en homme libre, sentait qu'il était impossible de tolérer de tels agissements, lesquels n'avaient même pas l'excuse des passions et des folies individuelles. Douloureusement révolté, il s'insurgeait plume à la main. Il faut dire que « Dame Guillotine », que les Parisiens appelaient aussi « le Moulin à silence » ou « le Rasoir national », était une spécialité française (qui s'exportait très bien), une personnalité des plus *populaires. Après tout, il n'y avait pas si longtemps que le bon docteur Guillotin avait fait rire les représentants de la Constituante en leur présentant sa machine égalitaire et expéditive. Ils avaient trouvé, comme le rappelle Jean-Louis Bory dans son* Eugène Sue, *« cocasse de faire sauter la tête à quelqu'un en un clin d'œil par philanthropie ». Moins heureux que David le roi-poète, Hugo, de son vivant, ne connaîtra pas la joie d'avoir fait rendre les armes aux Philistins. En France, la peine de mort ne sera abolie qu'en... 1981.*

C'est de Bicêtre, en 18..., qu'un condamné à mort — dont on ne saura rien, ni le nom, ni l'histoire, ni le crime, rien sinon le sort, l'attente, l'angoisse — fait entendre son cri, soliloques de paria, logorrhée éprouvante : « Il n'en finit plus d'en finir » (Roger Borderie). Instruit, poli, marié et père d'une petite fille, il est, comme l'a souligné Jean Massin, l'unique héros hugolien — tous des « amants de la mort », au demeurant — « à être seul ». La sentence est tombée, l'exécution est annoncée. Pour supporter l'horreur qui le frappe, l'homme se confie à une sorte de journal, des pages qui hurlent, rappellent, observent, ironisent. C'est pour dire qu'il écrit, dire comme d'ordinaire on parle : de tout et de rien, avec d'autres. Par moments, il voudrait « mordre » les barreaux et ses gardes-chiourmes. Il ne sait plus si sa tête est encore une « sorbonne » (savante) ou déjà une « tronche » (coupée). Pris, bien pris dans « l'énorme toile d'araignée » qui pend, épaisse et noire, dans un coin du cachot. Tiens, elle a dû en voir passer des morts vivants, celle-là!

Nulle intrigue, aucune anecdote (et comme on a longtemps reproché à Hugo un tel manquement aux règles romanesques!) dans Le Dernier Jour d'un condamné. *Il s'agit d'un récit d'analyse, « un roman d'introspection concentré sur l'évolution mentale d'un condamné » (Jean-Bertrand*

Barrère), presque un « voyage autour de ma cellule », pour jouer sans rire avec un titre célèbre de Xavier de Maistre. Cauchemar que cette étude âpre et passionnée, où l'auteur, s'incarnant dans son personnage, va jusqu'à lui faire don de ses plus chers souvenirs : ceux de l'enfance aux Feuillantines. D'une force prodigieuse, le texte inspire, selon les mots mêmes de cet anti-héros anonyme, « horreur et pitié ».

Texte d'un misérable ou d'un philosophe? Non sans arrière-pensée, l'auteur laisse le choix au lecteur. Pour la troisième édition de l'ouvrage, en 1832, Victor Hugo a composé, en guise de préface, une comédie de salon — vrai « théâtre en liberté » — qui jure singulièrement avec le monologue du condamné. En la lisant, on imagine ces vieux magistrats et parlementaires — tous des Joseph Prudhomme (le héros jobard de Henri Monnier), dont se gaussera à son tour Marcel Aymé dans La Tête des autres *— qui, fatigués de discuter, finissaient par décider : « A mort! et allons dîner! » Décidément en verve, Hugo ne pardonnait à personne. Il savait, il est vrai, à qui il avait affaire. Et la polémique, nous l'avons dit, le changeait en « lion ».*

« Châtier, c'est s'avilir. » « Qui assiste au crime, assiste le crime. » Sur ces points, Victor Hugo ne transigea jamais. Telle était sa nature profonde. Grave ou bénigne, toute punition lui était intolérable. Rappelons-nous : « Jeanne était au pain sec dans le cabinet noir », et le grand-père, « faible et lâche », allait lui glisser dans l'ombre un pot de confiture « contraire aux lois »... Oui, après Voltaire, avant Zola, un révolté permanent contre toute forfaiture du pouvoir. Il pressentait, comme devait l'écrire Dostoïevski (lui, en connaissance de cause), que « le pire supplice, c'est la certitude de la mort, son attente ». On peut sourire de la compassion de Hugo pour les brutes et les réprouvés en quête d'un peu de « ciel bleu ». Ce serait méconnaître les observations de ses

enquêtes, les cruautés d'un temps qui en indignèrent beaucoup d'autres (en commençant par Sand, Dumas, Sue), la nécessaire éducation du peuple et la non moins nécessaire réforme de la pénalité, toujours renvoyée au lendemain. Et puis, la foi religieuse de Hugo, sa jeunesse passée, se relâchait. Bientôt, il avouera dans une lettre à un ami : « Autrefois, j'étais innocent ; maintenant, je suis indulgent. C'est un grand progrès, Dieu le sait. » Admirons ce « Dieu le sait » et saluons l'homme qui voulait croire que « je » peut être un autre. Un autre qui, comme l'actualité vient de nous le révéler, après avoir été condamné à mort pour meurtre par un jury populaire, gracié par un président de la République, obtient quelque jour un doctorat d'État avec les félicitations du jury universitaire...

Claude Gueux

Édité en 1834 (dans la Revue de Paris, *puis en plaquette pour l'information des députés de France),* Claude Gueux *revient sur le problème que pose aux hommes de bonne volonté la peine capitale. Polémique et argumenté, le récit, très court, approfondit, sous la forme d'un plaidoyer, le sujet du* Dernier Jour d'un condamné *; c'est dire s'il tenait à cœur à Victor Hugo. Pourtant, ces pages ardentes concernent moins la mise à mort d'un homme que sa destruction par la prison. N'empêche : il s'agit du deuxième texte sur une mort annoncée, programmée même.*

L'année de la parution de Claude Gueux *n'a pas été, pour l'auteur, une période de calme plat. Transporté et chahuté par sa récente liaison avec Juliette Drouet, plus dramaturge encore que poète depuis le triomphe d'*Hernani, *le conquérant Hugo devenu une célébrité, malgré les marques de déférence prodiguées au roi Louis-Philippe, prenait ses distances* *avec le gouvernement en place. Populaire à présent (Notre-Dame, Quasimodo et Esmeralda étaient passés par là), il s'offrait le luxe de chanter les mérites du révolutionnaire Mirabeau. Contrecarrant la sagesse bourgeoise (mais quel romantique fut jamais un bourgeois sage ?), Victor Hugo se plaisait à jouer les trouble-fête. Ses poses et ses ambitions ne l'empêchaient pas de s'élever contre l'hypocrisie d'une société répressive. Jamais dupe ni soumis, il réagissait à toute atteinte portée à la liberté individuelle.*

Fait divers et procès de cour d'assises, qu'on dirait calqués sur une gravure de Daumier, Claude Gueux *est d'abord du journalisme de terrain. « Romancée » par Hugo, qui n'avait pas oublié le jugement rendu et avait été frappé par l'intelligence de l'accusé, la page retrace l'affaire, datant de 1832, d'un certain Claude Gueux (nom prédestiné, s'il en est), condamné à mort pour avoir tué un gardien-chef qui le maltraitait et l'humiliait à Clairvaux (ancienne abbaye « déshonorée » pour être devenue une maison de détention). Superbe et indignée, « l'éloquence sauvage » de l'homme ne pouvait qu'engendrer chez Hugo cette relation allégorique en faveur du peuple méprisé et malmené.*

Jean Valjean avant la lettre, gueux et fils de gueux, « Claude Gueux, héros homonyme de tous les misérables » (comme l'ont vu Guy Rosa et Anne Ubersfeld, spécialistes de Hugo, auxquels on doit une excellente synthèse de l'homme et de son œuvre dans le Dictionnaire des littératures de langue française*) « désigne la scandaleuse perversion qui, pour eux, inverse en honte et en crime ce qui est valeur et vertu dans la société — le sens de la justice, la générosité, l'amour — et qui leur interdit d'être bons ». Il faut entendre Victor Hugo, en hommage à Claude Gueux, « cerveau bien fait, cœur bien fait », lancer bibliquement dans une longue péroraison : « La tête de l'homme du peuple, voilà la ques-*

tion. Cette tête est pleine de germes utiles. Employez pour la faire mûrir et venir à bien ce qu'il y a de plus lumineux et mieux tempéré dans la vertu. Tel a assassiné sur les grandes routes qui, mieux dirigé, eût été le plus excellent serviteur de la cité. Cette tête de l'homme du peuple, cultivez-la, défrichez-la, arrosez-la, fécondez-la, éclairez-la, moralisez-la, utilisez-la ; vous n'aurez pas besoin de la couper. » La démonstration faite, il s'interroge : « Qui est réellement coupable ? Est-ce lui ? Est-ce nous ? »

Chantre de l'âne et du crapaud (on se souvient peut-être de l'illustration espiègle que Philippe Dumas a donnée au poème Le Bon Samaritain *dans l'album pour enfants* Victor Hugo s'est égaré*), Hugo exprime ainsi sa foi en la « pitié suprême ». Loin d'accabler le « monstre » présumé, que la société condamne dans l'ignorance et la peur, il démontre que la « banalité du mal », qu'il convient de combattre, dénature chaque être. Au ras de la mêlée humaine, c'est toujours Satan qui mène le bal, qu'on soit forçat ou garde-chiourme, juge ou spectateur (quand ce n'est pas victime perverse et provocante). Seules, peut-être,* Les Grandes Espérances *(qui seront celles de Charles Dickens) du progrès, de la culture, de la science et de la considération de tous « grandiront » les hommes. Pour Victor Hugo, si les médecins diagnostiquent une maladie mortelle, les magistrats la dispensent, décidant arbitrairement, au nom d'un ordre supérieur, de sa venue, sans tentative de guérison. Ainsi le voulait, administrativement, le processus d'exclusion et de châtiment au XIXe siècle. Loi de « l'archipel carcéral », de « l'entreprise d'orthopédie sociale », écrira plus tard Michel Foucault dans* Surveiller et punir.

*
* *

Pour surprenants qu'ils soient dans la suite des œuvres romanesques, ces trois romans d'idées se rattachent à une littérature de combat, vécue, rêvée et pensée, qui obséda Victor Hugo et dont le plus beau fleuron reste Les Misérables. *Les deux récits abolitionnistes, plus encore que* Bug-Jargal, *prouvent que, très tôt, Hugo a estimé que l'humanité désarmée, bafouée — vouée, de tout temps, aux gémonies et à l'oubli — méritait d'être dite et défendue. Ne quittons pas la littérature engagée, sans citer plusieurs écrivains, témoins et acteurs de leur époque : les Russes Dostoïevski (*Souvenirs de la maison des morts*), Tchekhov (*L'Île de Sakhaline*), Soljenitsyne (*Une journée d'Ivan Denissovitch*), Chalamov (*Récits de Kolyma*), et les Arthur Koestler (*Le Zéro et l'Infini*), Albert Camus (*L'Étranger*), Primo Levi (*Si c'est un homme*), Michel del Castillo (*Tanguy*), Truman Capote (*De sang-froid*), Norman Mailer (*Le Chant du bourreau*), Jorge Semprun (*L'Écriture ou la Vie*). A la suite de Hugo et de Voltaire (*L'Affaire Calas*), ils ont tenu à éclairer leurs contemporains sur la barbarie de l'exécution, de l'enfermement et de la déportation. Ils n'étaient pas tous, comme ce pauvre et grand fou de Hugo (!), des frénétiques et des irresponsables fascinés par les causes perdues. (Serait-il superflu de rappeler, avec Dominique Torrès, qu'en 1995 notre belle planète compte quelque 200 millions d'esclaves, âmes étrangères encore taillables et maltraitables à merci ?) Identité et argent comptant, l'oppression du peuple des vaincus a la vie longue.*

Victor Hugo, l'écrivain et le journaliste, l'homme public et l'exilé politique, a martelé, seul ou presque dans son siècle :

« Pas de bourreau, le geôlier suffit (...) La société ne doit pas punir pour se venger, elle doit corriger pour améliorer (...) Exécuter quelqu'un n'est en rien un exemple dissuasif. » Il n'était pas de ceux qui confondent œuvre de justice et manifestation de force. Chez cet homme lucide, fidèle à un idéal de fraternité, le vrai pouvoir était ailleurs : dans la nécessaire et difficile construction d'un édifice humain en perpétuelle avarie. Comment ne pas songer, en lisant le Hugo de Bug-Jargal, *du* Dernier Jour d'un condamné *et de* Claude Gueux, *à l'obstiné Sisyphe ? Et au mot de Franz Kafka : « Écrire, c'est bondir hors du rang des assassins ! » ?*

Georges BELLE

BUG-JARGAL

En 1818 l'auteur de ce livre avait seize ans; il paria qu'il écrirait un volume en quinze jours. Il fit Bug-Jargal. *Seize ans, c'est l'âge où l'on parie pour tout et où l'on improvise sur tout.*

Ce livre a donc été écrit deux ans avant Han d'Islande. *Et quoique, sept ans plus tard, en 1825, l'auteur l'ait remanié et récrit en grande partie, il n'en est pas moins, et par le fond et par beaucoup de détails, le premier ouvrage de l'auteur.*

Il demande pardon à ses lecteurs de les entretenir de détails si peu importants; mais il a cru que le petit nombre de personnes qui aiment à classer par rang de taille et par ordre de naissance les œuvres d'un poète, si obscur qu'il soit, ne lui sauraient pas mauvais gré de leur donner l'âge de Bug-Jargal *; et quant à lui, comme ces voyageurs qui se retournent au milieu de leur chemin et cherchent à découvrir encore dans les plis brumeux de l'horizon le lieu d'où ils sont partis, il a voulu donner ici un souvenir à cette époque de sérénité, d'audace et de confiance où il abordait de front un si immense sujet : la révolte des noirs de Saint-Domingue en 1791, lutte de géants, trois mondes intéressés dans la question, l'Europe et l'Afrique pour combattants, l'Amérique pour champ de bataille.*

Victor HUGO
24 mars 1832.

L'épisode qu'on va lire, et dont le fond est emprunté à la révolte des esclaves de Saint-Domingue en 1791, a un air de circonstance[1] *qui eût suffi pour empêcher l'auteur de le publier. Cependant une ébauche de cet opuscule ayant déjà été imprimée et distribuée à un nombre restreint d'exemplaires, en 1820, à une époque où la politique du jour s'occupait fort peu d'Haïti, il est évident que, si le sujet qu'il traite a pris depuis un nouveau degré d'intérêt, ce n'est pas la faute de l'auteur. Ce sont les événements qui se sont arrangés pour le livre, et non le livre pour les événements.*

Quoi qu'il en soit, l'auteur ne songeait pas à tirer cet ouvrage de l'espèce de demi-jour où il était comme enseveli ; mais, averti qu'un libraire de la capitale se proposait de réimprimer son esquisse anonyme, il a cru devoir prévenir cette réimpression en mettant lui-même au jour son travail revu et en quelque sorte refait, précaution qui épargne un ennui à son amour-propre d'auteur, et au libraire susdit une mauvaise spéculation.

Plusieurs personnes distinguées qui, soit comme colons, soit comme fonctionnaires, ont été mêlées aux troubles de Saint-Domingue, ayant appris la prochaine publication de cet épisode, ont bien voulu communiquer spontanément à l'auteur des matériaux d'autant plus précieux qu'ils sont presque tous inédits. L'auteur leur en témoigne ici sa vive reconnaissance. Ces documents lui ont été singulièrement utiles pour rectifier ce que le récit du capitaine d'Auverney présentait d'incomplet sous le rapport de la couleur locale, et d'incertain relativement à la vérité historique.

Enfin, il doit encore prévenir les lecteurs que l'histoire de Bug-Jargal *n'est qu'un fragment d'un ouvrage plus étendu, qui devait être composé avec le titre de* Contes sous la Tente. *L'auteur suppose que, pendant les guerres de la révolution, plusieurs officiers français conviennent entre eux*

1. Cette préface, qui accompagnait les premières éditions, date de janvier 1826.

d'occuper chacun à leur tour la longueur des nuits de bivouac, par le récit de quelqu'une de leurs aventures. L'épisode que l'on publie ici faisait partie de cette série de narrations ; il peut en être détaché sans inconvénient ; et d'ailleurs l'ouvrage dont il devait faire partie n'est point fini, ne le sera jamais, et ne vaut pas la peine de l'être.

Victor HUGO

I

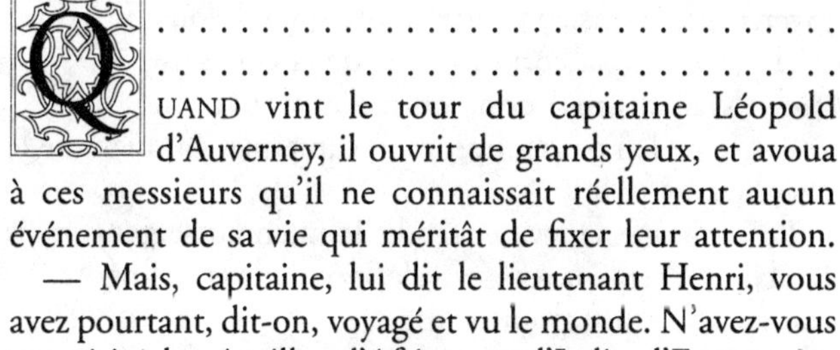

. . . .
. . . .

QUAND vint le tour du capitaine Léopold d'Auverney, il ouvrit de grands yeux, et avoua à ces messieurs qu'il ne connaissait réellement aucun événement de sa vie qui méritât de fixer leur attention.

— Mais, capitaine, lui dit le lieutenant Henri, vous avez pourtant, dit-on, voyagé et vu le monde. N'avez-vous pas visité les Antilles, l'Afrique et l'Italie, l'Espagne ?... Ah ! capitaine, votre chien boiteux.

D'Auverney tressaillit, laissa tomber son cigare, et se retourna brusquement vers l'entrée de la tente, au moment où un chien énorme accourait en boitant vers lui.

Le chien écrasa en passant le cigare du capitaine ; le capitaine n'y fit nulle attention.

Le chien lui lécha les pieds, le flatta avec sa queue, jappa, gambada de son mieux, puis vint se coucher devant lui. Le capitaine, ému, oppressé, le caressait machinalement de la main gauche, en détachant de l'autre la mentonnière de son casque, et répétait de temps en temps : — Te voilà, Rask ! te voilà ! Enfin il s'écria : — Mais qui donc t'a ramené ?

— Avec votre permission, mon capitaine...

Depuis quelques minutes, le sergent Thadée avait soulevé le rideau de la tente, et se tenait debout, le bras droit enveloppé dans sa redingote, les larmes aux yeux, et contemplant en silence le dénouement de l'Odyssée. Il hasarda à la fin ces paroles : *Avec votre permission, mon capitaine...* D'Auverney leva les yeux.

— C'est toi, Thad; et comment diable as-tu pu... ? Pauvre chien! je le croyais dans le camp anglais. Où donc l'as-tu trouvé?

— Dieu merci! vous m'en voyez, mon capitaine, aussi joyeux que monsieur votre neveu quand vous lui faisiez décliner *cornu,* la corne; *cornu,* de la corne...

— Mais dis-moi donc où tu l'as trouvé?

— Je ne l'ai pas trouvé, mon capitaine, j'ai bien été le chercher.

Le capitaine se leva et tendit la main au sergent, mais la main du sergent resta enveloppée dans sa redingote. Le capitaine n'y prit point garde.

— C'est que... voyez-vous, mon capitaine, depuis que ce pauvre Rask s'est perdu, je me suis aperçu, avec votre permission, s'il vous plaît, qu'il vous manquait quelque chose. Pour tout vous dire, je crois que le soir où il ne vint pas, comme à l'ordinaire, partager mon pain de munition, peu s'en fallut que le vieux Thad ne se prît à pleurer comme un enfant. Mais non, Dieu merci; je n'ai pleuré que deux fois dans ma vie : la première quand... le jour où... — Et le sergent regardait son maître avec inquiétude. — La seconde, lorsqu'il prit idée à ce drôle de Balthazar, caporal dans la septième demi-brigade, de me faire éplucher une botte d'oignons.

— Il me semble, Thadée, s'écria en riant Henri, que vous ne nous dites pas à quelle occasion vous pleurâtes pour la première fois.

— C'est sans doute, mon vieux, quant tu reçus l'accolade de La Tour d'Auvergne, premier grenadier de

France ? demanda avec affection le capitaine, continuant à caresser le chien.

— Non, mon capitaine, si le sergent Thadée a pu pleurer, ce n'a pu être, et vous en conviendrez, que le jour où il a crié *feu* sur Bug-Jargal, autrement dit Pierrot.

Un nuage se répandit sur tous les traits de d'Auverney. Il s'approcha vivement du sergent et voulut lui serrer la main ; mais, malgré un tel excès d'honneur, le vieux Thadée la retint cachée sous sa capote.

— Oui, mon capitaine, continua Thadée en reculant de quelques pas, tandis que d'Auverney fixait sur lui des regards pleins d'une expression pénible ; oui, j'ai pleuré cette fois-là ; aussi, vraiment il le méritait bien ! Il était noir, cela est vrai, mais la poudre à canon est noire aussi, et... et...

Le bon sergent aurait bien voulu achever honorablement sa bizarre comparaison. Il y avait peut-être quelque chose dans ce rapprochement qui plaisait à sa pensée ; mais il essaya inutilement de l'exprimer ; et, après avoir plusieurs fois attaqué, pour ainsi dire, son idée dans tous les sens, comme un général d'armée qui échoue contre une place forte, il en leva brusquement le siège, et poursuivit sans prendre garde au sourire des jeunes officiers qui l'écoutaient.

— Dites, mon capitaine, vous souvient-il de ce pauvre nègre, quand il arriva tout essoufflé, à l'instant même où ses dix camarades étaient là ? Vraiment, il avait bien fallu les lier... C'était moi qui commandais. Et quand il les détacha lui-même pour reprendre leur place, quoiqu'ils ne le voulussent pas ; mais il fut inflexible. Oh ! quel homme ! c'était un vrai Gibraltar. Et puis, dites, mon capitaine ? quand il se tenait là, comme s'il allait entrer en danse, et son chien, le même Rask qui est ici, qui comprit ce qu'on allait lui faire, et qui me sauta à la gorge...

— Ordinairement, Thad, interrompit le capitaine, tu ne laissais point passer cet endroit de ton récit sans faire quelques caresses à Rask ; vois comme il te regarde.

— Vous avez raison, dit Thadée avec embarras ; il me regarde ce pauvre Rask, mais... la vieille Malagrida m'a dit que de caresser de la main gauche porte malheur.

— Et pourquoi pas de la main droite ? demanda d'Auverney avec surprise, et remarquant pour la première fois la main enveloppée dans la redingote et la pâleur répandue sur le visage de Thad. Le trouble du sergent parut redoubler.

— Avec votre permission, mon capitaine, c'est que... Vous avez déjà un chien boiteux, je crains que vous ne finissiez par avoir aussi un sergent manchot.

Le capitaine s'élança de son siège.

— Comment ? quoi ? que dis-tu, mon vieux Thadée ? manchot !... Voyons ton bras. Manchot, grand Dieu !

D'Auverney tremblait : le sergent déroula lentement son manteau et offrit aux yeux de son chef son bras enveloppé d'un mouchoir ensanglanté.

— Hé ! mon Dieu ! murmura le capitaine en soulevant le linge avec précaution. Mais dis-moi donc, mon ancien... ?

— Oh ! la chose est toute simple. Je vous ai dit que j'avais remarqué votre chagrin depuis que ces maudits Anglais nous avaient enlevé votre beau chien, ce pauvre Rask, le dogue de Bug... Il suffit. Je résolus aujourd'hui de le ramener, dût-il m'en coûter la vie, afin de souper ce soir de bon appétit. C'est pourquoi, après avoir recommandé à Mathelet, votre soldat, de bien brosser votre grand uniforme, parce que c'est demain jour de bataille, je me suis esquivé tout doucement du camp, armé seulement de mon sabre, et j'ai pris à travers les haies pour être plus tôt au camp des Anglais. Je n'étais pas encore aux premiers retranchements quand, avec votre permission, mon capitaine, dans un petit bois sur la gauche, j'ai vu un grand attroupement de soldats rouges. Je me suis avancé pour flairer ce que c'était, et comme ils ne prenaient pas garde à moi, j'ai aperçu au milieu d'eux Rask attaché à un arbre, tandis que deux milords, nus jusqu'ici comme des païens, se donnaient sur les os de grands coups de poing qui faisaient autant de bruit que la grosse caisse d'une demi-brigade. C'étaient deux particuliers anglais, s'il vous plaît, qui se battaient en duel pour votre chien. Mais voilà Rask qui me voit, et qui donne un tel coup de collier que la corde casse, et que le drôle est en un clin d'œil sur mes trousses. Vous pensez bien que toute l'autre bande ne reste pas en arrière; je m'enfonce dans le bois. Rask me suit. Plusieurs balles sifflent à mes oreilles. Rask aboyait : mais heureusement ils ne pouvaient l'entendre, à cause de leurs cris *de french dog, french dog!* comme si votre chien n'était pas un beau et bon chien de Saint-Domingue. N'importe, je traverse le hallier, et j'étais près d'en sortir quand deux rouges se présentent devant moi. Mon sabre me débarrasse de l'un, et m'aurait sans doute délivré de l'autre si son pistolet n'eût été chargé à balle... Vous voyez mon bras droit. — N'importe! *french dog* lui a sauté au cou, comme une ancienne connaissance : l'Anglais est tombé étranglé, et je vous réponds que l'embrassement a été rude... — Aussi pourquoi ce diable d'homme s'acharne-t-il après moi, comme un pauvre après un séminariste? Enfin Thad est de retour au camp, et Rask aussi. Mon seul regret, c'est que le bon Dieu n'ait pas voulu m'envoyer plutôt cela à la bataille de demain. — Voilà!

Les traits du vieux sergent s'étaient rembrunis à l'idée de n'avoir point eu sa blessure dans une bataille.
— Thadée!... cria le capitaine d'un ton irrité. Puis il ajouta plus doucement : Comment es-tu fou à ce point de t'exposer ainsi pour un chien?...

— Ce n'était pas pour un chien, mon capitaine, c'était pour Rask.

Le visage de d'Auverney se radoucit tout à fait. Le sergent continua : — Pour Rask, le dogue de Bug...

— Assez! assez! mon vieux Thad, cria le capitaine en mettant la main sur ses yeux. — Allons, ajouta-t-il après un court silence, appuie-toi sur moi, et viens à l'ambulance.

Thadée obéit après une résistance respectueuse. Le chien, qui, pendant cette scène, avait à moitié rongé de joie la belle peau d'ours de son maître, se leva et les suivit tous deux.

II

CET ÉPISODE avait vivement excité l'attention et la curiosité des joyeux conteurs.

Le capitaine Léopold d'Auverney était un de ces hommes qui, sur quelque échelon que le hasard de la nature et le mouvement de la société les aient placés, inspirent toujours un certain respect mêlé d'intérêt. Il n'avait cependant peut-être rien de frappant au premier abord; ses manières étaient froides, son regard indifférent. Le soleil des tropiques, en brunissant son visage, ne lui avait point donné cette vivacité de geste et de parole qui s'unit chez les créoles à une nonchalance souvent pleine de grâce. D'Auverney parlait peu, écoutait rarement, et se montrait sans cesse prêt à agir. Toujours le premier à cheval et le dernier sous la tente, il semblait chercher dans les fatigues corporelles une distraction à ses pensées. Ces pensées, qui avaient gravé leur triste sévérité dans les rides précoces de son front, n'étaient pas de celles dont on se débarrasse en les communiquant, ni de celles qui, dans une conversation frivole, se mêlent volontiers aux idées d'autrui. Léopold d'Auverney, dont les travaux de la guerre ne pouvaient rompre le corps, paraissait éprouver une fatigue insupportable dans ce que nous appelons les luttes d'esprit. Il fuyait les discussions comme il cherchait les batailles. Si quelquefois il se laissait entraîner à un débat de paroles, il prononçait trois ou quatre mots pleins de sens et de haute raison; puis, au moment de convaincre son adversaire, il s'arrêtait tout court en disant : *A quoi bon?...* et sortait pour demander au commandant ce qu'on pourrait faire en attendant l'heure de la charge ou de l'assaut.

Ses camarades excusaient ses habitudes froides, réservées et taciturnes, parce qu'en toute occasion ils le trouvaient brave, bon et bienveillant. Il avait sauvé la vie de plusieurs d'entre eux au risque de la sienne, et l'on savait que, s'il ouvrait rarement la bouche, sa bourse du moins n'était jamais fermée. On l'aimait dans l'armée, et on lui pardonnait même de se faire en quelque sorte vénérer.

Cependant il était jeune. On lui eût donné trente ans, et il était loin encore de les avoir. Quoiqu'il combattît déjà depuis un certain temps dans les rangs républicains, on ignorait ses aventures. Le seul être qui, avec Rask, pût lui arracher quelque vive démonstration d'attachement, le bon vieux sergent Thadée, qui était entré avec lui au corps, et ne le quittait pas, contait parfois vaguement quelques circonstances de sa vie. On savait que d'Auverney avait éprouvé de grands malheurs en Amérique; que, s'étant marié à Saint-Domingue, il avait perdu sa femme et toute sa famille au milieu des massacres qui avaient marqué l'invasion de la révolution dans cette magnifique colonie. A cette époque de notre histoire, les infortunes de ce genre étaient si communes, qu'il s'était formé pour elles une espèce de pitié générale dans laquelle chacun prenait et apportait sa part. On plaignait donc le capitaine d'Auverney, moins pour les pertes qu'il avait souffertes que pour sa manière de les souffrir. C'est qu'en effet, à travers son indifférence glaciale, on voyait quelquefois les tressaillements d'une plaie incurable et intérieure.

Dès qu'une bataille commençait, son front paraissait serein. Il se montrait intrépide dans l'action comme s'il eût cherché à devenir général, et modeste après la victoire comme s'il n'eût voulu être que simple soldat. Ses camarades, en lui voyant ce dédain des honneurs et des grades, ne comprenaient pas pourquoi, avant le combat, il paraissait espérer quelque chose, et ne devinaient point que d'Auverney, de toutes les chances de la guerre, ne désirait que la mort.

Les représentants du peuple en mission à l'armée le nommèrent un jour chef de brigade sur le champ de bataille; il refusa, parce qu'en se séparant de la compagnie il aurait fallu quitter le sergent Thadée. Quelques jours après, il s'offrit pour conduire une expédition hasardeuse, et en revint, contre l'attente générale et contre son espérance. On l'entendit alors regretter le grade qu'il avait refusé : Car, disait-il, puisque le canon ennemi m'épargne toujours, la guillotine, qui frappe tous ceux qui s'élèvent, aurait peut-être voulu de moi.

III

TEL ÉTAIT l'homme sur le compte duquel s'engagea la conversation suivante quand il fut sorti de la tente.

— Je parierais, s'écria le lieutenant Henri en essuyant sa botte rouge, sur laquelle le chien avait laissé en passant une large tache de boue, je parierais que le capitaine ne donnerait pas la patte cassée de son chien pour ces dix paniers de madère que nous entrevîmes l'autre jour dans le grand fourgon du général.

— Chut! chut! dit gaiement l'aide-de-camp Paschal, ce serait un mauvais marché... Les paniers sont à présent vides : j'en sais quelque chose; et, ajouta-t-il d'un air sérieux, trente bouteilles décachetées ne valent certainement pas, vous en conviendrez, lieutenant, la patte de ce pauvre chien, patte dont on pourrait, après tout, faire une poignée de sonnette.

L'assemblée se mit à rire du ton grave dont l'aide-de-camp prononçait ces dernières paroles. Le jeune officier des hussards basques, Alfred, qui seul n'avait pas ri, prit un air mécontent.

— Je ne vois pas, messieurs, ce qui peut prêter à la raillerie dans ce qui vient de se passer. Ce chien et ce sergent, que j'ai toujours vus auprès de d'Auverney depuis que je le connais, me semblent susceptibles de faire naître quelque intérêt. Enfin, cette scène...

Paschal, piqué et du mécontentement d'Alfred et de la bonne humeur des autres, l'interrompit.

— Cette scène est très sentimentale. Comment donc! un chien retrouvé et un bras cassé!

— Capitaine Paschal, vous avez tort, dit Henri en

jetant hors de la tente la bouteille qu'il venait de vider, ce Bug..., autrement dit Pierrot, pique singulièrement ma curiosité...

Paschal, prêt à se fâcher, s'apaisa en remarquant que son verre, qu'il croyait vide, était plein. D'Auverney rentra : il alla se rasseoir à sa place sans prononcer une parole. Son air était pensif, mais son visage était plus calme. Il paraissait si préoccupé, qu'il n'entendait rien de ce qui se disait autour de lui. Rask, qui l'avait suivi, se coucha à ses pieds en le regardant d'un air inquiet.

— Votre verre, capitaine d'Auverney. Goûtez de celui-ci...

— Oh! grâce à Dieu, dit le capitaine, croyant répondre à la question de Paschal, la blessure n'est pas dangereuse, le bras n'est pas cassé.

Le respect involontaire que le capitaine inspirait à tous ses compagnons d'armes contint seul l'éclat de rire prêt à éclore sur les lèvres de Henri.

— Puisque vous n'êtes plus aussi inquiet de Thadée, dit-il, et que nous sommes convenus de raconter chacun une de nos aventures pour abréger cette nuit de bivouac, j'espère, mon cher ami, que vous voudrez bien remplir votre engagement, en nous disant l'histoire de votre chien boiteux et de Bug... je ne sais comment, autrement dit Pierrot, ce vrai Gibraltar!

A cette question, faite d'un ton moitié sérieux, moitié plaisant, d'Auverney n'aurait rien répondu, si tous n'eussent joint leurs instances à celles du lieutenant.

Il céda enfin à leurs prières.

— Je vais vous satisfaire, messieurs; mais n'attendez que le récit d'une anecdote toute simple, dans laquelle je ne joue qu'un rôle très secondaire. Si l'attachement qui existe entre Thadée, Rask et moi, vous a fait espérer quelque chose d'extraordinaire, je vous préviens que vous vous trompez. Je commence.

Alors il se fit un grand silence. Paschal vida d'un trait sa gourde d'eau-de-vie, et Henri s'enveloppa de la peau d'ours à demi rongée, pour se garantir du frais de la nuit, tandis qu'Alfred achevait de fredonner l'air galicien de *mataperros*.

D'Auverney resta un moment rêveur, comme pour rappeler à son souvenir des événements depuis longtemps remplacés par d'autres; enfin il prit la parole, lentement, presque à voix basse et avec des pauses fréquentes.

IV

UOIQUE né en France, j'ai été envoyé de bonne heure à Saint-Domingue, chez un de mes oncles, colon très-riche, dont je devais épouser la fille.

Les habitations de mon oncle étaient voisines du fort Galifet; et ses plantations occupaient la majeure partie des plaines de l'Acul.

Cette malheureuse position, dont le détail vous semble sans doute offrir peu d'intérêt, a été l'une des premières causes des désastres et de la ruine totale de ma famille.

Huit cents nègres cultivaient les immenses domaines de mon oncle. Je vous avouerai que la triste condition de ces esclaves était encore aggravée par l'insensibilité de leur maître. Mon oncle était du nombre, heureusement assez restreint, de ces planteurs dont une longue habitude de despotisme absolu avait endurci le cœur. Accoutumé à se voir obéi au premier coup d'œil, la moindre hésitation de la part d'un esclave était punie des plus mauvais traitements, et souvent l'intercession de ses enfants ne servait qu'à accroître sa colère. Nous étions donc le plus souvent obligés de nous borner à soulager en secret des maux que nous ne pouvions prévenir.

— Comment ! mais voilà des phrases, dit Henri à demi-voix, en se penchant vers son voisin. Allons, j'espère que le capitaine ne laissera pas passer les malheurs des *ci-devant noirs,* sans quelque petite dissertation sur les devoirs qu'impose l'humanité, *et cætera.* On n'en eût pas été quitte à moins au club Massiac[1].

— Je vous remercie, Henri, de m'épargner un ridicule, dit froidement d'Auverney, qui l'avait entendu.

Il poursuivit.

— Entre tous ces esclaves, un seul avait trouvé grâce devant mon oncle. C'était un nain espagnol, griffe[2] de

1. Nos lecteurs ont sans doute oublié que le club *Massiac,* dont parle le lieutenant Henri, était une association de *négrophiles.* Ce club, formé à Paris au commencement de la révolution, avait provoqué la plupart des insurrections qui éclatèrent alors dans les colonies.
On pourra s'étonner aussi de la légèreté un peu hardie avec laquelle le jeune lieutenant raille des *philanthropes* qui régnaient encore à cette époque par la grâce du bourreau. Mais il faut se rappeler qu'avant, pendant et après la terreur, la liberté de penser et de parler s'était réfugiée dans les camps. Ce noble privilège coûtait de temps en temps la tête à un général ; mais il absout de tout reproche la gloire si éclatante de ces soldats que les dénonciateurs de la convention appelaient les « *messieurs* de l'armée du Rhin ».

2. Une explication précise sera peut-être nécessaire à l'intelligence de ce mot.
M. Moreau de Saint-Méry, en développant le système de Franklin, a classé dans des espèces génériques les différentes teintes que présentent les mélanges de la population de couleur.
Il suppose que l'homme forme un tout de cent vingt-huit parties, blanches chez les blancs, et noires chez les noirs.

couleur, qui lui avait été donné par lord Effingham, gouverneur de la Jamaïque. Mon oncle, qui, ayant longtemps résidé au Brésil, y avait contracté les habitudes du faste portugais, aimait à s'environner chez lui d'un appareil qui répondît à sa richesse. De nombreux esclaves, dressés au service comme des domestiques européens, donnaient à sa maison un éclat en quelque sorte seigneurial. Pour que rien n'y manquât, il avait fait de l'esclave de lord Effingham son *fou,* à l'imitation de ces anciens princes féodaux qui avaient des bouffons dans leurs cours. Il faut dire que le choix était singulièrement heureux. Le griffe Habibrah (c'était son nom) était un de ces êtres dont la conformation physique est si étrange qu'ils paraîtraient des monstres, s'ils ne faisaient rire. Ce nain hideux était gros, court, ventru, et se mouvait avec une rapidité singulière sur deux jambes grêles et fluettes, qui, lorsqu'il s'asseyait, se repliaient sous lui comme les bras

Partant de ce principe, il établit que l'on est d'autant plus près ou plus loin de l'une ou de l'autre couleur, qu'on se rapproche ou qu'on s'éloigne davantage du terme soixante-quatre, qui leur sert de moyenne proportionnelle.

D'après ce système, tout homme qui n'a point huit parties de blanc est réputé noir.

Marchant de cette couleur vers le blanc, on distingue neuf souches principales, qui ont encore entre elles des variétés d'après le plus ou le moins de parties qu'elles retiennent de l'une ou de l'autre couleur. Ces neuf espèces sont le *sacatra,* le *griffe,* le *marabout,* le *mulâtre,* le *quarteron,* le *métis,* le *mamelouc,* le *quarteronné,* le *sang-mêlé.*

Le *sang-mêlé,* en continuant son union avec le blanc, finit en quelque sorte par se confondre avec cette couleur. On assure pourtant qu'il conserve toujours sur une certaine partie du corps la trace ineffaçable de son origine.

Le *griffe* est le résultat de cinq combinaisons, et peut avoir depuis vingt-quatre jusqu'à trente-deux parties blanches, et quatre-vingt-seize ou cent quatre noires.

d'une araignée. Sa tête énorme, lourdement enfoncée entre ses épaules, hérissée d'une laine rousse et crépue, était accompagnée de deux oreilles si larges, que ses camarades avaient coutume de dire qu'Habibrah s'en servait pour essuyer ses yeux quand il pleurait. Son visage était toujours une grimace, et n'était jamais la même ; bizarre mobilité de traits, qui du moins donnait à sa laideur l'avantage de la variété. Mon oncle l'aimait à cause de sa difformité rare et de sa gaieté inaltérable. Habibrah était son favori. Tandis que les autres esclaves étaient rudement accablés de travail, Habibrah n'avait d'autre soin que de porter derrière le maître un large éventail de plumes d'oiseaux de paradis, pour chasser les moustiques et les bigailles. Mon oncle le faisait manger à ses pieds sur une natte de jonc, et lui donnait toujours sur sa propre assiette quelque reste de son mets de prédilection. Aussi Habibrah se montrait-il reconnaissant de tant de bontés ; il n'usait de ses privilèges de bouffon, de son droit de tout faire et de tout dire, que pour divertir son maître par mille folles paroles entremêlées de contorsions, et au moindre signe de mon oncle, il accourait avec l'agilité d'un singe et la soumission d'un chien.

Je n'aimais pas cet esclave. Il y avait quelque chose de trop rampant dans sa servilité ; et si l'esclavage ne déshonore pas, la domesticité avilit. J'éprouvais un sentiment de pitié bienveillante pour ces malheureux nègres que je voyais travailler tout le jour sans presque qu'aucun vêtement cachât leur chaîne ; mais ce baladin difforme, cet esclave fainéant, avec ses ridicules habits bariolés de galons et semés de grelots, ne m'inspirait que du mépris. D'ailleurs le nain n'usait pas en bon frère du crédit que ses bassesses lui avaient donné sur le patron commun. Jamais il n'avait demandé une grâce à un maître qui infligeait si souvent des châtiments ; et on l'entendit même un jour, se croyant seul avec mon oncle, l'exhorter à redoubler de sévérité envers ses infortunés camarades. Les autres esclaves cependant, qui auraient dû le voir avec défiance et jalousie, ne paraissaient pas le haïr. Il leur inspirait une sorte de crainte respectueuse qui ne ressemblait point à l'inimitié ; et quand ils le voyaient passer au milieu de leurs cases avec son grand bonnet pointu orné de sonnettes, sur lequel il avait tracé des figures bizarres en encre rouge, ils se disaient entre eux à voix basse : *C'est un obi*[1] *!*

Ces détails, sur lesquels j'arrête en ce moment votre attention, messieurs, m'occupaient fort peu alors. Tout entier aux pures émotions d'un amour que rien ne semblait devoir traverser, d'un amour éprouvé et partagé depuis l'enfance par la femme qui m'était destinée, je n'accordais que des regards fort distraits à tout ce qui n'était pas Marie. Accoutumé dès l'âge le plus tendre à considérer comme ma future épouse celle qui était déjà en quelque sorte ma sœur, il s'était formé entre nous une tendresse dont on ne comprendrait pas encore la nature si je disais que notre amour était un mélange de dévouement fraternel, d'exaltation passionnée et de confiance conjugale. Peu d'hommes ont coulé plus heureusement que moi leurs premières années ; peu d'hommes ont senti leur âme s'épanouir à la vie sous un plus beau ciel, dans un accord plus délicieux de bonheur pour le présent et d'espérance pour l'avenir. Entouré presque en naissant de tous les contentements de la richesse, de tous les privilèges du rang dans un pays où la couleur suffisait pour le donner, passant mes journées près de l'être qui avait tout mon amour,

1. Un sorcier.

voyant cet amour favorisé de nos parents, qui seuls auraient pu l'entraver, et tout cela dans l'âge où le sang bouillonne, dans une contrée où l'été est éternel, où la nature est admirable; en fallait-il plus pour me donner une foi aveugle dans mon heureuse étoile? en faut-il plus pour me donner le droit de dire que peu d'hommes ont coulé plus heureusement que moi leurs premières années?... Le capitaine s'arrêta un moment, comme si la voix lui eût manqué pour ces souvenirs de bonheur. Puis il poursuivit avec un accent profondément triste :

— Il est vrai que j'ai maintenant de plus le droit d'ajouter que nul ne coulera plus déplorablement ses derniers jours.

Et, comme s'il eût repris de la force dans le sentiment de son malheur, il continua d'une voix assurée.

V

'EST au milieu de ces illusions et de ces espérances aveugles que j'atteignais ma vingtième année. Elle devait être accomplie au mois d'août 1791, et mon oncle avait fixé cette époque pour mon union avec Marie. Vous comprenez aisément que la pensée d'un bonheur si prochain absorbait toutes mes facultés, et combien doit être vague le souvenir qui me reste des débats politiques dont à cette époque la colonie était déjà agitée depuis deux ans. Je ne vous entretiendrai donc ni du comte de Peinier, ni de M. de Blanchelande, ni de ce malheureux colonel de Mauduit dont la fin fut si tragique. Je ne vous peindrai point les rivalités de l'assemblée *provinciale* du Nord, et de cette assemblée *coloniale* qui prit le titre d'assemblée *générale,* trouvant que le mot *coloniale* sentait l'esclavage. Ces misères, qui ont bouleversé alors tous les esprits, n'offrent plus maintenant d'intérêt que par les désastres qu'elles ont produits. Pour moi, dans cette jalousie mutuelle qui divisait le Cap et le Port-au-Prince, si j'avais une opinion, ce devait être nécessairement en faveur du Cap, dont nous habitions le territoire, et de l'assemblée provinciale, dont mon oncle était membre.

Il m'arriva une seule fois de prendre une part un peu vive à un débat sur les affaires du jour. C'était à l'occasion de ce désastreux décret du 15 mai 1791, par lequel l'assemblée nationale de France admettait les hommes de couleur libres à l'égal partage des droits politiques avec les blancs. Dans un bal donné à la ville du Cap par le gouverneur, plusieurs jeunes colons parlaient avec véhémence sur cette loi, qui blessait si cruellement l'amour-propre, peut-être fondé, des blancs. Je ne m'étais point encore mêlé à la conversation, lorsque je vis s'approcher du groupe un riche planteur que les blancs admettaient difficilement parmi eux, et dont la couleur équivoque faisait suspecter l'origine. Je m'avançai brusquement vers cet homme en lui disant à voix haute : « Passez outre, monsieur; il se dit ici des choses désagréables pour vous, qui avez du *sang mêlé* dans les veines. » Cette imputation l'irrita au point qu'il m'appela en duel. Nous fûmes tous deux blessés. J'avais eu tort, je l'avoue, de le provoquer; mais il est probable que ce qu'on appelle *le préjugé de la couleur* n'eût pas suffi seul pour m'y pousser : cet homme avait depuis quelque temps l'audace de lever les yeux jusqu'à ma cousine, et au moment où je l'humiliai d'une manière si inattendue, il venait de danser avec elle.

Quoi qu'il en fût, je voyais s'avancer avec ivresse le moment où je posséderais Marie, et je demeurais étranger à l'effervescence toujours croissante qui faisait bouillonner toutes les têtes autour de moi. Les yeux fixés sur mon bonheur, qui s'approchait, je n'apercevais pas le nuage effrayant qui déjà couvrait presque tous les points de notre horizon politique, et qui devait, en éclatant, déraciner toutes les existences. Ce n'est pas que les esprits, même les plus prompts à s'alarmer, s'attendissent sérieusement dès lors à la révolte des esclaves : on méprisait trop cette classe pour la craindre; mais il existait seulement entre les blancs et les mulâtres libres assez de haine pour que ce volcan si longtemps comprimé bouleversât toute la colonie au moment redouté où il se déchirerait.

Dans les premiers jours de ce mois d'août, si ardemment appelé de tous mes vœux, un incident étrange vint mêler une inquiétude imprévue à mes tranquilles espérances.

VI

MON ONCLE avait fait construire sur les bords d'une jolie rivière qui baignait ses plantations, un petit pavillon de branchage, entouré d'un massif d'arbres épais, où Marie venait tous les jours respirer la douceur de ces brises de mer qui, pendant les mois les plus brûlants de l'année, soufflent régulièrement à Saint-Domingue, depuis le matin jusqu'au soir, et dont la fraîcheur augmente ou diminue avec la chaleur même du jour.

J'avais soin d'orner moi-même tous les matins cette retraite des plus belles fleurs que je pouvais cueillir.

Un jour Marie accourt à moi tout effrayée. Elle était entrée comme de coutume dans son cabinet de verdure, et là elle avait vu, avec une surprise mêlée de terreur, toutes les fleurs dont je l'avais tapissé le matin arrachées et foulées aux pieds; un bouquet de soucis sauvages fraîchement cueillis était déposé à la place où elle avait coutume de s'asseoir. Elle n'était pas encore revenue de sa stupeur, qu'elle avait entendu les sons d'une guitare sortir du milieu du taillis même qui environnait le pavillon; puis une voix, qui n'était pas la mienne, avait commencé à chanter doucement une chanson qui lui avait paru espagnole, et dans laquelle son trouble, et sans doute aussi quelque pudeur de vierge, l'avaient empêchée de comprendre autre chose que son nom, fréquemment répété. Alors elle avait eu recours à une fuite précipitée, à laquelle heureusement il n'avait point été mis d'obstacle.

Ce récit me transporta d'indignation et de jalousie... Mes premières conjectures s'arrêtèrent sur le *sang-mêlé* libre avec qui j'avais eu récemment une altercation; mais, dans la perplexité où j'étais jeté, je résolus de ne rien faire légèrement. Je rassurai la pauvre Marie, et je me promis de veiller sans relâche sur elle, jusqu'au moment prochain où il me serait permis de la protéger encore de plus près.

Présumant bien que l'audacieux dont l'insolence avait si fort épouvanté Marie ne se bornerait pas à cette première tentative pour lui faire connaître ce que je devinais être son amour, je me mis dès le même soir en embuscade autour du corps de bâtiment où reposait ma fiancée, après que tout le monde fut endormi dans la plantation. Caché dans l'épaisseur des hautes cannes à sucre, armé de mon poignard, j'attendais. Je n'attendis pas en vain. Vers le milieu de la nuit, un prélude mélancolique et grave, s'élevant dans le silence à quelques pas de moi, éveilla brusquement mon attention. Ce bruit fut pour moi comme une secousse : c'était une guitare ; c'était sous la fenêtre même de Marie ! Furieux, brandissant mon poignard, je m'élançai vers le point d'où ces sons partaient, brisant sous mes pas les tiges cassantes des cannes à sucre. Tout à coup je me sentis saisir et renverser avec une force qui me parut prodigieuse ; mon poignard me fut violemment arraché, et je le vis briller au-dessus de ma tête. En même temps deux yeux ardents étincelaient dans l'ombre tout près des miens, et une double rangée de dents blanches, que j'entrevoyais dans les ténèbres, s'ouvrait pour laisser passer ces mots, prononcés avec l'accent de la rage : *Te tengo ! te tengo*[1] *!*

Plus étonné encore qu'effrayé, je me débattais vainement contre mon formidable adversaire, et déjà la pointe de l'acier se faisait jour à travers mes vêtements, lorsque Marie, que la guitare et ce tumulte de pas et de paroles avaient éveillée, parut subitement à sa fenêtre. Elle reconnut ma voix, vit briller un poignard, et poussa un cri d'angoisse et de terreur... Ce cri déchirant paralysa en quelque sorte la main de mon antagoniste victorieux ; il s'arrêta, comme pétrifié par un enchantement, promena encore quelques instants avec indécision le poignard sur ma poitrine, puis, le jetant tout à coup : Non ! dit-il cette fois en français, non ! elle pleurerait trop ! — En achevant ces paroles bizarres, il disparut dans les touffes de roseaux ; et avant que je me fusse relevé, meurtri par cette lutte inégale et singulière, nul bruit, nul vestige ne restait de sa présence et de son passage.

1. Je te tiens ! je te tiens !

Il me serait fort difficile de dire ce qui se passa en moi au moment où je revins de ma première stupeur entre les bras de ma douce Marie, à laquelle j'étais si étrangement conservé par celui-là même qui paraissait prétendre à me la disputer. J'étais plus que jamais indigné contre ce rival inattendu, et honteux de lui devoir la vie. Au fond, me disait mon amour-propre, c'est à Marie que je la dois, puisque c'est l'empire de sa voix qui a fait tomber le poignard. Cependant je ne pouvais me dissimuler qu'il y avait bien quelque générosité dans le sentiment qui avait décidé mon rival inconnu à m'épargner. Mais ce rival, quel était-il donc ? je me confondais en soupçons, qui tous se détruisaient les uns les autres. Ce ne pouvait être le planteur *sang-mêlé* que ma jalousie s'était d'abord désigné. Il était loin d'avoir cette force extraordinaire, et d'ailleurs ce n'était pas sa voix. L'individu avec qui j'avais lutté m'avait paru nu jusqu'à la ceinture. Les esclaves seuls dans la colonie étaient ainsi à demi vêtus. Mais ce ne pouvait être un esclave : des sentiments comme celui qui lui avait fait jeter le poignard ne me semblaient pas pouvoir appartenir à un esclave ; et d'ailleurs tout en moi se refusait à la révoltante supposition d'avoir un esclave pour rival. Quel était-il donc ? je résolus d'attendre et d'épier.

VII

MARIE avait éveillé la vieille nourrice qui lui tenait lieu de la mère qu'elle avait perdue au berceau. Je passai le reste de la nuit auprès d'elle, et dès que le jour fut venu nous informâmes mon oncle de ces inexplicables événements. Sa surprise en fut extrême; mais son orgueil, comme le mien, ne s'arrêta pas à l'idée que l'amant inconnu de sa fille pourrait être un esclave. La nourrice reçut ordre de ne plus quitter Marie; et comme les séances de l'assemblée provinciale, les soins que donnait aux principaux colons l'attitude de plus en plus menaçante des affaires coloniales, et les travaux des plantations, ne laissaient à mon oncle aucun loisir, il m'autorisa à accompagner sa fille dans toutes ses promenades jusqu'au jour de mon mariage, qui était fixé au 22 août. En même temps, présumant que le nouveau soupirant n'avait pu venir que du dehors, il ordonna que l'enceinte de ses domaines fût désormais gardée nuit et jour plus sévèrement que jamais.

Ces précautions prises, de concert avec mon oncle, je voulus tenter une épreuve. J'allai au pavillon de la rivière, et, réparant le désordre de la veille, je lui rendis la parure de fleurs dont j'avais coutume de l'embellir pour Marie.

Quand l'heure où elle s'y retirait habituellement fut venue, je m'armai de ma carabine, chargée à balle, et je proposai à ma cousine de l'accompagner à son pavillon. La vieille nourrice nous suivit.

Marie, à qui je n'avais point dit que j'avais fait disparaître les traces qui l'avaient effrayée la veille, entra la première dans le cabinet de feuillage. — Vois, Léopold, me dit-elle, mon berceau est bien dans le même état de désordre où je l'ai laissé hier; voilà bien ton ouvrage gâté, tes fleurs arrachées, flétries; ce qui m'étonne, ajouta-t-elle en prenant un bouquet de soucis sauvages, déposé sur le banc de gazon, ce qui m'étonne, c'est que ce vilain bouquet ne se soit pas fané depuis hier. Vois, cher ami, il a l'air d'être tout fraîchement cueilli. — J'étais immobile d'étonnement et de colère. En effet, mon ouvrage du matin même était déjà détruit ; et ces tristes fleurs, dont la fraîcheur étonnait ma pauvre Marie, avaient repris insolemment la place des roses que j'avais semées. — Calme-toi, me dit Marie, qui vit mon agitation, calme-toi ; c'est une chose passée, cet insolent n'y reviendra sans doute plus ; mettons tout cela sous nos pieds, comme cet odieux bouquet. — Je me gardai bien de la détromper, de peur de l'alarmer ; et sans lui dire que celui qui devait, selon elle, *n'y plus revenir,* était déjà revenu, je la laissai fouler les soucis aux pieds, pleine d'une innocente indignation. Puis, espérant que l'heure était venue de connaître mon mystérieux rival, je la fis asseoir en silence entre sa nourrice et moi.

A peine avions-nous pris place, que Marie mit son doigt sur ma bouche : quelques sons affaiblis par le vent et par le bruissement de l'eau venaient de frapper son oreille. J'écoutai ; c'était le même prélude triste et lent qui la nuit précédente avait éveillé ma fureur. Je voulus m'élancer de mon siège ; un geste de Marie me retint. — Léopold, me dit-elle à voix basse, contiens-toi, il va peut-être chanter, et sans doute ce qu'il dira nous apprendra qui il est.

En effet, une voix dont l'harmonie avait quelque chose de mâle et de plaintif à la fois sortit un moment après du fond du bois, et mêla aux notes graves de la guitare une romance espagnole, dont chaque parole retentit assez profondément dans mon oreille pour que ma mémoire puisse encore aujourd'hui en retrouver presque toutes les expressions.

« Pourquoi me fuis-tu, Maria[1] ? pourquoi me fuis-tu, jeune fille ? pourquoi cette terreur quand tu m'entends ?

1. On a jugé inutile de reproduire ici en entier les paroles du chant espagnol *Porque me huyes, Maria ?* etc.

Je suis en effet bien formidable ! je sais aimer, souffrir et chanter !

» Lorsqu'à travers les tiges élancées des cocotiers de la rivière je vois glisser ta forme légère et pure, un éblouissement trouble ma vue, ô Maria ! et je crois voir passer un esprit !

» Et si j'entends, ô Maria ! les accents enchantés qui s'échappent de ta bouche, comme une mélodie, il me semble que mon cœur vient palpiter dans mon oreille, et mêle un bourdonnement plaintif à ta voix harmonieuse.

» Hélas ! ta voix est plus douce pour moi que le chant même des jeunes oiseaux qui battent de l'aile dans le ciel, et qui viennent du côté de ma patrie ;

» De ma patrie où j'étais roi, de ma patrie où j'étais libre !

» Libre et roi, jeune fille ? j'oublierais tout cela pour toi ; j'oublierais tout, royaume, famille, devoirs, vengeance ; oui, jusqu'à la vengeance, quoique le moment soit bientôt venu de cueillir ce fruit amer et délicieux, qui mûrit si tard ! »

La voix avait chanté les stances précédentes avec des pauses fréquentes et douloureuses ; mais en achevant ces derniers mots, elle avait pris un accent terrible.

» O Maria ! tu ressembles au beau palmier svelte et doucement balancé sur sa tige, et tu te mires dans l'œil de ton jeune amant, comme le palmier dans l'eau transparente de la fontaine.

» Mais, ne le sais-tu pas ? il y a quelquefois au fond du désert un ouragan jaloux du bonheur de la fontaine aimée ; il accourt, et l'air et le sable se mêlent sous le vol de ses lourdes ailes : il enveloppe l'arbre et la source d'un tourbillon de feu ; et la fontaine se dessèche, et le palmier sent se crisper sous l'haleine de mort le cercle vert de ses feuilles, qui avait la majesté d'une couronne et la grâce d'une chevelure.

» Tremble, ô blanche fille d'Hispaniola[1] ! tremble que tout ne soit bientôt plus autour de toi qu'un ouragan et qu'un désert ! Alors tu regretteras l'amour qui eût pu te conduire vers moi, comme le joyeux katha, l'oiseau de salut, guide à travers les sables d'Afrique le voyageur à la citerne.

» Et pourquoi repousserais-tu mon amour, Maria ? je suis roi, et mon front s'élève au-dessus de tous les fronts humains. Tu es blanche et je suis noir ; mais le jour a besoin de s'unir à la nuit pour enfanter l'aurore et le couchant, qui sont plus beaux que lui ! »

VIII

N LONG soupir, prolongé sur les cordes frémissantes de la guitare, accompagna ces dernières paroles. J'étais hors de moi. « Roi ! — noir ! — esclave ! — » Mille idées incohérentes, éveillées par l'inexplicable chant que je venais d'entendre, tourbillonnaient dans mon cerveau. Un violent besoin d'en finir avec l'être inconnu qui osait ainsi associer le nom de Marie à des chants d'amour et de menace s'empara de moi. Je saisis convulsivement ma carabine, et me précipitai hors du pavillon. Marie, effrayée, tendait encore les bras pour me retenir, que déjà je m'étais enfoncé dans le

1. Nos lecteurs n'ignorent pas sans doute que c'est le premier nom donné à Saint-Domingue, par Christophe Colomb, à l'époque de la découverte, en décembre 1492.

taillis, du côté d'où la voix était venue. Je fouillai le bois dans tous les sens, je plongeai le canon de mon mousqueton dans l'épaisseur de toutes les broussailles, je fis le tour de tous les gros arbres, je remuai toutes les hautes herbes... Rien! rien, et toujours rien. Cette recherche inutile, jointe à d'inutiles réflexions sur la romance que je venais d'entendre, mêla de la confusion à ma colère. Cet insolent rival échapperait donc toujours à mon bras comme à mon esprit. Je ne pourrais donc ni le deviner ni le rencontrer!... En ce moment un bruit de sonnettes vint me distraire de ma rêverie. Je me retournai. Le nain Habibrah était à côté de moi. — Bonjour, maître, me dit-il, et il s'inclina avec respect; mais son louche regard, obliquement relevé vers moi, paraissait remarquer avec une expression indéfinissable de malice et de triomphe l'anxiété peinte sur mon front. — Parle! lui criai-je brusquement; as-tu vu quelqu'un dans ce bois? — Nul autre que vous, *señor mio,* me répondit-il avec tranquillité. — Est-ce que tu n'as pas entendu une voix? repris-je. L'esclave resta un moment comme cherchant ce qu'il pouvait me répondre. Je bouillais. Vite, lui dis-je, réponds vite, malheureux! as-tu entendu ici une voix? — Il fixa hardiment sur mes yeux ses deux yeux ronds comme ceux d'un chat-tigre. — *Que quiere decir usted*[1] par une voix, maître? il y a des voix partout et pour tout; il y a la voix des oiseaux, il y a la voix de l'eau, il y a la voix du vent dans les feuilles... — Je l'interrompis en le secouant rudement : — Misérable bouffon! cesse de me prendre pour ton jouet, ou je te fais écouter de près la voix qui sort d'un canon de carabine. Réponds en quatre mots. As-tu entendu dans ce bois un homme qui chantait un air

1. Que voulez-vous dire?

espagnol ? — Oui, *señor,* me répliqua-t-il sans paraître ému, et des paroles sur l'air... Tenez, maître, je vais vous conter la chose. Je me promenais sur la lisière de ce bosquet en écoutant ce que les grelots d'argent de ma *gorra*[1] me disaient à l'oreille. Tout à coup le vent est venu joindre à ce concert quelques mots d'une langue que vous appelez l'espagnol, la première que j'aie bégayée, lorsque mon âge se comptait par mois et non par années, et que ma mère me suspendait sur son dos à des bandelettes de laine rouge et jaune. J'aime cette langue ; elle me rappelle le temps où je n'étais que petit et pas encore nain, qu'un enfant et pas encore un fou. Je me suis rapproché de la voix, et j'ai entendu la fin de la chanson. — Eh bien, est-ce là tout ? repris-je impatienté. — Oui, maître *hermoso,* mais, si vous voulez, je vous dirai ce que c'est que l'homme qui chantait. — Je crus que j'allais embrasser le pauvre bouffon. — Oh ! parle, m'écriai-je, parle, voici ma bourse, Habibrah ! et dix bourses meilleures sont à toi si tu me dis quel est cet homme. Il prit la bourse, l'ouvrit et sourit. *Diez bolsas* meilleures que celle-ci ! mais, *demonio !* cela ferait une pleine *fanega* de bons écus à l'image *del rey Luis quince,* autant qu'il en aurait fallu pour ensemencer le champ du magicien grenadin Altornino, lequel savait l'art d'y faire pousser de *buenos doblones ;* mais ne vous fâchez pas, jeune maître ; je viens au fait. Rappelez-vous, *señor,* les derniers mots de la chanson : « Tu es blanche et je suis noir ; mais le jour a besoin de s'unir à la nuit pour enfanter l'aurore et le couchant, qui sont plus beaux que lui. » Or, si cette chanson dit vrai, le griffe Habibrah, votre humble esclave, né d'une négresse et d'un blanc, est plus beau que vous,

1. Le petit griffe espagnol désigne par ce nom son *bonnet.*

señorito de amor. Je suis le produit de l'union du jour et de la nuit, je suis l'aurore ou le couchant dont parle la chanson espagnole, et vous n'êtes que le jour. Donc je suis plus beau que vous, *si usted quiere*[1], plus beau qu'un blanc... — Le nain entremêlait cette divagation bizarre de longs éclats de rire. Je l'interrompis encore. — Où donc en veux-tu venir avec tes extravagances? tout cela me dira-t-il ce que c'est que l'homme qui chantait dans ce bois? — Précisément, maître, repartit le bouffon avec un regard malicieux. Il est évident que *el hombre* qui a pu chanter de telles *extravagances,* comme vous les appelez, ne peut être et n'est qu'un fou pareil à moi! J'ai gagné *las diez bolsas!* — Ma main se levait pour châtier l'insolente plaisanterie de l'esclave émancipé, lorsqu'un cri affreux retentit tout à coup dans le bosquet, du côté du pavillon de la rivière. C'était la voix de Marie. — Je m'élance, je cours, je vole, m'interrogeant d'avance avec terreur sur le nouveau malheur que je pouvais avoir à redouter. J'arrive haletant au cabinet de verdure. Un spectacle effrayant m'y attendait. Un crocodile monstrueux, dont le corps était à demi caché sous les roseaux et les mangles de la rivière, avait passé sa tête énorme à travers l'une des arcades de verdure qui soutenaient le toit du pavillon. Sa gueule entr'ouverte et hideuse menaçait un jeune noir, d'une stature colossale, qui d'un bras soutenait la jeune fille épouvantée, de l'autre plongeait hardiment le fer d'une bisaiguë entre les mâchoires acérées du monstre. Le crocodile luttait furieusement contre cette main audacieuse et puissante qui le tenait en respect. Au moment où je me présentai devant le seuil du cabinet, Marie poussa un cri de joie, s'arracha des bras du nègre,

1. S'il vous plaît.

et vint tomber dans les miens en s'écriant : Je suis sauvée! — A ce mouvement, à cette parole de Marie, le nègre se retourne brusquement, croise ses bras sur sa poitrine gonflée, et, attachant sur ma fiancée un regard douloureux, demeure immobile, sans paraître s'apercevoir que le crocodile est là, près de lui, qu'il s'est débarrassé de la bisaiguë, et qu'il va le dévorer. C'en était fait du courageux noir si, déposant rapidement Marie sur les genoux de sa nourrice, toujours assise sur un banc et plus morte que vive, je ne me fusse approché du monstre et je n'eusse déchargé à bout portant dans sa gueule la charge de ma carabine. L'animal, foudroyé, ouvrit et ferma encore deux ou trois fois sa gueule sanglante et ses yeux éteints, mais ce n'était plus qu'un mouvement convulsif, et tout à coup il se renversa à grand bruit sur le dos en raidissant ses deux pattes larges et écaillées. Il était mort.

Le nègre que je venais de sauver si heureusement détourna la tête, et vit les derniers tressaillements du monstre ; alors il fixa ses yeux sur la terre, et les relevant lentement vers Marie, qui était revenue achever de se rassurer sur mon cœur, il me dit, et l'accent de sa voix exprimait plus que le désespoir, il me dit : — *Porque le has matado*[1] ? Puis il s'éloigna à grands pas sans attendre ma réponse, et rentra dans le bosquet, où il disparut.

1. Pourquoi l'as-tu tué ?

IX

ETTE scène terrible, ce dénouement singulier, les émotions de tout genre qui avaient précédé, accompagné et suivi mes vaines recherches dans le bois, jetèrent un chaos dans ma tête. Marie était encore toute pensive de sa terreur, et il s'écoula un temps assez long avant que nous pussions nous communiquer nos pensées incohérentes autrement que par des regards et les serrements de mains. Enfin je rompis le silence. — Viens, dis-je, Marie, sortons d'ici! ce lieu a quelque chose de funeste! Elle se leva avec empressement, comme si elle n'eût attendu que ma permission, appuya son bras sur le mien, et nous sortîmes.

Je lui demandai alors comment lui était advenu le secours miraculeux de ce noir au moment du danger horrible qu'elle venait de courir, et si elle savait qui était cet esclave, car le grossier caleçon qui voilait à peine sa nudité montrait assez qu'il appartenait à la dernière classe des habitants de l'île.

— Cet homme, me dit Marie, est sans doute un des nègres de mon père, qui était à travailler aux environs de la rivière à l'instant où l'apparition du crocodile m'a fait pousser le cri qui t'a averti de mon péril. Tout ce que je puis te dire, c'est qu'au moment même il s'est élancé hors du bois pour voler à mon secours. — De quel côté est-il venu? lui demandai-je. — Du côté opposé à celui d'où partait la voix l'instant d'auparavant et par lequel tu venais de pénétrer dans le bosquet. — Cet incident dérangea le rapprochement que mon esprit n'avait pu s'empêcher de faire entre les mots espagnols que m'avait adressés le nègre en se retirant, et la romance qu'avait chantée dans la même langue mon rival inconnu. D'autres rapports d'ailleurs s'étaient déjà présentés à moi. Ce nègre, d'une taille presque gigantesque, d'une force prodigieuse, pouvait bien être le rude adversaire contre lequel j'avais lutté la nuit précédente. La circonstance de la nudité devenait d'ailleurs un indice frappant. Le chanteur du bosquet avait dit : « Je suis noir... » Similitude de plus. Il s'était déclaré roi, et celui-ci n'était qu'un esclave ; mais je me rappelais, non sans étonnement, l'air de rudesse et de majesté empreint sur son visage au milieu des signes caractéristiques de la race africaine, l'éclat de ses yeux, la blancheur de ses dents sur le noir éclatant de sa peau, la largeur de son front, surprenante surtout chez un nègre, le gonflement dédaigneux qui donnait à l'épaisseur de ses lèvres et de ses narines quelque chose de si fier et de si puissant, la noblesse de son port, la beauté de ses formes, qui, quoique maigries et dégradées par la fatigue d'un travail journalier, avaient encore un développement pour ainsi dire herculéen ; je me représentais dans son ensemble l'aspect imposant de cet esclave, et je me disais qu'il aurait bien pu convenir à un roi. Alors, calculant une foule d'autres incidents, mes conjectures s'arrêtaient avec un frémissement de colère sur ce nègre insolent ; je voulais le faire rechercher et châtier... Et puis toutes mes indécisions me revenaient. En réalité, où était le fondement de tant de soupçons ? L'île de Saint-Domingue étant en grande partie possédée par l'Espagne, il résultait de là que beaucoup de nègres, soit qu'ils eussent primitivement appartenu à des colons de Santo-Domingo, soit qu'ils y fussent nés, mêlaient la langue espagnole à leur jargon. Et parce que cet esclave m'avait adressé quelques mots en espagnol, était-ce une raison pour le supposer auteur d'une romance en cette langue, qui annonçait nécessairement un degré de culture d'esprit, selon mes idées, tout à fait inconnu aux nègres? Quant à ce reproche singulier qu'il m'avait adressé d'avoir tué le crocodile, il annonçait chez l'esclave un dégoût de la vie que sa position expliquait d'elle-même, sans qu'il fût besoin, certes, d'avoir recours à l'hypothèse d'un amour impossible pour la fille de son maître. Sa présence dans le bosquet du pavillon pouvait bien n'être que fortuite; sa force et sa taille étaient loin de suffire pour constater son identité avec mon antagoniste nocturne. Était-ce sur d'aussi frêles indices que je pouvais charger d'une accusation terrible devant mon oncle et livrer à la vengeance implacable de son orgueil un pauvre esclave qui avait montré tant de courage pour secourir Marie?... Au moment où ces idées se soulevaient contre ma colère, Marie la dissipa entièrement en me disant avec sa douce voix : — Mon Léopold, nous devons de la reconnaissance à ce brave nègre; sans lui, j'étais perdue!... Tu serais arrivé trop tard.

Ce peu de mots eut un effet décisif. Il ne changea pas mon intention de faire rechercher l'esclave qui avait sauvé Marie, mais il changea le but de cette recherche. C'était pour une punition : ce fut pour une récompense.

Mon oncle apprit de moi qu'il devait la vie de sa fille à l'un de ses esclaves, et me promit sa liberté, si je pouvais le retrouver dans la foule de ces infortunés.

X

USQU'À ce jour, la disposition naturelle de mon esprit m'avait tenu éloigné des plantations où les noirs travaillaient. Il m'était trop pénible de voir souffrir des êtres que je ne pouvais soulager. Mais, dès le lendemain, mon oncle m'ayant proposé de l'accompagner dans sa ronde de surveillance, j'acceptai avec empressement, espérant rencontrer parmi les travailleurs le sauveur de ma bien-aimée Marie.

J'eus lieu de voir dans cette promenade combien le regard d'un maître est puissant sur des esclaves, mais en même temps combien cette puissance s'achète cher ! Les nègres, tremblants en présence de mon oncle, redoublaient, sur son passage, d'efforts et d'activité ; mais qu'il y avait de haine dans cette terreur !

Irascible par habitude, mon oncle était prêt à se fâcher de n'en avoir pas sujet, quand son bouffon Habibrah, qui le suivait toujours, lui fit remarquer tout à coup un noir qui, accablé de lassitude, s'était endormi sous un bosquet de dattiers. Mon oncle court à ce malheureux, le réveille rudement, et lui ordonne de se remettre à l'ouvrage. Le nègre, effrayé, se lève, et découvre en se levant un jeune rosier du Bengale sur lequel il s'était couché par mégarde, et que mon oncle se plaisait à élever. L'arbuste était perdu. Le maître, déjà irrité de ce qu'il appelait la paresse de l'esclave, devint furieux à cette vue. Hors de lui, il détache de sa ceinture le fouet armé de lanières ferrées qu'il portait dans ses promenades, et lève le bras pour en frapper le nègre tombé à genoux. — Le fouet ne retomba pas. Je n'oublierai jamais ce moment. Une main puissante arrêta subitement la main du colon. Un noir (c'était celui-là même que je cherchais!) lui cria en français : — Punis-moi, car je viens de t'offenser; mais ne fais rien à mon frère, qui n'a touché qu'à ton rosier! — Cette intervention inattendue de l'homme à qui je devais le salut de Marie, son geste, son regard, l'accent impérieux de sa voix, me frappèrent de stupeur. Mais sa généreuse imprudence, loin de faire rougir mon oncle, n'avait fait que redoubler la rage du maître et la détourner du patient à son défenseur. Mon oncle, exaspéré, se dégagea des bras du grand nègre, en l'accablant de menaces, et leva de nouveau son fouet pour l'en frapper à son tour. Cette fois le fouet lui fut arraché de la main. Le noir en brisa le manche garni de clous comme on brise une paille, et foula sous ses pieds ce honteux instrument de vengeance. J'étais immobile de surprise, mon oncle de fureur; c'était une chose inouïe pour lui que de voir son autorité ainsi outragée. Ses yeux s'agitaient comme prêts à sortir de leur orbite; ses lèvres bleues tremblaient. L'esclave le considéra un instant d'un air calme, puis tout à coup, lui présentant avec dignité une cognée qu'il tenait à la main : — Blanc, dit-il, si tu veux me frapper, prends au moins cette hache.

Mon oncle, qui ne se connaissait plus, aurait certainement exaucé son vœu, et se précipitait sur la hache, quand j'intervins à mon tour. Je m'emparai lestement de la cognée, et la jetai dans le puits d'une *noria,* qui était voisine. — Que fais-tu? me dit mon oncle avec emportement. — Je vous sauve, lui répondis-je, du malheur de frapper le défenseur de votre fille. C'est à cet esclave que vous devez Marie : c'est le nègre dont vous m'avez promis la liberté. Le moment était mal choisi pour invoquer cette promesse. Mes paroles effleurèrent à peine l'esprit ulcéré du colon — Sa liberté! me répliqua-t-il d'un air sombre. Oui, il a mérité la fin de son esclavage. Sa liberté! nous verrons de quelle nature sera celle que lui donneront les juges de la cour martiale. — Ces paroles sinistres me glacèrent. Marie et moi le suppliâmes inutilement. Le nègre dont la négligence avait causé cette scène fut puni de la bastonnade, et l'on plongea son défenseur dans les cachots du fort Galifet, comme coupable d'avoir porté la main sur un blanc. De l'esclave au maître, c'était un crime capital.

XI

VOUS jugez, messieurs, à quel point toutes ces circonstances avaient dû éveiller mon intérêt et ma curiosité. Je pris des renseignements sur le compte du prisonnier. On me révéla des particularités singulières. On m'apprit que ses compagnons semblaient avoir le plus profond respect pour ce jeune nègre. Esclave comme eux, il lui suffisait d'un signe pour s'en faire obéir. Il n'était point né dans les cases; on ne lui connaissait ni père ni mère : il y avait même peu d'années, disait-on, qu'un vaisseau négrier l'avait jeté à Saint-Domingue. Cette circonstance rendait plus remarquable encore l'empire qu'il exerçait sur tous ses compagnons, sans même en excepter les noirs *créoles,* qui, vous ne l'ignorez sans doute pas, messieurs, professaient ordinairement le plus profond mépris pour les nègres *congos,* expression impropre et trop générale, par laquelle on désignait dans la colonie tous les esclaves amenés d'Afrique.

Quoiqu'il parût absorbé dans une noire mélancolie, sa force extraordinaire, jointe à une adresse merveilleuse, en faisait un sujet du plus grand prix pour la culture des plantations. Il tournait plus vite et plus longtemps que ne l'aurait fait le meilleur cheval les roues des *norias.* Il lui arrivait souvent de faire en un jour l'ouvrage de dix de ses camarades, pour les soustraire aux châtiments réservés à la négligence ou à la fatigue. Aussi était-il adoré des esclaves; mais la vénération qu'ils lui portaient, toute différente de la terreur superstitieuse dont ils environnaient le fou Habibrah, semblait avoir aussi quelque cause cachée; c'était une espèce de culte.

Ce qu'il y avait d'étrange, reprenait-on, c'était de le voir aussi doux, aussi simple avec ses égaux, qui se faisaient gloire de lui obéir, que fier et hautain vis-à-vis de nos *commandeurs.* Il est juste de dire que ces esclaves privilégiés, anneaux intermédiaires qui liaient en quelque sorte la chaîne de la servitude à celle du despotisme, joignant à la bassesse de leur condition l'insolence de leur autorité, trouvaient un malin plaisir à l'accabler de travail et de vexations. Il paraît néanmoins qu'ils ne pouvaient s'empêcher de respecter le sentiment de fierté qui l'avait porté à outrager mon oncle. Aucun d'eux n'avait jamais osé lui infliger de punitions humiliantes. S'il leur arrivait de l'y condamner, vingt nègres se levaient pour les subir à sa place; et lui, immobile, assistait gravement à leur exécution, comme s'ils n'eussent fait que remplir un devoir. Cet homme bizarre était connu dans les cases sous le nom de *Pierrot.*

XII

OUS ces détails exaltèrent ma jeune imagination. Marie, pleine de reconnaissance et de compassion, applaudit et partagea mon enthousiasme, et Pierrot s'empara si vivement de notre intérêt que je résolus de le voir et de le servir. Je rêvai aux moyens de lui parler.

Quoique fort jeune, comme neveu de l'un des plus riches colons du Cap, j'étais capitaine des milices de la paroisse de l'Acul. Le fort Galifet était confié à leur garde et à un détachement de dragons jaunes, dont le chef, qui était pour l'ordinaire un sous-officier de cette compagnie, avait le commandement du fort. Il se trouvait justement à cette époque que ce commandant était le frère d'un pauvre colon auquel j'avais eu le bonheur de rendre de très grands services et qui m'était entièrement dévoué...

Ici tout l'auditoire interrompit d'Auverney en nommant *Thadée*.

— Vous l'avez deviné, messieurs, reprit le capitaine. Vous comprenez sans peine qu'il ne me fut pas difficile d'obtenir de lui l'entrée du cachot du nègre. J'avais le droit de visiter le fort, comme capitaine des milices. Cependant, pour ne pas inspirer de soupçons à mon oncle, dont la colère était encore toute flagrante, j'eus soin de ne m'y rendre qu'à l'heure où il faisait sa méridienne : tous les soldats, excepté ceux de garde, étaient endormis. Guidé par Thadée, j'arrivai à la porte du cachot ; Thadée l'ouvrit et se retira. J'entrai.

Le noir était assis, car il ne pouvait se tenir debout à cause de sa haute taille. Il n'était pas seul : un dogue énorme se leva en grondant et s'avança vers moi. — Rask !

cria le noir. — Le jeune dogue se tut et revint se coucher aux pieds de son maître, où il acheva de dévorer quelques misérables aliments.

J'étais en uniforme : la lumière que répandait le soupirail dans cet étroit cachot était si faible que Pierrot ne pouvait distinguer qui j'étais.

— Je suis prêt, me dit-il d'un ton calme.

En achevant ces paroles, il se leva à demi.

— Je suis prêt, répéta-t-il encore.

— Je croyais, lui dis-je, surpris de la liberté de ses mouvements, je croyais que vous aviez des fers.

L'émotion faisait trembler ma voix. Le prisonnier ne parut pas la reconnaître.

Il poussa du pied quelques débris qui retentirent.

— Des fers! je les ai brisés.

Il y avait dans l'accent dont il prononça ces dernières paroles quelque chose qui semblait dire : *Je ne suis pas fait pour porter des fers.* Je repris :

— L'on ne m'avait pas dit qu'on vous eût laissé un chien.

— C'est moi qui l'ai fait entrer.

J'étais de plus en plus étonné. La porte du cachot était fermée en dehors d'un triple verrou. Le soupirail avait à peine six pouces de largeur, et était garni de deux barreaux de fer. Il paraît qu'il comprit le sens de mes réflexions; il se leva autant que la voûte basse le lui permettait, détacha sans effort une pierre énorme placée au-dessous du soupirail, enleva les deux barreaux scellés en dehors de cette pierre, et pratiqua ainsi une ouverture où deux hommes auraient facilement pu passer. Cette ouverture donnait de plain-pied sur le bois de bananiers et de cocotiers qui couvre le morne auquel le fort était adossé.

La surprise me rendait muet; tout à coup un rayon du

jour éclaira vivement mon visage. Le prisonnier se redressa comme s'il eût mis le pied par mégarde sur un serpent, et son front heurta les pierres de la voûte. Un mélange indéfinissable de mille sentiments opposés, une étrange expression de haine, de bienveillance et d'étonnement douloureux passa rapidement dans ses yeux. Mais, reprenant un subit empire sur ses pensées, sa physionomie, en moins d'un instant, redevint calme et froide, et il fixa avec indifférence son regard sur le mien. Il me regardait en face comme un inconnu.

— Je puis encore vivre deux jours sans manger, dit-il.

Je fis un geste d'horreur : je remarquai alors la maigreur de l'infortuné. Il ajouta :

— Mon chien ne peut manger que de ma main ; si je n'avais pu élargir le soupirail, le pauvre Rask serait mort de faim. Il vaut mieux que ce soit moi que lui, puisqu'il faut toujours que je meure.

— Non, m'écriai-je, non, vous ne mourrez pas de faim !

Il ne me comprit pas.

— Sans doute, reprit-il en souriant amèrement, j'aurais pu vivre encore deux jours sans manger : mais je suis prêt, monsieur l'officier ; aujourd'hui vaut encore mieux que demain ; ne faites pas de mal à Rask.

Je sentis alors ce que voulait dire son *je suis prêt.* Accusé d'un crime qui était puni de mort, il croyait que je venais pour le mener au supplice ; et cet homme doué de forces colossales, quand tous les moyens de fuir lui étaient ouverts, doux et tranquille, répétait à un enfant : *Je suis prêt !*

— Ne faites pas de mal à Rask, répéta-t-il encore.

Je ne pus me contenir. — Quoi ! lui dis-je, non seulement vous me prenez pour votre bourreau, mais encore vous doutez de mon humanité envers ce pauvre chien qui ne m'a rien fait !

Il s'attendrit, sa voix s'altéra.

— Blanc, dit-il en me tendant la main, blanc, pardonne, j'aime mon chien, et, ajouta-t-il après un court silence, les tiens m'ont fait bien du mal.

Je l'embrassai, je lui serrai la main, je le détrompai. — Ne me connaissiez-vous pas ? lui dis-je.

— Je savais que tu étais un blanc, et pour les blancs, quelque bons qu'ils soient, un noir est si peu de chose ! D'ailleurs, j'ai aussi à me plaindre de toi.

— Et de quoi ? repris-je étonné.

— Ne m'as-tu pas conservé deux fois la vie ?

Cette inculpation étrange me fit sourire. Il s'en aperçut et poursuivit avec amertume :

— Oui, je devrais t'en vouloir. Tu m'as sauvé d'un crocodile et d'un colon ; et, ce qui est pis encore, tu m'as enlevé le droit de te haïr. Je suis bien malheureux !

La singularité de son langage et de ses idées ne me surprenait presque plus. Elle était en harmonie avec lui-même.

— Je vous dois bien plus que vous ne me devez, lui dis-je, je vous dois la vie de ma fiancée, de Marie.

Il éprouva comme une commotion électrique. — *Maria !* dit-il d'une voix étouffée ; et sa tête tomba sur ses mains, qui se crispaient violemment, tandis que de pénibles soupirs soulevaient les larges parois de sa poitrine.

J'avoue que mes soupçons assoupis se réveillèrent, mais sans colère et sans jalousie. J'étais trop près du bonheur, et lui trop près de la mort, pour qu'un pareil rival, s'il l'était en effet, pût exciter en moi d'autres sentiments que la bienveillance et la pitié.

Il releva enfin sa tête. — Va ! me dit-il, ne me remercie pas !

Il ajouta après une pause : — Je ne suis pourtant pas d'un rang inférieur au tien !

Cette parole paraissait révéler un ordre d'idées qui piquait vivement ma curiosité : je le pressai de me dire qui il était et ce qu'il avait souffert. Il garda un sombre silence.

Ma démarche l'avait touché ; mes offres de service, mes prières parurent vaincre son dégoût de la vie. Il sortit et rapporta quelques bananes et une énorme noix de coco. Puis il referma l'ouverture et se mit à manger. En causant avec lui, je remarquai qu'il parlait avec facilité le français et l'espagnol, et que son esprit ne paraissait pas dénué de culture : il savait des romances espagnoles, qu'il chantait avec expression. Cet homme était si inexplicable, sous tant d'autres rapports, que jusqu'alors la pureté de son langage ne m'avait pas frappé. J'essayai de nouveau d'en savoir la cause ; il se tut. Enfin je le quittai, ordonnant à mon fidèle Thadée d'avoir pour lui tous les égards et tous les soins possibles.

XIII

JE LE VOYAIS tous les jours à la même heure. Son affaire m'inquiétait ; malgré mes prières, mon oncle s'obstinait à le poursuivre. Je ne cachais pas mes craintes à Pierrot ; il m'écoutait avec indifférence.

Souvent Rask arrivait tandis que nous étions ensemble, portant une large feuille de palmier autour de son cou.

Le noir la détachait, lisait des caractères inconnus qui y étaient tracés, puis la déchirait. J'étais habitué à ne pas lui faire de questions.

Un jour j'entrai sans qu'il parût prendre garde à moi. Il tournait le dos à la porte de son cachot, et chantait d'un ton mélancolique l'air espagnol : *Yo que soy contrabandista*[1]. Quand il eut fini, il se tourna brusquement vers moi et me cria :

— Frère, promets, si jamais tu doutes de moi, d'écarter tous les soupçons quand tu m'entendras chanter cet air.

Son regard était imposant : je lui promis ce qu'il désirait, sans trop savoir ce qu'il entendait par ces mots : *Si jamais tu doutes de moi*... Il prit l'écorce profonde de la noix qu'il avait cueillie le jour de ma première visite, et conservée depuis, la remplit de vin de palmier, m'engagea à y porter les lèvres, et la vida d'un trait. A compter de ce jour, il ne m'appela plus que son *frère*.

Cependant je commençais à concevoir quelque espérance. Mon oncle n'était plus aussi irrité. Les réjouissances de mon prochain mariage avec sa fille avaient tourné son esprit vers de plus douces idées. Marie suppliait avec moi. Je lui représentais chaque jour que Pierrot n'avait point voulu l'offenser, mais seulement l'empêcher de commettre un acte de sévérité peut-être excessive; que ce noir avait, par son audacieuse lutte avec le crocodile, préservé Marie d'une mort certaine; que nous lui devions, lui sa fille, moi ma fiancée; que d'ailleurs Pierrot était le plus vigoureux de ses esclaves (car je ne songeais plus à obtenir sa liberté, il ne s'agissait que de sa vie); qu'il faisait à lui seul l'ouvrage de

1. Moi qui suis contrebandier.

dix autres, et qu'il suffisait de son bras pour mettre en mouvement les cylindres d'un moulin à sucre. Il m'écoutait et me faisait entendre qu'il ne donnerait peut-être pas suite à l'accusation. Je ne disais rien au noir du changement de mon oncle, voulant jouir du plaisir de lui annoncer sa liberté tout entière, si je l'obtenais. Ce qui m'étonnait, c'était de voir que, se croyant dévoué à la mort, il ne profitait d'aucun des moyens de fuir qui étaient en son pouvoir. Je lui en parlai. — Je dois rester, me répondit-il froidement, on penserait que j'ai eu peur.

XIV

UN MATIN Marie vint à moi. Elle était rayonnante, et il y avait sur sa douce figure quelque chose de plus angélique encore que la joie d'un pur amour. C'était la pensée d'une bonne action. — Écoute, me dit-elle, c'est dans trois jours le 22 août et notre noce. Nous allons bientôt... — Je l'interrompis : — Marie, ne dis pas bientôt, puisqu'il y a encore trois jours... Elle sourit et rougit. Ne me trouble pas, Léopold, reprit-elle; il m'est venu une idée qui te rendra content. Tu sais que je suis allée hier à la ville avec mon père pour acheter les parures de notre mariage. Ce n'est pas que je tienne à ces bijoux, à ces diamants, qui ne me rendront pas plus belle à tes yeux. Je donnerais toutes les perles du monde pour l'une de ces fleurs que m'a fanées le vilain homme au bouquet de soucis; mais n'importe. Mon père veut me combler de toutes ces choses-là, et j'ai l'air d'en avoir envie pour lui faire plaisir.

Il y avait hier une *basquina* de satin chinois à grandes fleurs, qui était enfermée dans un coffre de bois de senteur, et que j'ai beaucoup regardée. Cela est bien cher; mais cela est bien singulier. Mon père a remarqué que cette robe frappait mon attention. En rentrant, je l'ai prié de promettre l'octroi d'un don à la manière des anciens chevaliers; tu sais qu'il aime qu'on le compare aux anciens chevaliers. Il m'a juré sur son honneur qu'il m'accorderait la chose que je lui demanderais, quelle qu'elle fût. Il croit que c'est la basquina de satin chinois; point du tout, c'est la vie de Pierrot. Ce sera mon cadeau de noces. — Je ne pus m'empêcher de serrer cet ange dans mes bras. La parole de mon oncle était sacrée; et tandis que Marie allait près de lui en réclamer l'exécution, je courus au fort Galifet annoncer à Pierrot son salut, désormais certain.

— Frère! lui criai-je en entrant, frère! réjouis-toi! ta vie est sauvée. Marie l'a demandée à son père pour son présent de noces!

L'esclave tressaillit. — Marie! noces! ma vie! Comment tout cela peut-il aller ensemble?

— Cela est tout simple, repris-je. Marie, à qui tu as sauvé la vie, se marie...

— Avec qui? s'écria l'esclave; et son regard était égaré et terrible.

— Ne le sais-tu pas? répondis-je doucement; avec moi. Son visage formidable redevint bienveillant et résigné.

— Ah! c'est vrai, me dit-il, c'est avec toi! Et quel est le jour?

— C'est le 22 août.

— Le 22 août! es-tu fou? reprit-il avec une expression d'angoisse et d'effroi.

Il s'arrêta. Je le regardais, étonné. Après un silence, il me serra vivement la main. — Frère, je te dois tant qu'il faut que ma bouche te donne un avis. Crois-moi, va au Cap, et marie-toi avant le 22.

Je voulus en vain connaître le sens de ces paroles énigmatiques.

— Adieu, me dit-il avec solennité. J'en ai peut-être déjà trop dit; mais je hais encore plus l'ingratitude que le parjure.

Je le quittai, plein d'indécision et d'inquiétudes, qui s'effacèrent cependant bientôt dans mes pensées de bonheur.

Mon oncle retira sa plainte le jour même. Je retournai au fort pour en faire sortir Pierrot. Thadée, le sachant libre, entra avec moi dans la prison. Il n'y était plus. Rask, qui s'y trouvait seul, vint à moi d'un air caressant : à son cou était attachée une feuille de palmier; je la pris et j'y lus ces mots : *Merci, tu m'as sauvé la vie une troisième fois. Frère, n'oublie pas ta promesse.* Au-dessous étaient écrits, comme signature, les mots : *Yo que soy contrabandista.*

Thadée était encore plus étonné que moi; il ignorait le secret du soupirail, et s'imaginait que le nègre s'était changé en chien. Je lui laissai croire ce qu'il voulut, me contentant d'exiger de lui le silence sur ce qu'il avait vu.

Je voulais emmener Rask. En sortant du fort, il s'enfonça dans des haies voisines et disparut.

XV

ON ONCLE fut outré de l'évasion de l'esclave. Il ordonna des recherches, et écrivit au gouverneur pour mettre Pierrot à son entière disposition si on le retrouvait.

Le 22 août arriva. Mon union avec Marie fut célébrée avec pompe à la paroisse de l'Acul. Qu'elle fut heureuse cette journée de laquelle allaient dater tous mes malheurs ! j'étais enivré d'une joie qu'on ne saurait faire comprendre à qui ne l'a point éprouvée. J'avais complètement oublié Pierrot et ses sinistres avis. Le soir, bien impatiemment attendu, vint enfin. Ma jeune épouse se retira dans la chambre nuptiale, où je ne pus la suivre aussi vite que je l'aurais voulu. Un devoir fastidieux, mais indispensable, me réclamait auparavant. Mon office de capitaine des milices exigeait de moi ce soir-là une ronde aux postes de l'Acul : cette précaution était alors impérieusement commandée par les troubles de la colonie, par les révoltes partielles des noirs, qui, bien que promptement étouffées, avaient eu lieu aux mois précédents de juin et de juillet, même aux premiers jours d'août, dans les habitations Thibaud et Lagoscette, et surtout par les mauvaises dispositions des mulâtres libres, que le supplice récent du rebelle Ogé n'avait fait qu'aigrir. Mon oncle fut le premier à me rappeler mon devoir ; il fallut me résigner. J'endossai mon uniforme et je partis. Je visitai les premières stations sans rencontrer de sujet d'inquiétude ; mais, vers minuit, je me promenais en rêvant près des batteries de la baie, quand j'aperçus à l'horizon une lueur rougeâtre s'élever et s'étendre du côté de Limonade et de Saint-Louis du Morin. Les soldats et moi l'attribuâmes d'abord à quelque incendie accidentel ; mais, un moment après, les flammes devinrent si apparentes, la fumée, poussée par le vent, grossit et s'épaissit à un tel point, que je repris promptement le chemin du fort pour donner l'alarme et envoyer des secours. En passant près des cases de nos noirs, je fus surpris de l'agitation extraordinaire qui y régnait. La plupart étaient encore éveillés et parlaient avec la plus grande vivacité. Un nom bizarre, *Bug-Jargal,* prononcé avec respect, revenait souvent au milieu de leur jargon inintelligible. Je saisis pourtant quelques paroles, dont le sens me parut être que les noirs de la plaine du nord étaient en pleine révolte, et livraient aux flammes les habitations et les plantations situées de l'autre côté du Cap. En traversant un fond marécageux, je heurtai du pied un amas de haches et de pioches cachées dans les joncs et les mangliers. Justement inquiet, je fis sur-le-champ mettre sous les armes les milices de l'Acul, et j'ordonnai de surveiller les esclaves : tout rentra dans le calme.

Cependant les ravages semblaient croître à chaque instant et s'approcher du Limbé. On croyait même distinguer le bruit lointain de l'artillerie et des fusillades. Vers les deux heures du matin, mon oncle, que j'avais éveillé, ne pouvant contenir son inquiétude, m'ordonna de laisser dans l'Acul une partie des milices sous les ordres du lieutenant ; et, pendant que ma pauvre Marie dormait ou m'attendait, obéissant à mon oncle, qui était, comme je l'ai déjà dit, membre de l'assemblée provinciale, je pris avec le reste des soldats le chemin du Cap.

Je n'oublierai jamais l'aspect de cette ville quand j'en approchai. Les flammes, qui dévoraient les plantations autour d'elle, y répandaient une sombre lumière obscurcie par les torrents de fumée que le vent chassait dans les rues. Des tourbillons d'étincelles, formés par les menus débris embrasés des cannes à sucre, et emportés avec violence comme une neige abondante sur les toits des maisons et sur les agrès des vaisseaux mouillés dans la rade, menaçaient à chaque instant la ville du Cap d'un incendie non moins déplorable que celui dont ses environs étaient la proie. C'était un spectacle affreux et imposant que de voir d'un côté les pâles habitants exposant encore leur vie pour disputer au fléau terrible l'unique toit qui allait leur rester de tant de richesses; tandis que, de l'autre, les navires, redoutant le même sort, et favorisés du moins par ce vent si funeste aux malheureux colons, s'éloignaient à pleines voiles sur une mer teinte des feux sanglants de l'incendie.

XVI

ÉTOURDI par le canon des forts, les clameurs des fuyards, et le fracas lointain des écroulements, je ne savais de quel côté diriger mes soldats, quand je rencontrai sur la place d'armes le capitaine des dragons jaunes qui nous servit de guide. Je ne m'arrêterai pas, messieurs, à vous décrire le tableau que nous offrit la plaine incendiée. Assez d'autres ont dépeint ces premiers désastres du Cap, et j'ai besoin de passer vite sur ces souvenirs où il y a du sang et du feu. Je me bornerai à vous dire que les esclaves rebelles étaient, disait-on, déjà maîtres du Dondon, du Terrier-Rouge, du bourg d'Ouanaminte et même des malheureuses plantations du Limbé, ce qui me remplissait d'inquiétudes à cause du voisinage de l'Acul. Je me rendis en hâte à l'hôtel du gouverneur, M. de Blanchelande. Tout y était dans la confusion, jusqu'à la tête du maître. Je lui demandai des ordres, en le priant de songer le plus vite possible à la sûreté de l'Acul, que l'on croyait déjà menacée. Il avait auprès de lui M. de Rouvray, maréchal-de-camp et l'un des principaux propriétaires de l'île, M. de Touzard, lieutenant-colonel du régiment du Cap, quelques membres des assemblées coloniale et provinciale, et plusieurs des colons les plus notables. Au moment où je me présentai, cette espèce de conseil délibérait tumultueusement.

— Monsieur le gouverneur, disait un membre de l'assemblée provinciale, cela n'est que trop vrai; ce sont les esclaves, et non les sang-mêlés libres : il y a longtemps que nous l'avions annoncé et prédit.

— Vous le disiez sans y croire, repartit aigrement un membre de l'assemblée coloniale appelée *générale.* Vous le disiez pour vous donner crédit à nos dépens; et vous étiez si loin de vous attendre à une rébellion réelle des esclaves, que ce sont les intrigues de votre assemblée qui ont simulé, dès 1789, cette fameuse et ridicule révolte des trois mille noirs sur le morne du Cap; révolte où il n'y a eu qu'un volontaire national de tué, encore l'a-t-il été par ses propres camarades!

— Je vous le répète, reprit le *provincial,* que nous voyions plus clair que vous; cela est simple. Nous restions ici pour observer les affaires de la colonie, tandis que votre assemblée en masse allait en France se faire décerner cette ovation risible, qui s'est terminée par les réprimandes de la représentation nationale. *Ridiculus mus!*

Le membre de l'assemblée coloniale répondit avec un dédain amer :

— Nos concitoyens nous ont réélus à l'unanimité!

— C'est vous, répliqua l'autre, ce sont vos exagérations qui ont fait promener la tête de ce malheureux qui s'était montré sans cocarde tricolore dans un café, et qui ont fait pendre le mulâtre Lacombe pour une pétition qui commençait par ces mots *inusités :* « Au nom du Père, du Fils, et du Saint-Esprit ! »

— Cela est faux, s'écria le membre de l'assemblée générale. C'est la lutte des principes et celle des privilèges, des *bossus* et des *crochus !*

— Je l'ai toujours pensé, monsieur, vous êtes un *indépendant !*

A ce reproche du membre de l'assemblée provinciale, son adversaire répondit d'un air de triomphe :

— C'est confesser que vous êtes un *pompon blanc.* Je vous laisse sous le poids d'un pareil aveu !

La querelle eût peut-être été poussée plus loin, si le gouverneur ne fût intervenu.

— Eh, messieurs ! en quoi cela a-t-il trait au danger imminent qui nous menace ? conseillez-moi, et ne vous injuriez pas. Voici les rapports qui me sont parvenus. La révolte a commencé cette nuit à dix heures du soir parmi les nègres de l'habitation Turpin. Les esclaves, commandés par un nègre anglais nommé Bouckmann, ont entraîné les ateliers des habitations Clément, Trémès, Flaville et Noë. Ils ont incendié toutes les plantations et massacré les colons avec des cruautés inouïes. Je vous en ferai comprendre toute l'horreur par un seul détail. Leur étendard est le corps d'un enfant porté au bout d'une pique...

Un frémissement interrompit M. de Blanchelande.

— Voilà ce qui se passe au-dehors, poursuivit-il. Audedans, tout est bouleversé. Plusieurs habitants du Cap ont tué leurs esclaves ; la peur les a rendus cruels. Les plus doux ou les plus braves se sont bornés à les enfermer sous bonne clef. Les *petits blancs*[1] accusent de ces désastres les *sang-mêlés* libres. Plusieurs mulâtres ont failli être victimes de la fureur populaire. Je leur ai fait donner pour asile une église gardée par un bataillon. Maintenant, pour prouver qu'ils ne sont point d'intelligence avec les noirs révoltés, les sang-mêlés me font demander un poste à défendre et des armes.

— N'en faites rien ! cria une voix que je reconnus, c'était celle du planteur soupçonné d'être *sang-mêlé,* avec qui j'avais eu un duel. N'en faites rien, monsieur le gouverneur, ne donnez point d'armes aux mulâtres.

— Vous ne voulez donc point vous battre ? dit brusquement un colon.

L'autre ne parut point entendre, et continua : Les sang-mêlés sont nos pires ennemis. Eux seuls sont à craindre pour nous. Je conviens qu'on ne pouvait s'attendre qu'à une révolte de leur part et non de celle des esclaves. Est-ce que les esclaves sont quelque chose ?

Le pauvre homme espérait par ces invectives contre les mulâtres s'en séparer tout à fait, et détruire dans l'esprit des blancs qui l'écoutaient l'opinion qui le rejetait dans cette caste méprisée. Il y avait trop de lâcheté dans cette combinaison pour qu'elle réussît. Un murmure de désapprobation le lui fit sentir.

— Oui, monsieur, dit le vieux maréchal-de-camp de Rouvray, oui, les esclaves sont quelque chose ; ils sont quarante contre trois ; et nous serions à plaindre si nous n'avions à opposer aux nègres et aux mulâtres que des blancs comme vous.

Le colon se mordit les lèvres.

1. Blancs non propriétaires, exerçant dans la colonie une industrie quelconque.

— Monsieur le général, reprit le gouverneur, que pensez-vous donc de la pétition des mulâtres ?

— Donnez-leur des armes, monsieur le gouverneur ! répondit M. de Rouvray ; faisons voile de toute étoffe ! Et, se tournant vers le colon suspect : — Entendez-vous, monsieur ? allez vous armer.

Le colon humilié sortit avec tous les signes d'une rage concentrée.

Cependant la clameur d'angoisse qui éclatait dans toute la ville se faisait entendre de moments en moments jusque chez le gouverneur, et rappelait aux membres de cette conférence le sujet qui les rassemblait. M. de Blanchelande remit à un aide-de-camp un ordre au crayon à la hâte, et rompit le silence sombre avec lequel l'assemblée écoutait cette effrayante rumeur.

— Les sang-mêlés vont être armés, messieurs ; mais il reste bien d'autres mesures à prendre.

— Il faut convoquer l'assemblée provinciale, dit le membre de cette assemblée qui avait parlé au moment où j'étais entré.

— L'assemblée provinciale ! reprit son antagoniste de l'assemblée coloniale. Qu'est-ce que c'est que l'assemblée provinciale ?

— Parce que vous êtes membre de l'assemblée coloniale ! répliqua le *pompon blanc*...

L'*indépendant* l'interrompit :

— Je ne connais pas plus la *coloniale* que la *provinciale*. Il n'y a que l'assemblée générale, entendez-vous, monsieur !

— Eh bien, repartit le pompon blanc, je vous dirai, moi, qu'il n'y a que l'assemblée nationale de Paris.

— Convoquer l'assemblée provinciale, répétait l'indépendant en riant ; comme si elle n'était pas dissoute du moment où la générale a décidé qu'elle tiendrait ses séances ici.

Une réclamation universelle éclatait dans l'auditoire, ennuyé de cette discussion oiseuse.

— Messieurs nos députés, criait un entrepreneur de cultures, pendant que vous nous occupez de ces balivernes, que deviennent mes cotonniers et ma cochenille ?

— Et mes quatre cent mille plants d'indigo au Limbé ! ajoutait un planteur.

— Et mes nègres, payés trente dollars par tête l'un dans l'autre ! disait un capitaine de négrier.

— Chaque minute que vous perdez, poursuivait un autre colon, me coûte, montre et tarif en main, dix quintaux de sucre, ce qui, à dix-sept piastres fortes le quintal, fait cent trente livres dix sous, monnaie de France !

— La coloniale, que vous appelez générale, usurpe ! reprenait l'autre disputeur, dominant le tumulte à force de voix ; qu'elle reste au Port-au-Prince à fabriquer des décrets pour deux lieues de terrain et deux jours de durée, mais qu'elle nous laisse tranquilles ici. Le Cap appartient au congrès provincial du nord, à lui seul !

— Je prétends, reprenait l'indépendant, que son excellence monsieur le gouverneur n'a pas droit de convoquer une autre assemblée que l'assemblée générale des représentants de la colonie, présidée par M. de Cadusch !

— Mais où est-il votre président M. de Cadusch ? demanda le pompon blanc ; où est votre assemblée ? il n'y en a pas encore quatre membres d'arrivés, tandis que la provinciale est toute ici. Est-ce que vous voudriez par hasard représenter à vous seul toute une assemblée, toute une colonie ?

Cette rivalité des deux députés, fidèles échos de leurs assemblées respectives, exigea encore une fois l'intervention du gouverneur.

— Messieurs, où voulez-vous donc enfin en venir avec vos éternelles assemblées *provinciale, générale, coloniale, nationale?...* Aiderez-vous aux décisions de cette assemblée en lui en faisant invoquer trois ou quatre autres?

— Morbleu! criait d'une voix de tonnerre le général de Rouvray en frappant violemment sur la table du conseil, quels maudits bavards! j'aimerais mieux lutter de poumons avec une pièce de vingt-quatre. Que nous font ces deux assemblées, qui se disputent le pas comme deux compagnies de grenadiers qui vont monter à l'assaut! Eh bien! convoquez-les toutes deux, monsieur le gouverneur, j'en ferai deux régiments pour marcher contre les noirs; et nous verrons si leurs fusils feront autant de bruit que leurs langues.

Après cette vigoureuse sortie, il se pencha vers son voisin (c'était moi), et dit à demi-voix : — Que voulez-vous que fasse entre deux assemblées de Saint-Domingue, qui se prétendent souveraines, un gouverneur de par le roi de France? Ce sont les beaux parleurs et les avocats qui gâtent tout ici comme dans la métropole. Si j'avais l'honneur d'être monsieur le lieutenant-général pour le roi, je jetterais toute cette canaille à la porte. Je dirais : Le roi règne, et moi je gouverne. J'enverrais la responsabilité par-devant les soi-disant représentants à tous les diables; et avec douze croix de Saint-Louis, promises au nom de sa majesté, je balaierais tous les rebelles dans l'île de la Tortue, qui a été habitée autrefois par des brigands comme eux, les boucaniers. Souvenez-vous de ce que je vous dis, jeune homme. Les *philosophes* ont enfanté les *philanthropes,* qui ont procréé les *négrophiles,* qui produisent les mangeurs de blancs, ainsi nommés en attendant qu'on leur trouve un nom grec ou latin. Ces prétendues idées libérales dont on s'enivre en France sont un poison sous les tropiques. Il fallait traiter les nègres avec douceur, non les appeler à un affranchissement subit. Toutes les horreurs que vous voyez aujourd'hui à Saint-Domingue sont nées au club Massiac, et l'insurrection des esclaves n'est qu'un contrecoup de la chute de la Bastille.

Pendant que le vieux soldat m'exposait ainsi sa politique étroite, mais pleine de franchise et de conviction, l'orageuse discussion continuait. Un colon, du petit nombre de ceux qui partageaient la frénésie révolutionnaire, qui se faisait appeler le citoyen-général C***, pour avoir présidé à quelques sanglantes exécutions, s'était écrié :

— Il faut plutôt des supplices que des combats. Les nations veulent des exemples terribles : épouvantons les noirs ! C'est moi qui ai apaisé les révoltes de juin et de juillet, en faisant planter cinquante têtes d'esclaves des deux côtés de l'avenue de mon habitation, en guise de palmiers. Que chacun se cotise pour la proposition que je vais faire. Défendons les approches du Cap avec les nègres qui nous restent encore.

— Comment ! quelle imprudence ! répondit-on de toutes parts.

— Vous ne me comprenez pas, messieurs, reprit le *citoyen-général.* Faisons un cordon de têtes de nègres qui entourent la ville, du fort Picolet à la pointe de Caracol. Leurs camarades insurgés n'oseront approcher. Il faut se sacrifier pour la cause commune dans un semblable moment. Je me dévoue le premier. J'ai cinq cents esclaves non révoltés : je les offre.

Un mouvement d'horreur accueillit cette exécrable proposition. — C'est abominable ! c'est horrible ! s'écrièrent toutes les voix.

— Ce sont des mesures de ce genre qui ont tout perdu, dit un colon. Si l'on ne s'était pas tant pressé d'exécuter les derniers révoltés de juin, de juillet et d'août, on aurait pu saisir le fil de leur conspiration, que la hache du bourreau a coupé.

Le citoyen C*** garda un moment le silence du dépit, puis il murmura entre ses dents : — Je croyais pourtant ne pas être suspect. Je suis lié avec des négrophiles ; je corresponds avec Brissot et Pruneau de Pomme-Gouge, en France ; Hans-Sloane, en Angleterre ; Magaw, en Amérique ; Pezll, en Allemagne ; Olivarius, en Danemark ; Wadstrohm, en Suède ; Peter Paulus, en Hollande ; Avendano, en Espagne ; et l'abbé Pierre Tamburini, en Italie ! Sa voix s'élevait à mesure qu'il avançait dans sa nomenclature de négrophiles. Il termina enfin, en disant : — Mais il n'y a point ici de philosophes !

M. de Blanchelande, pour la troisième fois, demanda à recueillir les conseils de chacun.

— Monsieur le gouverneur, dit une voix, voici mon avis. Embarquons-nous tous sur *le Léopard,* qui est mouillé dans la rade.

— Mettons à prix la tête de Bouckmann, dit un autre.

— Informons de tout ceci le gouverneur de la Jamaïque, dit un troisième.

— Oui, pour qu'il nous envoie encore une fois le secours dérisoire de cinq cents fusils, reprit un député de l'assemblée provinciale. Monsieur le gouverneur, envoyez un aviso en France, et attendons !

— Attendre ! attendre ! interrompit M. de Rouvray avec force. Et les noirs attendront-ils ! Et la flamme qui circonscrit déjà cette ville, attendra-t-elle ! Monsieur de Touzard, faites battre la générale, prenez du canon, et allez trouver le gros des rebelles avec vos grenadiers et vos chasseurs. Monsieur le gouverneur, faites faire des camps dans les paroisses de l'est; établissez des postes au Trou et à Vallières; je me charge, moi, des plaines du fort Dauphin. J'y dirigerai les travaux; mon grand-père, qui était mestre-de-camp du régiment de Normandie, a servi sous M. le maréchal de Vauban; j'ai étudié Folard et Bezout, et j'ai quelque pratique de la défense d'un pays. D'ailleurs, les plaines du fort Dauphin, presque enveloppées par la mer et les frontières espagnoles, ont la forme d'une presqu'île, et se protégeront en quelque sorte d'elles-mêmes; la presqu'île du Mole offre un semblable avantage. Usons de tout cela, et agissons!

Le langage énergique et positif du vétéran fit taire subitement toutes les discordances de voix et d'opinion. Le général était dans le vrai. Cette conscience que chacun a de son intérêt véritable rallia tous les avis à celui de M. de Rouvray; et tandis que le gouverneur, par un serrement de main reconnaissant, témoignait au brave officier-général qu'il sentait la valeur de ses conseils, bien qu'ils fussent énoncés comme des ordres, et l'importance de son secours, tous les colons réclamaient la prompte exécution des mesures indiquées.

Les deux députés des assemblées rivales, seuls, semblaient se séparer de l'adhésion générale, et murmuraient dans leur coin les mots d'*empiétement du pouvoir exécutif*, de *décision hâtive* et de *responsabilité*.

Je saisis ce moment pour obtenir de M. de Blanchelande les ordres que je sollicitais impatiemment; et je sortis afin de rallier ma troupe et de reprendre sur-le-champ le chemin de l'Acul, malgré la fatigue que tous sentaient, excepté moi.

XVII

E JOUR commençait à poindre. J'étais sur la place d'armes, réveillant les miliciens couchés sur leurs manteaux, pêle-mêle avec les dragons jaunes et rouges, les fuyards de la plaine, les bestiaux bêlant et mugissant, et les bagages de tout genre apportés dans la ville par les planteurs des environs. Je commençais à retrouver ma petite troupe dans ce désordre, quand je vis un dragon jaune, couvert de sueur et de poussière, accourir vers moi à toute bride. J'allai à sa rencontre, et, au peu de paroles entrecoupées qui lui échappèrent, j'appris avec consternation que mes craintes s'étaient réalisées; que la révolte avait gagné les plaines de l'Acul, et que les noirs assiègeaient le fort Galifet, où s'étaient renfermés les milices et les colons. Il faut vous dire que ce fort Galifet était fort peu de chose; on appelait *fort* à Saint-Domingue tout ouvrage en terre.

Il n'y avait donc pas un moment à perdre. Je fis prendre des chevaux à ceux de mes soldats pour qui je pus en trouver; et, guidé par le dragon, j'arrivai sur les domaines de mon oncle vers dix heures du matin.

Je donnai à peine un regard à ces immenses plantations qui n'étaient plus qu'une mer de flammes, bondissant sur la plaine avec de grosses vagues de fumée, à travers lesquelles le vent emportait de temps en temps, comme des étincelles, de grands troncs d'arbres hérissés de feux. Un pétillement effrayant, mêlé de craquements et de murmures, semblait répondre aux hurlements lointains des noirs, que nous entendions déjà sans les voir encore. Moi je n'avais qu'une pensée, et l'évanouissement de tant de richesses qui m'étaient réservées ne pouvait m'en distraire, c'était le salut de Marie. Marie sauvée, que m'importait le reste! je la savais renfermée dans le fort, et je ne demandais à Dieu que d'arriver à temps. Cette espérance seule me soutenait dans mes angoisses, et me donnait un courage et des forces de lion.

Enfin, un tournant de la route nous laissa voir le fort Galifet. Le drapeau tricolore flottait encore sur la plate-forme, et un feu bien nourri couronnait le contour de ses murs. Je poussai un cri de joie! — Au galop, piquez des deux! lâchez les brides! criai-je à mes camarades! Et, redoublant de vitesse, nous nous dirigeâmes à travers champs vers le fort, au bas duquel on apercevait la maison de mon oncle, portes et fenêtres brisées, mais debout encore, et rouge des reflets de l'embrasement, qui ne l'avait pas atteinte, parce que le vent soufflait de la mer, et qu'elle était isolée des plantations.

Une multitude de nègres, embusqués dans cette maison, se montraient à la fois à toutes les croisées et jusque sur le toit; et les torches, les piques, les haches, brillaient au milieu des coups de fusil qu'ils ne cessaient de tirer contre le fort, tandis qu'une autre foule de leurs camarades montait, tombait, et remontait sans cesse autour des murs assiégés qu'ils avaient chargés d'échelles. Ce flot de noirs, toujours repoussé et toujours renaissant sur ces murailles grises, ressemblait de loin à un essaim de fourmis essayant de gravir l'écaille d'une grande tortue, et dont le lent animal se débarrassait par une secousse d'intervalle en intervalle.

Nous touchions enfin aux premières circonvallations du fort; les regards fixés sur le drapeau qui le dominait, j'encourageai mes soldats au nom de leurs familles renfermées, comme la mienne, dans ces murs que nous allions secourir. Une acclamation générale me répondit, et, formant mon petit escadron en colonne, je me préparai à donner le signal de charger le troupeau assiègeant.

En ce moment, un grand cri s'éleva de l'enceinte du fort, un tourbillon de fumée enveloppa l'édifice tout entier, roula quelque temps ses plis autour des murs, d'où s'échappait une rumeur pareille au bruit d'une fournaise, et, en s'éclaircissant, nous laissa voir le fort Galifet surmonté d'un drapeau rouge. — Tout était fini !

XVIII

JE NE VOUS dirai pas ce qui se passa en moi à cet horrible spectacle. Ce fort pris, ses défenseurs égorgés, vingt familles massacrées, tout ce désastre général, je l'avouerai à ma honte, ne m'occupa pas un instant. Marie perdue pour moi ! perdue pour moi peu d'heures après celle qui me l'avait donnée pour jamais ! perdue pour moi par ma faute, puisque, si je ne l'avais pas quittée la nuit précédente pour courir au Cap sur l'ordre de mon oncle, j'aurais pu du moins la défendre ou mourir près d'elle et avec elle, ce qui n'eût, en quelque sorte, pas été la perdre ! Ces pensées de désolation égarèrent ma douleur jusqu'à la folie. Mon désespoir était du remords.

Cependant mes compagnons, exaspérés, avaient crié : *Vengeance !* nous nous étions précipités, le sabre aux dents, les pistolets aux deux poings, au milieu des insurgés vainqueurs. Quoique bien supérieurs en nombre, les noirs fuyaient à notre approche, mais nous les voyions distinctement à droite et à gauche, devant et derrière nous, massacrant les blancs et se hâtant d'incendier le fort. Notre fureur s'accroissait de leur lâcheté.

A une poterne du fort, Thadée, couvert de blessures, se présenta devant moi. — Mon capitaine, me dit-il, votre Pierrot est un sorcier, un *obi,* comme disent ces damnés nègres, ou au moins un diable. Nous tenions bon, vous arriviez, et tout était sauvé, quand il a pénétré dans le fort je ne sais par où, et voyez!... Quant à monsieur votre oncle, à sa famille, à madame... — Marie! interrompis-je, où est Marie? — En ce moment un grand noir sortit de derrière une palissade enflammée, emportant une jeune femme qui criait et se débattait dans ses bras. La jeune femme était Marie; le noir était Pierrot. — Perfide, lui criai-je... Je dirigeai un pistolet vers lui; un des esclaves révoltés se jeta au-devant de la balle et tomba mort. Pierrot se retourna et parut m'adresser quelques paroles; puis il s'enfonça avec sa proie au milieu des touffes de cannes embrasées. Un instant après un chien énorme passa à sa suite, tenant dans sa gueule un berceau, dans lequel était le dernier enfant de mon oncle. Je reconnus aussi le chien : c'était Rask. Transporté de rage, je déchargeai sur lui mon second pistolet; mais je le manquai.

Je me mis à courir comme un insensé sur sa trace; mais ma double course nocturne, tant d'heures passées sans prendre de repos et de nourriture, mes craintes pour Marie, le passage subit du comble du bonheur au dernier terme du malheur, toutes ces violentes émotions de l'âme m'avaient épuisé plus encore que les fatigues du corps. Après quelques pas je chancelai : un nuage se répandit sur mes yeux, et je tombai évanoui.

XIX

UAND je me réveillai, j'étais dans la maison dévastée de mon oncle et dans les bras de Thadée. Cet excellent Thadée fixait sur moi des yeux pleins d'anxiété. — Victoire! cria-t-il dès qu'il sentit mon pouls se ranimer sous sa main, victoire! les nègres sont en déroute, et le capitaine est ressuscité!... J'interrompis son cri de joie par mon éternelle question : — Où est Marie? Je n'avais point encore rallié mes idées; il ne me restait que le sentiment et non le souvenir de mon malheur. Thadée baissa la tête. Alors toute ma mémoire me revint; je me retraçai mon horrible nuit des noces, et le grand nègre emportant Marie dans ses bras à travers les flammes s'offrit à moi comme une infernale vision. L'affreuse lumière qui venait d'éclater dans la colonie et de montrer à tous les blancs des ennemis dans leurs esclaves me fit voir dans ce Pierrot, si bon, si généreux, si dévoué, qui me devait trois fois la vie, un ingrat, un monstre, un rival. L'enlèvement de ma femme, la nuit même de notre union, me prouvait ce que j'avais d'abord soupçonné, et je reconnus enfin clairement que le chanteur du pavillon n'était autre que l'exécrable ravisseur de Marie. Pour si peu d'heures, que de changement!

Thadée me dit qu'il avait vainement poursuivi Pierrot et son chien; que les nègres s'étaient retirés, quoique leur nombre eût pu facilement écraser ma faible troupe, et que l'incendie des propriétés de ma famille continuait sans qu'il fût possible de l'arrêter.

Je lui demandai si l'on savait ce qu'était devenu mon oncle, dans la chambre duquel on m'avait apporté. Il me prit la main en silence, et, me conduisant vers l'alcôve, il en tira les rideaux.

Mon malheureux oncle était là, gisant sur son lit ensanglanté, un poignard profondément enfoncé dans le cœur. Au calme de sa figure, on voyait qu'il avait été frappé dans le sommeil. La couche du nain Habibrah, qui dormait habituellement à ses pieds, était aussi tachée de sang, et les mêmes souillures se faisaient remarquer sur la veste chamarrée du pauvre fou, jetée à terre à quelques pas du lit.

Je ne doutai pas que le bouffon ne fût mort victime de son attachement connu pour mon oncle, et n'eût été massacré par ses camarades, peut-être en défendant son maître. Je me reprochai amèrement ces préventions qui m'avaient fait porter de si faux jugements sur Habibrah et sur Pierrot; je mêlai aux larmes que m'arracha la fin prématurée de mon oncle quelques regrets pour son fou. D'après mes ordres, on rechercha son corps, mais en vain. Je supposai que les nègres avaient emporté et jeté le nain dans les flammes; et j'ordonnai que, dans le service funèbre de mon beau-père, des prières fussent dites pour le repos de l'âme du fidèle Habibrah.

XX

LE FORT Galifet était détruit, nos habitations avaient disparu, un plus long séjour sur ces ruines était inutile et impossible. Dès le soir même nous retournâmes au Cap.

Là, une fièvre ardente me saisit. L'effort que j'avais fait sur moi-même pour dompter mon désespoir était trop violent. Le ressort, trop tendu, se brisa. Je tombai dans le délire. Toutes mes espérances trompées, mon amour profané, mon amitié trahie, mon avenir perdu, et par-dessus tout l'implacable jalousie, égarèrent ma raison. Il me semblait que des flammes ruisselaient dans mes veines ; ma tête se rompait, j'avais des furies dans le cœur. Je me représentais Marie au pouvoir d'un autre amant, au pouvoir d'un maître, d'un esclave, de Pierrot ! On m'a dit qu'alors je m'élançais de mon lit et qu'il fallait six hommes pour m'empêcher de me fracasser le crâne sur l'angle des murs. Que ne suis-je mort alors !

Cette crise passa. Les médecins, les soins de Thadée, et je ne sais quelle force de la vie dans la jeunesse, vainquirent le mal, ce mal qui aurait pu être un si grand bien ! Je guéris au bout de dix jours, et je ne m'en affligeai pas. Je fus content de pouvoir vivre encore quelque temps pour la vengeance !

A peine convalescent, j'allai chez M. de Blanchelande demander du service. Il voulait me donner un poste à défendre ; je le conjurai de m'incorporer comme volontaire dans l'une des colonnes mobiles que l'on envoyait de temps en temps contre les noirs pour balayer le pays.

On avait fortifié le Cap à la hâte. L'insurrection faisait des progrès effrayants. Les nègres de Port-au-Prince commençaient à s'agiter ; Biassou commandait ceux du Limbé, du Dondon et de l'Acul ; Jean-François s'était fait proclamer généralissime des révoltés de la plaine de Maribarou ; Bouckmann, célèbre depuis par sa fin tragique, parcourait avec ses brigands les bords de la Limonade, et enfin les bandes du Morne-Rouge avaient reconnu pour chef un nègre nommé Bug-Jargal.

Le caractère de ce dernier, si l'on en croyait les relations, contrastait d'une manière singulière avec la férocité des autres. Tandis que Bouckmann et Biassou inventaient mille genres de mort pour les prisonniers qui tombaient entre leurs mains, Bug-Jargal s'empressait de leur fournir les moyens de quitter l'île. Les premiers contractaient des marchés avec les lanches espagnoles qui croisaient autour des côtes, et leur vendaient d'avance les dépouilles des malheureux qu'ils forçaient à fuir ; Bug-Jargal coula à fond plusieurs de ces corsaires. M. Colas de Maigné et huit autres colons distingués furent détachés par ses ordres de la roue où Bouckmann les avait fait lier. On citait de lui mille autres traits de générosité qu'il serait trop long de vous rapporter.

Mon espoir de vengeance ne paraissait pas près de s'accomplir. Je n'entendais plus parler de Pierrot. Les rebelles commandés par Biassou continuaient d'inquiéter le Cap. Ils avaient même une fois osé aborder le morne qui domine la ville, et le canon de la citadelle avait eu de la peine à les repousser. Le gouverneur résolut de les refouler dans l'intérieur de l'île. Les milices de l'Acul, du Limbé, d'Ouanaminte et de Maribarou, réunies au régiment du Cap et aux redoutables compagnies jaune et rouge, constituaient notre armée active. Les milices du Dondon et du Quartier-Dauphin, renforcées d'un corps de volontaires, sous les ordres du négociant Poncignon, formaient la garnison de la ville.

Le gouverneur voulut d'abord se délivrer de Bug-Jargal, dont la diversion l'alarmait. Il envoya contre lui les milices d'Ouanaminte et un bataillon du Cap. Ce corps rentra deux jours après, complètement battu. Le gouverneur s'obstina à vouloir vaincre Bug-Jargal ; il fit repartir le même corps avec un renfort de cinquante dragons jaunes et de quatre cents miliciens de Maribarou. Cette seconde armée fut encore plus maltraitée que la première.

Thadée, qui était de cette expédition, en conçut un violent dépit, et me jura à son retour qu'il s'en vengerait sur Bug-Jargal.

Une larme roula dans les yeux de d'Auverney; il croisa les bras sur sa poitrine et parut durant quelques minutes plongé dans une rêverie douloureuse; enfin il reprit.

XXI

A NOUVELLE arriva que Bug-Jargal avait quitté le Morne-Rouge et dirigeait sa troupe par les montagnes pour se joindre à Biassou. Le gouverneur sauta de joie : nous les tenons, dit-il en se frottant les mains. Le lendemain l'armée coloniale était à une lieue en avant du Cap. Les insurgés, à notre approche, abandonnèrent précipitamment Port-Margot et le fort Galifet, où ils avaient établi un poste défendu par de grosses pièces d'artillerie de siège, enlevées à des batteries de la côte; toutes les bandes se replièrent vers les montagnes. Le gouverneur était triomphant. Nous poursuivîmes notre marche. Chacun de nous, en passant dans ces plaines arides et désolées, cherchait à saluer encore d'un triste regard le lieu où étaient ses champs, ses habitations, ses richesses; souvent il n'en pouvait reconnaître la place.

Quelquefois notre marche était arrêtée par des embrasements qui des champs cultivés s'étaient communiqués aux forêts et aux savanes. Dans ces climats, où la terre est encore vierge, où la végétation est surabondante, l'incendie d'une forêt est accompagné de phénomènes singuliers. On l'entend de loin, souvent même avant de le voir, sourdre et bruire avec le fracas d'une cataracte diluviale. Les troncs d'arbres qui éclatent, les branches qui pétillent, les racines qui craquent dans le sol, les grandes herbes qui frémissent, le bouillonnement des lacs et des marais enfermés dans la forêt, le sifflement de la flamme qui dévore l'air, jettent une rumeur qui tantôt s'apaise, tantôt redouble avec les progrès de l'embrasement. Parfois on voit une verte lisière d'arbres encore intacts entourer longtemps le foyer flamboyant. Tout à coup une langue de feu débouche par l'une des extrémités de cette fraîche ceinture : un serpent de flamme bleuâtre court rapidement le long des tiges, et en un clin d'œil le front de la forêt disparaît sous un voile d'or mouvant ; tout brûle à la fois. Alors un dais de fumée s'abaisse de temps à autre sous le souffle du vent et enveloppe les flammes. Il se roule et se déroule, s'élève et s'affaisse, se dissipe et s'épaissit, devient tout à coup noir ; puis une sorte de frange de feu en découpe vivement tous les bords : un grand bruit se fait entendre, la frange s'efface, la fumée remonte, et verse en s'envolant un flot de cendre rouge, qui pleut longtemps sur la terre.

XXII

LE SOIR du troisième jour, nous entrâmes dans les gorges de la Grande-Rivière. On estimait que les noirs étaient à vingt lieues dans la montagne.

Nous assîmes notre camp sur un mornet qui paraissait

leur avoir servi au même usage, à la manière dont il était dépouillé. Cette position n'était pas heureuse : il est vrai que nous étions tranquilles. Le mornet était dominé de tous côtés par des rochers à pic, couverts d'épaisses forêts. L'aspérité de ces escarpements avait fait donner à ce lieu le nom de *Dompte-Mulâtre*. La Grande-Rivière coulait derrière le camp ; resserrée entre deux côtés, elle était dans cet endroit étroite et profonde. Ses bords, brusquement inclinés, se hérissaient de touffes de buissons impénétrables à la vue. Souvent même ses eaux étaient cachées par des guirlandes de lianes qui, s'accrochant aux branches des érables à fleurs rouges semés parmi les buissons, mariaient leurs jets d'une rive à l'autre, et, se croisant de mille manières, formaient sur le fleuve de larges tentes de verdure. L'œil qui les contemplait du haut des roches voisines croyait voir des prairies humides encore de rosée. Un bruit sourd ou quelquefois une sarcelle sauvage, perçant tout à coup ce rideau fleuri, décelaient seuls le cours de la rivière.

Le soleil cessa bientôt de dorer la cime aiguë des monts lointains du Dondon ; peu à peu l'ombre s'étendit sur le camp, et le silence ne fut plus troublé que par les cris de la grue et les pas mesurés des sentinelles.

Tout à coup les redoutables chants d'*Oua-Nassé* et du *Camp de Grand-Pré* se firent entendre sur nos têtes ; les palmiers, les acomas et les cèdres qui couronnaient les rocs s'embrasèrent, et les clartés livides de l'incendie nous montrèrent sur les sommets voisins de nombreuses bandes de nègres et de mulâtres, dont le teint cuivré paraissait rouge à la lueur des flammes. C'étaient ceux de Biassou.

Le danger était imminent. Les chefs, s'éveillant en sursaut, coururent rassembler leurs soldats ; le tambour battit la générale ; la trompette sonna l'alarme ; nos lignes se formèrent en tumulte, et les révoltés, au lieu de profiter du désordre où nous étions, immobiles, nous regardaient en chantant *Oua-Nassé.*

Un noir gigantesque parut seul sur le plus élevé des pics secondaires qui encaissent la Grande-Rivière ; une plume couleur de feu flottait sur son front ; une hache était dans sa main droite, un drapeau rouge dans sa main gauche ; je reconnus Pierrot ! Si une carabine se fût trouvée à ma portée, la rage m'aurait peut-être fait commettre une lâcheté. Le noir répéta le refrain d'*Oua-Nassé,* planta son drapeau sur le pic, lança sa hache au milieu de nous, et s'engloutit dans les flots du fleuve. Un regret s'éleva en moi, car je crus qu'il ne mourrait plus de ma main.

Alors les noirs commencèrent à rouler sur nos colonnes d'énormes quartiers de rochers ; une grêle de balles et de flèches tomba sur le mornet. Nos soldats, furieux de ne pouvoir atteindre les assaillants, expiraient en désespérés, écrasés par les rochers, criblés de balles ou percés de flèches. Une horrible confusion régnait dans l'armée. Soudain un bruit affreux parut sortir du milieu de la Grande-Rivière. Une scène extraordinaire s'y passait. Les dragons jaunes, extrêmement maltraités par les masses que les rebelles poussaient du haut des montagnes, avaient conçu l'idée de se réfugier, pour y échapper, sous les voûtes flexibles de lianes dont le fleuve était couvert. Thadée avait le premier mis en avant ce moyen, d'ailleurs ingénieux...

Ici le narrateur fut soudainement interrompu.

XXIII

L Y AVAIT plus d'un quart d'heure que le sergent Thadée, le bras droit en écharpe, s'était glissé, sans être vu de personne, dans un coin de la tente, où ses gestes avaient seuls exprimé la part qu'il prenait aux récits de son capitaine, jusqu'à ce moment où, ne croyant pas que le respect lui permît de laisser passer un éloge aussi direct sans en remercier d'Auverney, il se prit à balbutier d'un ton confus : — Vous êtes bien bon, mon capitaine.

Un éclat de rire général s'éleva. D'Auverney se retourna et lui cria d'un ton sévère :

— Comment ! vous ici, Thadée ! et votre bras ?

A ce langage, si nouveau pour lui, les traits du vieux soldat se rembrunirent ; il chancela et leva la tête en arrière, comme pour arrêter les larmes qui roulaient dans ses yeux.

— Je ne croyais pas, dit-il enfin à voix basse, je n'aurais jamais cru que mon capitaine pût manquer à son vieux sergent jusqu'à lui dire *vous.*

Le capitaine se leva précipitamment.

— Pardonne, mon vieil ami, pardonne, je ne sais ce que j'ai dit ; tiens, Thad, me pardonnes-tu ?

Les larmes jaillirent des yeux du sergent malgré lui.

— Voilà la troisième fois, balbutia-t-il ; mais celles-ci sont de joie.

La paix était faite. Un court silence s'ensuivit.

— Mais, dis-moi, Thad, demanda le capitaine doucement, pourquoi as-tu quitté l'ambulance pour venir ici ?

— C'est que, avec votre permission, j'étais venu pour

vous demander, mon capitaine, s'il faudrait faire mettre demain la housse galonnée à votre cheval de bataille.

Henri se mit à rire : — Vous auriez mieux fait, Thadée, de demander au chirurgien-major s'il faudrait mettre demain deux onces de charpie sur votre bras malade.

— Ou de vous informer, reprit Paschal, si vous pourriez boire un peu de vin pour vous rafraîchir; en attendant, voici de l'eau-de-vie qui ne peut que vous faire du bien : goûtez-en, mon brave sergent.

Thadée s'avança, fit un salut respectueux, s'excusa de prendre le verre de la main gauche, et le vida à la santé de la compagnie. Il s'anima.

— Vous en étiez, mon capitaine, au moment où... Eh bien, oui, ce fut moi qui proposai d'entrer sous les lianes pour empêcher des chrétiens d'être tués par des pierres. Notre officier, qui, ne sachant pas nager, craignait de se noyer, et cela était bien naturel, s'y opposait de toutes ses forces, jusqu'à ce qu'il vît, avec votre permission, messieurs, un gros caillou, qui manqua de l'écraser, tomber sur la rivière sans pouvoir s'y enfoncer, à cause des herbes. Il vaut encore mieux, dit-il alors, mourir comme Pharaon d'Égypte que comme saint Étienne. Nous ne sommes pas des saints, et Pharaon était un militaire comme nous. Mon officier, un savant, comme vous voyez, voulut donc bien se rendre à mon avis, à condition que j'essaierais le premier de l'exécuter. Je vais. Je descends le long du bord, je saute sous le berceau en me tenant aux branches d'en haut, et, dites, mon capitaine, je me sens tirer par la jambe : je me débats, je crie au secours, je reçois plusieurs coups de sabre, et voilà tous les dragons, qui étaient des diables, qui se précipitent pêle-mêle sous les lianes. C'étaient les noirs du Morne-Rouge qui s'étaient cachés là sans qu'on s'en doutât, probablement pour nous tomber sur le dos, comme un sac trop chargé, le moment d'après. — Cela n'aurait pas été un bon moment pour pêcher. — On se battait, on jurait, on criait. Étant nus, ils étaient plus alertes que nous ; mais nos coups portaient mieux que les leurs. Nous nagions d'un bras et nous nous battions de l'autre, comme cela se pratique toujours dans ce cas-là. — Ceux qui ne savaient pas nager, dites, mon capitaine, se suspendaient d'une main aux lianes, et les noirs les tiraient par les pieds. Au milieu de la bagarre, je vis un grand nègre qui se défendait comme un Belzébuth contre huit ou dix de mes camarades ; je nageai là, et je reconnus Pierrot, autrement dit Bug... Mais cela ne doit se découvrir qu'après, n'est-ce pas, mon capitaine ? Je reconnus Pierrot. Depuis la prise du fort, nous étions brouillés ensemble ; je le saisis à la gorge ; il allait se délivrer de moi d'un coup de poignard, quand il me regarda et se rendit au lieu de me tuer ; ce qui fut très malheureux, mon capitaine, car s'il ne s'était pas rendu... — Mais cela se saura plus tard. — Sitôt que les nègres le virent pris, ils sautèrent sur nous pour le délivrer : si bien que les milices allaient aussi entrer dans l'eau pour nous secourir, quand Pierrot, voyant sans doute que les nègres allaient tous être massacrés, dit quelques mots qui étaient un vrai grimoire, puisque cela les mit tous en fuite. Ils plongèrent, et disparurent en un clin d'œil... Cette bataille sous l'eau aurait eu quelque chose d'agréable et m'aurait bien amusé si je n'y avais pas perdu un doigt et mouillé dix cartouches, et si... pauvre homme ! mais cela était écrit, mon capitaine. — Et le sergent, après avoir respectueusement appuyé le revers de sa main gauche sur la grenade de son bonnet de police, l'éleva vers le ciel d'un air inspiré.

D'Auverney paraissait violemment agité.

— Oui, dit-il, oui, tu as raison, mon vieux Thadée, cette nuit-là fut une nuit fatale.

Il serait tombé dans une de ces profondes rêveries qui lui étaient habituelles, si l'assemblée ne l'eût vivement pressé de continuer. Il poursuivit.

XXIV

TANDIS que la scène que Thadée vient de décrire... — Thadée, triomphant, vint se placer derrière le capitaine — ; tandis que la scène que Thadée vient de décrire se passait derrière le mornet, j'étais parvenu, avec quelques-uns des miens, à grimper de broussaille en broussaille sur un pic nommé le *Pic du Paon*, à cause des teintes irisées que le mica répandu à sa surface présentait aux rayons du soleil. Ce pic était de niveau avec les positions des noirs. Le chemin une fois frayé, le sommet fut bientôt couvert de milices ; nous commençâmes une vive fusillade. Les nègres, moins bien armés que nous, ne purent nous riposter aussi chaudement ; ils commencèrent à se décourager ; nous redoublâmes d'acharnement, et bientôt les rocs les plus voisins furent évacués par les rebelles, qui cependant eurent d'abord soin de faire rouler les cadavres de leurs morts sur le reste de l'armée, encore rangée en bataille sur le mornet. Alors nous abattîmes et liâmes ensemble avec des feuilles de palmier et des cordes plusieurs troncs de ces énormes cotonniers sauvages dont les premiers habitants de l'île faisaient des pirogues de cent rameurs. A l'aide de ce pont improvisé, nous passâmes sur les pics abandonnés, et une partie de l'armée se trouva ainsi avantageusement postée. Cet aspect ébranla le courage des insurgés. Notre feu se soutenait; des clameurs lamentables, auxquelles se mêlait le nom de Bug-Jargal, retentirent soudain dans l'armée de Biassou. Une grande épouvante s'y manifesta. Plusieurs noirs du Morne-Rouge parurent sur le roc où flottait le drapeau écarlate; ils se prosternèrent, enlevèrent l'étendard, et se précipitèrent avec lui dans les gouffres de la Grande-Rivière. Cela semblait signifier que leur chef était mort ou pris.

Notre audace s'en accrut à un tel point que je résolus de chasser à l'arme blanche les rebelles des rochers qu'ils occupaient encore. Je fis jeter un pont de troncs d'arbres entre notre pic et le roc le plus voisin; et je m'élançai le premier au milieu des nègres. Les miens allaient me suivre, quand un des rebelles, d'un coup de hache, fit voler le pont en éclats. Les débris tombèrent dans l'abîme, en battant les rocs avec un bruit épouvantable.

Je tournai la tête : en ce moment, je me sentis saisir par six ou sept noirs qui me désarmèrent. Je me débattais comme un lion; ils me lièrent avec des cordes d'écorce, sans s'inquiéter des balles que mes gens faisaient pleuvoir autour d'eux.

Mon désespoir ne fut adouci que par les cris de victoire que j'entendis pousser autour de moi un instant après; je vis bientôt les noirs et les mulâtres gravir pêle-mêle les sommets les plus escarpés, en jetant des clameurs de détresse. Mes gardiens les imitèrent; le plus vigoureux d'entre eux me chargea sur ses épaules, et m'emporta vers les forêts, en sautant de roche en roche avec l'agilité d'un chamois. La lueur des flammes cessa bientôt de le guider; la faible lumière de la lune lui suffit; il se mit à marcher avec moins de rapidité.

XXV

PRÈS avoir traversé des halliers et franchi des torrents, nous arrivâmes dans une haute vallée d'un aspect singulièrement sauvage. Ce lieu m'était absolument inconnu.

Cette vallée était située dans le cœur même des mornes, dans ce qu'on appelle à Saint-Domingue *les doubles montagnes.* C'était une grande savane verte, emprisonnée dans des murailles de roches nues, parsemée de bouquets de pins, de gayacs et de palmistes. Le froid vif qui règne presque continuellement dans cette région de l'île, bien qu'il n'y gèle pas, était encore augmenté par la fraîcheur de la nuit, qui finissait à peine. L'aube commençait à faire revivre la blancheur des hauts sommets environnants, et la vallée, encore plongée dans une obscurité profonde, n'était éclairée que par une multitude de feux allumés par les nègres; car c'était là leur point de ralliement. Les membres disloqués de leur armée s'y rassemblaient en désordre. Les noirs et les mulâtres arrivaient de moment en moment par troupes effarées, avec des cris de détresse ou des hurlements de rage. De nouveaux feux, brillants comme des yeux de tigre dans la sombre savane, marquaient à chaque instant que le cercle du camp s'agrandissait.

Le nègre dont j'étais le prisonnier m'avait déposé au pied d'un chêne, d'où j'observais avec insouciance ce bizarre spectacle. Le noir m'attacha par la ceinture au tronc de l'arbre auquel j'étais adossé, resserra les nœuds redoublés qui comprimaient tous mes mouvements, mit sur ma tête son bonnet de laine rouge, sans doute pour indiquer que j'étais sa propriété, et après qu'il se fut ainsi assuré que je ne pourrais ni m'échapper, ni lui être enlevé par d'autres, il se disposa à s'éloigner. Je me décidai alors à lui adresser la parole, et je lui demandai en patois créole s'il était de la bande du Dondon ou de celle du Morne-Rouge. Il s'arrêta et me répondit d'un air d'orgueil : *Morne-Rouge!* Une idée me vint. J'avais entendu parler de la générosité du chef de cette bande, Bug-Jargal, et, quoique résolu sans peine à une mort qui devait finir tous mes malheurs, l'idée des tourments qui m'attendaient si je la recevais de Biassou ne laissait pas que de m'inspirer quelque horreur. Je n'aurais pas mieux demandé que de mourir sans ces tortures. C'était peut-être une faiblesse, mais je crois qu'en de pareils moments notre nature d'homme se révolte toujours. Je pensais donc que, si je pouvais me soustraire à Biassou, j'obtiendrais peut-être de Bug-Jargal une mort sans supplices, une mort de soldat. Je demandai à ce nègre du Morne-Rouge de me conduire à son chef, Bug-Jargal. Il tressaillit. Bug-Jargal! dit-il en se frappant le front avec désespoir; puis, passant rapidement à l'expression de la fureur, il me cria en me montrant le poing : — Biassou! Biassou! Après ce nom menaçant, il me quitta.

La colère et la douleur du nègre me rappelèrent cette circonstance du combat de laquelle nous avions conclu la prise ou la mort du chef des bandes du Morne-Rouge. Je n'en doutai plus, et je me résignai à cette vengeance de Biassou dont le noir semblait me menacer.

XXVI

CEPENDANT les ténèbres couvraient encore la vallée, où la foule des noirs et le nombre des feux s'accroissaient sans cesse. Un groupe de négresses vint allumer un foyer près de moi. Aux nombreux bracelets de verre bleu, rouge et violet, qui brillaient échelonnés sur leurs bras et leurs jambes, aux anneaux qui chargeaient leurs oreilles, aux bagues qui ornaient tous les doigts de leurs mains et de leurs pieds, aux amulettes attachées sur leur sein, au *collier de charmes* suspendu à leur cou, au tablier de plumes bariolées, seul vêtement qui voilât leur nudité, et surtout à leurs clameurs cadencées, à leurs regards vagues et hagards, je reconnus des *griotes.* Vous ignorez peut-être qu'il existe parmi les noirs de diverses contrées de l'Afrique des nègres doués de je ne sais quel grossier talent de poésie et d'improvisation qui ressemble à la folie. Ces nègres, errant de royaume en royaume, sont, dans ces pays barbares, ce qu'étaient les rhapsodes antiques, et dans le moyen âge les *minstrels* d'Angleterre, les *minsinger* d'Allemagne et les *trouverres* de France. On les appelle *griots.* Leurs femmes, les griotes, possédées comme eux d'un démon insensé, accompagnent les chansons barbares de leurs maris par des danses lubriques, et présentent une parodie grotesque des bayadères de l'Hindoustan et des almées égyptiennes. C'étaient donc quelques-unes de ces femmes qui venaient de s'asseoir en rond, à quelques pas de moi, les jambes repliées à la mode africaine, autour d'un grand amas de branchages desséchés, qui brûlait en faisant trembler sur leurs visages hideux la lueur rouge de ses flammes.

Dès que leur cercle fut formé, elles se prirent toutes la main, et la plus vieille, qui portait une plume de héron plantée dans ses cheveux, se mit à crier : *Ouanga!* Je compris qu'elles allaient opérer un de ces sortilèges qu'elles désignent sous ce nom. Toutes répétèrent *Ouanga!* La plus vieille, après un silence de recueillement, arracha une poignée de ses cheveux, et la jeta dans le feu en disant ces paroles sacramentelles : *Malé o guiab!* qui, dans le jargon des nègres créoles, signifient : J'irai au diable. Toutes les griotes, imitant leur doyenne, livrèrent aux flammes une mèche de leurs cheveux, et redirent gravement : *Malé o guiab!*

Cette invocation étrange et les grimaces burlesques qui l'accompagnaient m'arrachèrent cette espèce de convulsion involontaire qui saisit souvent malgré lui l'homme le plus sérieux ou le plus pénétré de douleur, et qu'on appelle le *fou rire.* Je voulus en vain le réprimer, il éclata. Ce rire, échappé à un cœur bien triste, fit naître une scène singulièrement sombre et effrayante.

Toutes les négresses, troublées dans leur mystère, se levèrent comme réveillées en sursaut. Elles ne s'étaient pas aperçues jusque-là de ma présence. Elles coururent tumultueusement vers moi en hurlant : *Blanco! blanco!* Je n'ai jamais vu une réunion de figures plus diversement horribles que ne l'étaient dans leur fureur tous ces visages noirs avec leurs dents blanches et leurs yeux blancs traversés de grosses veines sanglantes.

Elles m'allaient déchirer. La vieille à la plume de héron fit un signe, et cria à plusieurs reprises : *Zoté cordé! zoté cordé*[1] *!* Les forcenées s'arrêtèrent subitement, et je les vis, non sans surprise, détacher toutes ensemble leurs tabliers

1. Accordez-vous! accordez-vous!

de plumes, les jeter sur l'herbe, et commencer autour de moi cette danse lascive que les noirs appellent *la chica.*

Cette danse, dont les attitudes grotesques et la vive allure n'expriment que le plaisir et la gaieté, empruntait ici de diverses circonstances accessoires un caractère sinistre. Les regards foudroyants que me lançaient les griotes au milieu de leurs folâtres évolutions, l'accent lugubre qu'elles donnaient à l'air joyeux de *la chica,* le gémissement aigu et prolongé que la vénérable présidente du sanhédrin noir arrachait de temps en temps à son balafo, espèce d'épinette qui murmure comme un petit orgue, et se compose d'une vingtaine de tuyaux de bois dont la grosseur et la longueur vont en diminuant graduellement, et surtout l'horrible rire que chaque sorcière nue, à certaines pauses de la danse, venait me présenter à son tour, en appuyant presque son visage sur le mien, ne m'annonçaient que trop à quels affreux châtiments devait s'attendre le *blanco* profanateur de leur Ouanga. Je me rappelai la coutume de ces peuplades sauvages, qui dansent autour des prisonniers avant de les massacrer, et je laissai patiemment ces femmes exécuter le ballet du drame dont je devais ensanglanter le dénouement. Cependant je ne pus m'empêcher de frémir quand je vis, à un moment marqué par le balafo, chaque griote mettre dans le brasier la pointe d'une lame de sabre ou le fer d'une hache, l'extrémité d'une longue aiguille à voilure, les pinces d'une tenaille ou les dents d'une scie.

La danse touchait à sa fin; les instruments de torture étaient rouges. A un signal de la vieille, les négresses allèrent processionnellement chercher, l'une après l'autre, quelque arme horrible dans le feu.

Celles qui ne purent se munir d'un fer ardent prirent un tison enflammé. Alors je compris clairement quel supplice m'était réservé, et que j'aurais un bourreau dans chaque danseuse. A un autre commandement de leur coryphée, elles recommencèrent une dernière ronde en se lamentant d'une manière effrayante. Je fermai les yeux pour ne plus voir du moins les ébats de ces démons femelles, qui, haletant de fatigue et de rage, entrechoquaient en cadence sur leurs têtes leurs ferrailles flamboyantes, d'où s'échappaient un bruit aigu et des myriades d'étincelles. J'attendis en me raidissant l'instant où je sentirais mes chairs se tourmenter, mes os se calciner, mes nerfs se tordre sous les morsures brûlantes des tenailles et des scies, et un frisson courut sur tous mes membres. Ce fut un moment affreux.

Il ne dura heureusement pas longtemps. La chica des griotes atteignait son dernier période, quand j'entendis de loin la voix du nègre qui m'avait fait prisonnier. Il accourait en criant : *Que haceis, mugeres de demonio? que haceis alli; Dexaïs mi prisoniero*[1] *!* Je rouvris les yeux. Il était déjà grand jour. Le nègre se hâtait avec mille gestes de colère. Les griotes s'étaient arrêtées; mais elles paraissaient moins émues de ses menaces qu'interdites par la présence d'un personnage assez bizarre dont le noir était accompagné.

C'était un homme très-gros et très-petit, une sorte de nain, dont le visage était caché par un voile blanc, percé de trois trous pour la bouche et les yeux, à la manière des pénitents. Ce voile, qui tombait sur son cou et ses épaules, laissait nue sa poitrine velue, dont la couleur me parut être celle des griffes, et sur laquelle brillait,

1. Que faites-vous, femmes du démon? que faites-vous là? Laissez mon prisonnier!

suspendu à une chaîne d'or, le soleil d'un ostensoir d'argent tronqué. On voyait le manche en croix d'un poignard grossier passer au-dessus de sa ceinture écarlate, qui soutenait un jupon rayé de vert, de jaune et de noir, dont la frange descendait jusqu'à ses pieds larges et difformes. Ses bras, nus comme sa poitrine, agitaient un bâton blanc; un chapelet, dont les grains étaient d'adrézarach, pendait à sa ceinture, près du poignard; et son front était surmonté d'un bonnet pointu orné de sonnettes, dans lequel, lorsqu'il s'approcha, je ne fus pas peu surpris de reconnaître la *gorra* d'Habibrah. Seulement, parmi les hiéroglyphes dont cette espèce de mitre était couverte, on remarquait des taches de sang. C'était sans doute le sang du fidèle bouffon. Ces traces de meurtre me parurent une nouvelle preuve de sa mort, et réveillèrent dans mon cœur un dernier regret.

Au moment où les griotes aperçurent cet héritier du bonnet d'Habibrah, elles s'écrièrent toutes ensemble : l'*obi!* et tombèrent prosternées. Je devinai que c'était le sorcier de l'armée de Biassou. — *Basta! Basta!* dit-il en arrivant près d'elles, avec une voix sourde et grave, *dexaïs el prisoniero de Biassu*[1] *!* Toutes les négresses, se relevant en tumulte, jetèrent les instruments de mort dont elles étaient chargées, reprirent leurs tabliers de plumes, et, à un geste de l'obi, elles se dispersèrent comme une nuée de sauterelles.

En ce moment le regard de l'obi parut se fixer sur moi; il tressaillit, recula d'un pas, et reporta son bâton blanc vers les griotes, comme s'il eût voulu les rappeler. Cependant, après avoir grommelé entre ses dents le mot

1. Il suffit! il suffit! Laissez le prisonnier de Biassou!

maldicho[1], et dit quelques paroles à l'oreille du nègre, il se retira lentement en croisant les bras et dans l'attitude d'une profonde méditation.

XXVII

MON GARDIEN m'apprit alors que Biassou demandait à me voir, et qu'il fallait me préparer à soutenir dans une heure une entrevue avec ce chef.

C'était sans doute encore une heure de vie. En attendant qu'elle fût écoulée, mes regards erraient sur le camp des rebelles, dont le jour me laissait voir dans ses moindres détails la singulière physionomie. Dans une autre disposition d'esprit, je n'aurais pu m'empêcher de rire de l'inepte vanité des noirs, qui étaient presque tous chargés d'ornements militaires et sacerdotaux, dépouilles de leurs victimes. La plupart de ces parures n'étaient plus que des haillons déchiquetés et sanglants. Il n'était pas rare de voir briller un hausse-col sous un rabat, ou une épaulette sur une chasuble. Sans doute, pour se délasser des travaux auxquels ils avaient été condamnés toute leur vie, les nègres restaient dans une inaction inconnue à nos soldats, même retirés sous la tente. Quelques-uns dormaient au grand soleil, la tête près d'un feu ardent; d'autres, l'œil tour à tour terne et furieux, chantaient un air monotone, accroupis sur le seuil de leur *ajoupas*, espèces de huttes couvertes de feuilles de bananier ou de

1. Maudit!

palmier, dont la forme conique ressemble à nos tentes canonnières. Leurs femmes noires ou cuivrées, aidées des négrillons, préparaient la nourriture des combattants. Je les voyais remuer avec des fourches l'igname, les bananes, la patate, les pois, le coco, le maïs, ce chou caraïbe qu'ils appellent tayo, et une foule d'autres fruits indigènes qui bouillonnaient autour des quartiers de porcs, de tortue et de chien, dans de grandes chaudières volées aux cases des planteurs. Dans le lointain, aux limites du camp, les griots et les griotes formaient de grandes rondes autour des feux, et le vent m'apportait par lambeaux leurs chants barbares mêlés aux sons des guitares et des balafos. Quelques vedettes, placées aux sommets des rochers voisins, éclairaient les alentours du quartier général de Biassou, dont le seul retranchement, en cas d'attaque, était un cordon circulaire de cabrouets, chargés de butin et de munitions. Ces sentinelles noires, debout sur la pointe aiguë des pyramides de granit dont les mornes sont hérissés, tournaient fréquemment sur elles-mêmes, comme les girouettes sur les flèches gothiques, et se renvoyaient l'une à l'autre, de toute la force de leurs poumons, le cri qui maintenait la sécurité du camp : *Nada! Nada*[1] !

De temps en temps, des attroupements de nègres curieux se formaient autour de moi. Tous me regardaient d'un air menaçant.

1. Rien! rien!

XXVIII

NFIN, un peloton de soldats de couleur, assez bien armés, arriva vers moi. Le noir à qui je semblais appartenir me détacha du chêne auquel j'étais lié, et me remit au chef de l'escouade, des mains duquel il reçut en échange un assez gros sac, qu'il ouvrit sur-le-champ. C'étaient des piastres. Pendant que le nègre, agenouillé sur l'herbe, les comptait avidement, les soldats m'entraînaient. Je considérai avec curiosité leur équipement. Ils portaient un uniforme de gros drap brun-rouge et jaune, coupé à l'espagnole. Une espèce de *montera* castillane, ornée d'une large cocarde rouge[1], cachait leurs cheveux de laine. Ils avaient, au lieu de giberne, une façon de carnassière attachée sur le côté. Leurs armes étaient un lourd fusil, un sabre et un poignard. J'ai su depuis que cet uniforme était celui de la garde particulière de Biassou.

Après plusieurs circuits entre les rangées irrégulières d'ajoupas qui encombraient le camp, nous parvînmes à l'entrée d'une grotte taillée par la nature, au pied de l'un de ces immenses pans de roches dont la savane était murée. Un grand rideau d'une étoffe thibétaine qu'on appelle le katchmir, et qui se distingue moins par l'éclat de ses couleurs que par ses plis moelleux et ses dessins variés, fermait à l'œil l'intérieur de cette caverne. Elle était entourée de plusieurs lignes redoublées de soldats équipés comme ceux qui m'avaient amené.

Après l'échange du mot d'ordre avec les deux sentinelles qui se promenaient devant le seuil de la grotte, le

1. On sait que cette couleur est celle de la cocarde espagnole.

chef de l'escouade souleva le rideau de katchmir, et m'introduisit, en le laissant retomber derrière moi.

Une lampe de cuivre à cinq becs, pendue par des chaînes à la voûte, jetait une lumière vacillante sur les parois humides de cette caverne fermée au jour. Entre deux haies de soldats mulâtres, j'aperçus un homme de couleur, assis sur un énorme tronc d'acajou, que recouvrait à demi un tapis de plumes de perroquet. Cet homme appartenait à l'espèce des *sacatras,* qui n'est séparée des nègres que par une nuance, souvent imperceptible. Son costume était ridicule. Une ceinture magnifique de tresse de soie, à laquelle pendait une croix de Saint-Louis, retenait à la hauteur du nombril un caleçon bleu, de toile grossière ; une veste de basin blanc, trop courte pour descendre jusqu'à la ceinture, complétait son vêtement. Il portait des bottes grises, un chapeau rond, surmonté d'une cocarde rouge, et des épaulettes, dont l'une était d'or avec les deux étoiles d'argent des maréchaux de camp, l'autre de laine jaune. Deux étoiles de cuivre, qui paraissaient avoir été des molettes d'éperons, avaient été fixées sur la dernière, sans doute pour la rendre digne de figurer auprès de sa brillante compagne. Ces deux épaulettes, n'étant point bridées à leur place naturelle par des ganses transversales, pendaient des deux côtés de la poitrine du chef. Un sabre et des pistolets richement damasquinés étaient posés sur le tapis de plumes auprès de lui.

Derrière son siège se tenaient, silencieux et immobiles, deux enfants revêtus du caleçon des esclaves, et portant chacun un large éventail de plumes de paon. Ces deux enfants esclaves étaient blancs.

Deux carreaux de velours cramoisi, qui paraissaient avoir appartenu à quelque prie-dieu de presbytère, marquaient deux places à droite et à gauche du bloc d'acajou. L'une de ces places, celle de droite, était occupée par l'obi qui m'avait arraché à la fureur des griotes. Il était assis, les jambes repliées, tenant sa baguette droite, immobile comme une idole de porcelaine dans une pagode chinoise. Seulement, à travers les trous de son voile, je voyais briller ses yeux flamboyants constamment attachés sur moi.

De chaque côté du chef étaient des faisceaux de drapeaux, de bannières et de guidons de toute espèce, parmi lesquels je remarquai le drapeau blanc fleurdelysé, le drapeau tricolore et le drapeau d'Espagne. Les autres étaient des enseignes de fantaisie. On y voyait un grand étendard noir.

Dans le fond de la salle, au-dessus de la tête du chef, un autre objet attira encore mon attention. C'était le portrait de ce mulâtre Ogé, qui avait été roué l'année précédente au Cap, pour crime de rébellion, avec son lieutenant Jean-Baptiste Chavanne, et vingt autres noirs ou sang-mêlés. Dans ce portait, Ogé, fils d'un boucher du Cap, était représenté comme il avait coutume de se faire peindre, en uniforme de lieutenant-colonel, avec la croix de Saint-Louis, et l'ordre du mérite du Lion, qu'il avait acheté en Europe du prince de Limbourg.

Le chef sacatra devant lequel j'étais introduit était d'une taille moyenne. Sa figure ignoble offrait un rare mélange de finesse et de cruauté. Il me fit approcher, et me considéra quelque temps en silence; enfin il se mit à ricaner à la manière de l'hyène.

— Je suis Biassou, me dit-il.

Je m'attendais à ce nom, mais je ne pus l'entendre de cette bouche, au milieu de ce rire féroce, sans frémir intérieurement. Mon visage pourtant resta calme et fier. Je ne répondis rien.

— Eh bien! reprit-il en assez mauvais français, est-ce que tu viens déjà d'être empalé, pour ne pouvoir plier l'épine du dos en présence de Jean Biassou, généralissime des pays conquis, et maréchal-de-camp des armées de *su magestad catolica.* (La tactique des principaux chefs rebelles était de faire croire qu'ils agissaient, tantôt pour le roi de France, tantôt pour la révolution, tantôt pour le roi d'Espagne.)

Je croisai les bras sur ma poitrine, et le regardai fixement. Il recommença à ricaner. Ce *tic* lui était familier.

— Oh! oh! *me pareces hombre de buen corazon*[1]. Eh bien, écoute ce que je vais te dire : Es-tu créole?

— Non, répondis-je, je suis français.

Mon assurance lui fit froncer le sourcil. Il reprit en ricanant :

— Tant mieux; je vois à ton uniforme que tu es officier. Quel âge as-tu?

— Vingt ans.

— Quand les as-tu atteints?

A cette question, qui réveillait en moi de bien douloureux souvenirs, je restai un moment absorbé dans mes pensées. Il la répéta vivement. Je lui répondis : — Le jour où ton compagnon Léogri fut pendu.

La colère contracta ses traits; son ricanement se prolongea. Il se contint cependant.

— Il y a vingt-trois jours que Léogri fut pendu, me dit-il. Français, tu lui diras ce soir, de ma part, que tu as vécu vingt-quatre jours de plus que lui. Je veux te laisser au monde encore cette journée, afin que tu puisses lui conter où en est la liberté de ses frères, ce que tu as vu dans le quartier général de Jean Biassou, maréchal-de-

1. Tu me parais homme de bon courage.

camp, et quelle est l'autorité de ce généralissime sur les *gens du roi.*

C'était sous ce titre que Jean-François, qui se faisait appeler *grand-amiral de France,* et son camarade Biassou, désignaient leurs hordes de nègres et de mulâtres révoltés.

Alors il ordonna que l'on me fît asseoir entre deux gardes dans un coin de la grotte, et, adressant un signe de la main à quelques nègres affublés de l'habit d'aide-de-camp : — Qu'on batte le rappel, que toute l'armée se rassemble autour de notre quartier-général, pour que nous la passions en revue. Et vous, monsieur le chapelain, dit-il en se tournant vers l'obi, couvrez-vous de vos vêtements sacerdotaux, et célébrez pour nous et nos soldats le saint sacrifice de la messe.

L'obi se leva, s'inclina profondément devant Biassou, et lui dit à l'oreille quelques paroles que le chef interrompit brusquement à haute voix.

— Vous n'avez point d'autel, dites-vous, *senor cura!* cela est-il étonnant dans ces montagnes? Mais qu'importe! depuis quand le *bon Giu*[1] a-t-il besoin pour son culte d'un temple magnifique; d'un autel orné d'or et de dentelles? Gédéon et Josué l'ont adoré devant des monceaux de pierres; faisons comme eux, *bon per*[2]*!* Il suffit au *bon Giu* que les cœurs soient fervents. Vous n'avez point d'autel! Eh bien ne pouvez-vous pas en faire un de cette grande caisse de sucre, prise avant-hier par les gens du roi dans l'habitation Dubuisson?

L'intention de Biassou fut promptement exécutée. En un clin d'œil l'intérieur de la grotte fut disposé pour cette parodie du divin mystère. On apporta un tabernacle et

1. Patois créole. Le bon Dieu.
2. Patois créole. Bon père.

un saint-ciboire enlevés à la paroisse de l'Acul, au même temple où mon union avec Marie avait reçu du ciel une bénédiction si promptement suivie du malheur. On érigea en autel la caisse de sucre volée, qui fut couverte d'un drap blanc, en guise de nappe, ce qui n'empêchait pas de lire sur les faces latérales de cet autel : *Dubuisson et Cie, pour Nantes.*

Quand les vases sacrés furent placés sur la nappe, l'obi s'aperçut qu'il manquait une croix ; il tira son poignard, dont la garde horizontale présentait cette forme, et le planta debout entre le calice et l'ostensoir, devant le tabernacle. Alors, sans ôter son bonnet de sorcier et son voile de pénitent, il jeta promptement la chape volée au prieur de l'Acul sur son dos et sa poitrine nue, ouvrit auprès du tabernacle le missel à fermoirs d'argent sur lequel avaient été lues les prières de mon fatal mariage, et, se tournant vers Biassou, dont le siège était à quelques pas de l'autel, annonça par une salutation profonde qu'il était prêt.

Sur-le-champ, à un signe du chef, les rideaux de katchmir furent tirés et nous découvrirent toute l'armée noire rangée en carrés épais devant l'ouverture de la grotte. Biassou ôta son chapeau rond et s'agenouilla devant l'autel. — A genoux ! cria-t-il d'une voix forte. — A genoux ! répétèrent les chefs de chaque bataillon. Un roulement de tambours se fit entendre. Toutes les hordes étaient agenouillées.

Seul, j'étais resté immobile sur mon siège, révolté de l'horrible profanation qui allait se commettre sous mes yeux ; mais les deux vigoureux mulâtres qui me gardaient dérobèrent mon siège sous moi, me poussèrent rudement par les épaules, et je tombai à genoux comme les autres, contraint de rendre un simulacre de respect à ce simulacre de culte.

L'obi officia gravement. Les deux petits pages blancs de Biassou faisaient les offices de diacre et de sous-diacre. La foule des rebelles, toujours prosternée, assistait à la cérémonie avec un recueillement dont le *généralissime* donnait le premier l'exemple. Au moment de l'exaltation, l'obi, élevant entre ses mains l'hostie consacrée, se tourna vers l'armée, et cria en jargon créole : *Zoté coné bon Giu; ce li mo fé zolé voer. Blan touyé li, touyé blan yo toute*[1] *!* A ces mots, prononcés d'une voix forte, mais qu'il me semblait avoir déjà entendue quelque part et en d'autres temps, toute la horde poussa un rugissement; ils entrechoquèrent longtemps leurs armes, et il ne fallut rien moins que la sauvegarde de Biassou pour empêcher que ce bruit sinistre ne sonnât ma dernière heure. Je compris à quels excès de courage et d'atrocité pouvaient se porter des hommes pour qui un poignard était une croix, et sur l'esprit desquels toute impression est prompte et profonde.

XXIX

LA CÉRÉMONIE terminée, l'obi se retourna vers Biassou avec une révérence respectueuse. Alors le chef se leva, et, s'adressant à moi, il me dit en français : — On nous accuse de n'avoir pas de religion, tu vois que c'est une calomnie, et que nous sommes bons catholiques.

1. Vous connaissez le bon Dieu; c'est lui que je vous fais voir. Les blancs l'ont tué; tuez tous les blancs.
Depuis, Toussaint-Louverture avait coutume d'adresser la même allocution aux nègres, après avoir communié.

Je ne sais s'il parlait ironiquement ou de bonne foi. Un moment après, il se fit apporter un vase de verre, plein de grains de maïs noir, il y jeta quelques grains de maïs blanc; puis, élevant le vase au-dessus de sa tête, pour qu'il fût mieux vu de toute son armée : — Frères, vous êtes le maïs noir, les blancs vos ennemis sont le maïs blanc! A ces paroles, il remua le vase, et quand presque tous les grains blancs eurent disparu sous les noirs, il s'écria d'un air d'inspiration et de triomphe : *Guetté blan ci la la*[1] !

Une nouvelle acclamation, répétée par tous les échos des montagnes, accueillit la parabole du chef. Biassou continua en mêlant fréquemment son méchant français de phrases créoles et espagnoles :

— *El tiempo de la mansuetud es pasado*[2]. Nous avons été longtemps patients comme les moutons dont les blancs comparent la laine à nos cheveux; soyons maintenant implacables comme les panthères et les jaguars des pays d'où ils nous ont arrachés. La force peut seule acquérir les droits : tout appartient à qui se montre fort et sans pitié. Saint Loup a deux fêtes dans le calendrier grégorien, l'Agneau pascal n'en a qu'une! — N'est-il pas vrai, monsieur le chapelain?

L'obi s'inclina en signe d'adhésion.

— ... Ils sont venus, poursuivit Biassou, ils sont venus, les ennemis de la régénération de l'humanité, ces blancs, ces colons, ces planteurs, ces hommes de négoce, *verdaderos demonios* vomis de la bouche d'Alecto! *Son venidos con insolencia*[3] ; ils étaient couverts, les superbes, d'armes, de panaches et d'habits magnifiques à l'œil, et nous

1. Voyez ce que sont les blancs relativement à vous!
2. Le temps de la mansuétude est passé.
3. Ils sont venus avec insolence.

méprisaient parce que nous sommes noirs et nus. Ils pensaient, dans leur orgueil, pouvoir nous disperser aussi aisément que ces plumes de paons chassent les noirs essaims des moustiques et des maringouins !...

En achevant cette comparaison, il avait arraché des mains d'un esclave blanc un des éventails qu'il faisait porter derrière lui, et l'agitait sur sa tête avec mille gestes véhéments. Il reprit :

— ... Mais, ô mes frères, notre armée a fondu sur la leur comme les bigailles sur un cadavre ; ils sont tombés avec leurs beaux uniformes sous les coups de ces bras nus qu'ils croyaient sans vigueur, ignorant que le bon bois est plus dur quand il est dépouillé d'écorce. Ils tremblent maintenant, ces tyrans exécrés ! *yo gagné peur*[1] *!*

Un hurlement de joie et de triomphe répondit à ce cri du chef, et toutes les hordes répétèrent longtemps : *Yo gagné peur !*

— ... Noirs créoles et congos, ajouta Biassou, vengeance et liberté ! Sang-mêlés, ne vous laissez pas attiédir par les séductions *de los diabolos blancos.* Vos pères sont dans leurs rangs, mais vos mères sont dans les nôtres. Au reste, *o hermanos de mi alma*[2], ils ne vous ont jamais traités en pères, mais bien en maîtres : vous étiez esclaves comme les noirs. Pendant qu'un misérable pagne couvrait à peine vos flancs brûlés par le soleil, vos barbares pères se pavanaient sous de *buenos sombreros,* et portaient des vestes de nankin les jours de travail, et les jours de fête des habits de bouracan ou de velours, *a diez y siete quartos la vara*[3]. Maudissez ces êtres dénaturés. Mais, comme les

1. Jargon créole. Ils ont peur.
2. O frères de mon âme.
3. A dix-sept *quartos* la *vara* (mesure espagnole qui équivaut à peu près à l'aune).

saints commandements du *bon Giu* le défendent, ne frappez pas vous-même votre propre père. Si vous le rencontrez dans les rangs ennemis, qui vous empêche, *amigos,* de vous dire l'un à l'autre : *« Touyé papa moé, ma touyé quena toué*[1] *! »* Vengeance, gens du roi ! Liberté à tous les hommes ! Ce cri a son écho dans toutes les îles : il est parti de *Quisqueya*[2], il réveille Tabago et Cuba. C'est un chef des cent vingt-cinq nègres marrons de la montagne Bleue, c'est un noir de la Jamaïque, Bouckmann, qui a levé l'étendard parmi nous. Une victoire a été son premier acte de fraternité avec les noirs de Saint-Domingue. Suivons son glorieux exemple, la torche d'une main, la hache de l'autre ! Point de grâce pour les blancs, pour les planteurs ! Massacrons leurs familles, dévastons leurs plantations ; ne laissons point dans leurs domaines un arbre qui n'ait la racine en haut. Bouleversons la terre pour qu'elle engloutisse les blancs ! Courage donc, amis et frères ! nous irons bientôt combattre et exterminer. Nous triompherons ou nous mourrons. Vainqueurs, nous jouirons à notre tour de toutes les joies de la vie ; morts, nous irons dans le ciel, où les saints nous attendent, dans le paradis, où chaque brave recevra une double mesure d'*aguardiente*[3] et une piastre-gourde par jour !

Cette sorte de sermon soldatesque, qui ne vous semble que ridicule, messieurs, produisit sur les rebelles un effet prodigieux. Il est vrai que la pantomime extraordinaire de Biassou, l'accent inspiré de sa voix, le ricanement

1. *Tue mon père, je tuerai le tien.* On a entendu en effet des mulâtres, capitulant en quelque sorte avec le parricide, prononcer ces exécrables paroles.
2. Ancien nom de Saint-Domingue, qui signifie *Grande-Terre.* Les indigènes l'appelaient aussi *Aïty.*
3. Eau-de-vie.

étrange qui entrecoupait ses paroles, donnaient à sa harangue je ne sais quelle puissance de prestige et de fascination. L'art avec lequel il entremêlait sa déclaration de détails faits pour flatter la passion ou l'intérêt des révoltés ajoutait un degré de force à cette éloquence, appropriée à cet auditoire.

Je n'essaierai donc pas de vous décrire quel sombre enthousiasme se manifesta dans l'armée insurgée après l'allocution de Biassou. Ce fut un concert discordant de cris, de plaintes, de hurlements. Les uns se frappaient la poitrine, les autres heurtaient leurs massues et leurs sabres. Plusieurs, à genoux ou prosternés, conservaient l'attitude d'une immobile extase. Des négresses se déchiraient les seins et les bras avec les arêtes de poissons dont elles se servent en guise de peigne pour démêler leurs cheveux. Les guitares, les tam-tams, les tambours, les balafos, mêlaient leur bruit aux décharges de mousqueterie. C'était quelque chose d'un sabbat.

Biassou fit un signe de la main : le tumulte cessa comme par un prodige; chaque nègre reprit son rang en silence. Cette discipline, à laquelle Biassou avait plié ses égaux par le simple ascendant de la pensée et de la volonté, me frappa, pour ainsi dire, d'admiration. Tous les soldats de cette armée de rebelles paraissaient parler et se mouvoir sous la main du chef, comme les touches du clavecin sous les doigts du musicien.

XXX

N AUTRE spectacle, un autre genre de charlatanisme et de fascination excita alors mon attention : c'était le pansement de blessés. L'obi, qui remplissait dans l'armée les doubles fonctions de médecin de l'âme et de médecin du corps, avait commencé l'inspection des malades. Il avait dépouillé ses ornements sacerdotaux, et avait fait apporter auprès de lui une grande caisse à compartiments, dans laquelle étaient ses drogues et ses instruments. Il usait fort rarement de ses outils chirurgicaux, et, excepté une lancette en arête de poisson avec laquelle il pratiquait fort adroitement une saignée, il me paraissait assez gauche dans le maniement de la tenaille qui lui servait de pince et du couteau qui lui tenait lieu de bistouri. Il se bornait, la plupart du temps, à prescrire des tisanes d'orange des bois, des breuvages de squine et de salsepareille, et quelques gorgées de vieux tafia. Son remède favori, et qu'il disait souverain, se composait de trois verres de vin rouge, où il mêlait la poudre d'une noix muscade et d'un jaune d'œuf bien cuits sous la cendre. Il employait ce spécifique pour guérir toute espèce de plaie ou de maladie. Vous concevez aisément que cette médecine était aussi dérisoire que le culte dont il se faisait le ministre ; et il est probable que le petit nombre de cures qu'elle opérait par hasard n'eût point suffi pour conserver à l'obi la confiance des noirs, s'il n'eût joint des jongleries à ses drogues et s'il n'eût cherché à agir d'autant plus sur l'imagination des nègres qu'il agissait moins sur leurs maux. Ainsi, tantôt il se bornait à toucher leurs blessures en faisant quelques signes mystiques ; d'autres fois, usant

habilement de ce reste d'anciennes superstitions qu'ils mêlaient à leur catholicisme de fraîche date, il mettait dans les plaies une petite pierre fétiche enveloppée de charpie; et le malade attribuait à la pierre les bienfaisants effets de la charpie. Si l'on venait lui annoncer que tel blessé, soigné par lui, était mort de sa blessure, et peut-être de son pansement : — Je l'avais prévu, répondait-il d'une voix solennelle. C'était un traître : dans l'incendie de telle habitation, il avait sauvé un blanc. Sa mort est un châtiment! — Et la foule des rebelles ébahis applaudissait, de plus en plus ulcérée dans ses sentiments de haine et de vengeance. Le charlatan employa, entre autres, un moyen de guérison dont la singularité me frappa. C'était pour un des chefs noirs, assez dangereusement blessé dans le dernier combat. Il examina longtemps la plaie, la pansa de son mieux, puis, montant à l'autel : — Tout cela n'est rien, dit-il. Alors il déchira trois ou quatre feuillets du missel, les brûla à la flamme des flambeaux dérobés à l'église de l'Acul, et, mêlant la cendre de ce papier consacré à quelques gouttes de vin versées dans le calice : — Buvez, dit-il au blessé, ceci est la guérison[1]. — L'autre but stupidement, fixant des yeux pleins de confiance sur le jongleur, qui avait les mains levées sur lui, comme pour appeler les bénédictions du ciel; et peut-être la conviction qu'il était guéri contribua-t-elle à le guérir.

1. Ce remède est encore assez fréquemment pratiqué en Afrique, notamment par les Maures de Tripoli, qui jettent souvent dans leurs breuvages la cendre d'une page du livre de Mahomet. Cela compose un philtre auquel ils attribuent des vertus souveraines.
Un voyageur anglais, je ne sais plus lequel, appelle ce breuvage : *une infusion d'Alcoran.*

XXXI

NE AUTRE scène, dont l'obi voilé était encore le principal acteur, succéda à celle-ci : le médecin avait remplacé le prêtre, le sorcier remplaça le médecin.

— *Hombres, escuchate*[1] *!* s'écria l'obi, sautant avec une incroyable agilité sur l'autel improvisé, où il tomba assis, les jambes repliées dans son jupon bariolé ; *escuchate, hombres!* Que ceux qui voudront lire au livre du destin le mot de leur vie s'approchent, je leur dirai : *hé estudiado la ciencia de los Gitanos*[2].

Une foule de noirs et de mulâtres s'avancèrent précipitamment. — L'un après l'autre ! dit l'obi, dont la voix sourde et intérieure reprenait quelquefois cet accent criard qui me frappait comme un souvenir ; si vous venez tous ensemble, vous entrerez tous ensemble au tombeau. — Ils s'arrêtèrent. En ce moment, un homme de couleur, vêtu d'une veste et d'un pantalon blancs, coiffé d'un madras, à la manière des riches colons, arriva près de Biassou. La consternation était peinte sur sa figure. — Eh bien ! dit le *généralissime* à voix basse, qu'est-ce, qu'avez-vous, Rigaud ? — C'était le chef mulâtre du rassemblement des Cayes, depuis connu sous le nom de *général Rigaud,* homme rusé sous des dehors candides, cruel sous un air de douceur. Je l'examinai avec attention. — Général, répondit Rigaud (et il parlait très-bas ; mais

1. Hommes, écoutez ! Le sens que les Espagnols attachent au mot *hombre,* dans ce cas, ne peut se traduire. C'est plus qu'*homme,* et moins qu'*ami.*
2. J'ai étudié la science des Égyptiens.

j'étais placé près de Biassou, et j'entendais), il y a là, aux limites du camp, un émissaire de Jean-François. Bouckmann vient d'être tué dans un engagement avec M. de Touzard, et les blancs ont dû exposer sa tête comme un trophée dans leur ville. — N'est-ce que cela? dit Biassou; et ses yeux brillaient de la secrète joie de voir diminuer le nombre des chefs, et, par conséquent, croître son importance. — L'émissaire de Jean-François a en outre un message à vous remettre. — C'est bon, reprit Biassou. Quittez cette mine de déterré, mon cher Rigaud. — Mais, objecta Rigaud, ne craignez-vous pas, général, l'effet de la mort de Bouckmann sur votre armée? — Vous n'êtes pas si simple que vous le paraissez, Rigaud, répliqua le chef; vous allez juger Biassou. Faites retarder seulement d'un quart d'heure l'admission du messager.

Alors il s'approcha de l'obi, qui, durant ce dialogue, entendu de moi seul, avait commencé son office de devin, interrogeant les nègres émerveillés, examinant les signes de leurs fronts et de leurs mains, et leur distribuant plus ou moins de bonheur à venir, suivant le son, la couleur et la grosseur de la pièce de monnaie jetée par chaque nègre à ses pieds dans une patène d'argent dorée. Biassou lui dit quelques mots à l'oreille. Le sorcier, sans s'interrompre, continua ses opérations métoposcopiques.

« Celui, disait-il, qui porte au milieu du front, sur la ride du soleil, une petite figure carrée ou un triangle, fera une grande fortune sans peine et sans travaux.

» La figure de trois *S* rapprochés, en quelque endroit du front qu'ils se trouvent, est un signe bien funeste : celui qui porte ce signe se noiera infailliblement, s'il n'évite l'eau avec le plus grand soin.

» Quatre lignes partant du nez, et se recourbant deux à deux sur le front, au-dessus des yeux, annoncent qu'on sera un jour prisonnier de guerre, et qu'on gémira captif aux mains de l'étranger. »

Ici l'obi fit une pause. — Compagnons, ajouta-t-il gravement, j'avais observé ce signe sur le front de Bug-Jargal, chef des braves du Morne-Rouge.

Ces paroles, qui me confirmaient encore la prise de Bug-Jargal, furent suivies des lamentations d'une horde qui ne se composait que de noirs, et dont les chefs portaient des caleçons écarlates : c'était la bande du Morne-Rouge.

Cependant l'obi recommençait :

« Si vous avez dans la partie droite du front, sur la ligne de la lune, quelque figure qui ressemble à une fourche, craignez de demeurer oisif ou de trop rechercher la débauche.

» Un petit signe bien important, la figure arabe du chiffre 3, sur la ligne du soleil, présage des coups de bâton... »

Un vieux nègre espagnol-dominguois interrompit le sorcier. Il se traînait vers lui en implorant un pansement. Il avait été blessé au front, et l'un de ses yeux, arraché de son orbite, pendait tout sanglant. L'obi l'avait oublié dans sa revue médicale. Au moment où il l'aperçut il s'écria :

« Des figures rondes dans la partie droite du front, sur la ligne de la lune, annoncent des maladies aux yeux. » — *Hombre,* dit-il au misérable blessé, ce signe est bien apparent sur ton front, voyons ta main.

— *Alas! exelentisimo señor,* repartit l'autre, *mir'usted mi ojo*[1] *!*

1. Hélas! très excellent seigneur, regardez mon œil.

— Fatras[1], répliqua l'obi avec humeur, j'ai bien besoin de voir ton œil... : ta main, te dis-je!

Le malheureux livra sa main en murmurant toujours : *mi ojo!*

— Bon! dit le sorcier. « Si l'on trouve sur la ligne de vie un point entouré d'un petit cercle, on sera borgne, parce que cette figure annonce la perte d'un œil. » C'est cela, voici le point et le petit cercle, tu seras borgne.

— *Ya le soy*[2], répondit le fatras en gémissant pitoyablement. Mais l'obi, qui n'était plus chirurgien, l'avait repoussé rudement et poursuivait sans se soucier de la plainte du pauvre borgne.

— *Escuchate, hombres!* « Si les sept lignes du front sont petites, tortueuses, faiblement marquées, elles annoncent un homme dont la vie sera courte.

» Celui qui aura entre les deux sourcils, sur la ligne de la lune, la figure de deux flèches croisées, mourra dans une bataille.

» Si la ligne de vie qui traverse la main présente une croix à son extrémité près de la jointure, elle présage qu'on paraîtra sur l'échafaud... » Et ici, reprit l'obi, je dois vous le dire, *hermanos,* l'un des plus braves appuis de l'indépendance, Bouckmann, porte ces trois signes funestes.

A ces mots, tous les nègres retinrent leur haleine : leurs yeux immobiles, attachés sur le jongleur, exprimaient cette sorte d'attention qui ressemble à la stupeur.

— Seulement, ajouta l'obi, je ne puis accorder ce double signe qui menace à la fois Bouckmann d'une bataille et d'un échafaud. Pourtant mon art est infaillible.

1. Nom sous lequel on désignait un vieux nègre hors de service.
2. Je le suis déjà.

Il s'arrêta et échangea un regard avec Biassou. Biassou dit quelques mots à l'oreille d'un de ses aides-de-camp, qui sortit sur-le-champ de la grotte.

« Une bouche béante et fanée, » reprit l'obi, se retournant vers son auditoire avec son accent malicieux et goguenard, « une attitude insipide, les bras pendants, et la main gauche tournée en dehors sans qu'on en devine le motif, annoncent la stupidité naturelle, la nullité, le vide, une curiosité hébétée. »

Biassou ricanait. — En cet instant l'aide-de-camp revint; il amenait un nègre couvert de fange et de poussière, dont les pieds, déchirés par les ronces et les cailloux, prouvaient qu'il avait fait une longue course. C'était le messager annoncé par Rigaud. Il tenait d'une main un paquet cacheté, de l'autre un parchemin déployé qui portait un sceau dont l'empreinte figurait un cœur enflammé. Au milieu était un chiffre formé des lettres caractéristiques *M* et *N,* entrelacées pour désigner sans doute la réunion des mulâtres libres et des nègres esclaves. A côté de ce chiffre je lus cette légende : « Le préjugé vaincu, la verge de fer brisée; *vive le roi!* » Ce parchemin était un passeport délivré par Jean-François.

L'émissaire le présenta à Biassou, et, après s'être incliné jusqu'à terre, lui remit le papier cacheté. Le généralissime l'ouvrit vivement, parcourut les dépêches qu'il renfermait, en mit une dans la poche de sa veste, et, froissant l'autre dans ses mains, s'écria d'un air désolé :

— Gens du roi!...

Les nègres saluèrent profondément.

— Gens du roi! voilà ce que mande à Jean Biassou, généralissime des pays conquis, maréchal des camps et armées de sa majesté catholique, Jean-François, grand-amiral de France, lieutenant général des armées de sadite majesté, le roi des Espagnes et des Indes :

« Bouckmann, chef des cent vingt noirs de la montagne Bleue à la Jamaïque, reconnus indépendants par le gouverneur général de Belle-Combe, Bouckmann vient de succomber dans la glorieuse lutte de la liberté et de l'humanité contre le despotisme de la barbarie. Ce généreux chef a été tué dans un engagement avec les brigands blancs de l'infâme Touzard. Les monstres ont coupé sa tête, et ont annoncé qu'ils allaient l'exposer ignominieusement sur un échafaud dans la place d'armes de leur ville du Cap. — Vengeance ! »

Le sombre silence du découragement succéda un moment dans l'armée à cette lecture. Mais l'obi s'était dressé debout sur l'autel, et il s'écriait, en agitant sa baguette blanche, avec des gestes triomphants :

— Salomon, Zorobabel, Éléazar Thaleb, Cardan, Judas Bowtharicht, Averroès, Albert-le-Grand, Bohabdil, Jean de Hagen, Anna Baratro, Daniel Ogrumof, Rachel Flintz, Altornino ! je vous rends grâces. La *ciencia* des voyants ne m'a pas trompé. *Hijos, amigos, hermanos, muchachos, mozos, madres, y vosotros todos qui me escuchais aqui*[1], qu'avais-je prédit ? *que habia dicho ?* les signes du front de Bouckmann m'avaient annoncé qu'il vivrait peu, et qu'il mourrait dans un combat ; les lignes de sa main, qu'il paraîtrait sur un échafaud. Les révélations de mon art se réalisent fidèlement, et les événements s'arrangent d'eux-mêmes pour exécuter jusqu'aux circonstances que nous ne pouvions concilier, la mort sur le champ de bataille et l'échafaud ! Frères, admirez !

1. Fils, amis, frères, garçons, enfants, mères, et vous tous qui m'écoutez ici.

Le découragement des noirs s'était changé, durant ce discours, en une sorte d'effroi merveilleux. Ils écoutaient l'obi avec une confiance mêlée de terreur; celui-ci, enivré de lui-même, se promenait de long en large sur la caisse de sucre, dont la surface offrait assez d'espace pour que ses petits pas pussent s'y déployer fort à l'aise. Biassou ricanait.

Il adressa la parole à l'obi.

— Monsieur le chapelain, puisque vous savez les choses à venir, il nous plairait que vous voulussiez bien lire ce qu'il adviendra de notre fortune, à nous Jean Biassou, *mariscal-de-campo.*

L'obi, s'arrêtant fièrement sur l'autel grotesque où la crédulité des noirs le divinisait, dit au *mariscal-de-campo : Venga vuestra merced*[1] *!* En ce moment l'obi était l'homme important de l'armée. Le pouvoir militaire céda devant le pouvoir sacerdotal. Biassou s'approcha. On lisait dans ses yeux quelque dépit.

— Votre main, général, dit l'obi en se baissant pour la saisir. *Empezo*[2]. — *La ligne de la jointure,* également marquée dans toute sa longueur, vous promet des richesses et du bonheur. — *La ligne de vie,* longue, marquée, vous présage une vie exempte de maux, une verte vieillesse; étroite, elle désigne votre sagesse, votre esprit ingénieux, la *generosidad* de votre cœur; enfin j'y vois ce que les *chiromancos* appellent le plus heureux de tous les signes, une foule de petites rides qui lui donnent la forme d'un arbre chargé de rameaux et qui s'élèvent vers le haut de la main; c'est le pronostic assuré de l'opulence et des grandeurs. — *La ligne de santé,* très-longue, confirme les indices de

1. Vienne votre grâce!
2. Je commence.

la ligne de vie; elle indique aussi le courage; recourbée vers le petit doigt, elle forme une sorte de crochet. Général, c'est le signe d'une sévérité utile.

A ce mot, l'œil brillant du petit obi se fixa sur moi à travers les ouvertures de son voile, et je remarquai encore une fois un accent connu, caché en quelque sorte sous la gravité habituelle de sa voix. Il continuait avec la même intention de geste et d'intonation.

— ... Chargée de petits cercles, *la ligne de santé* vous annonce un grand nombre d'exécutions nécessaires que vous devrez ordonner. Elle s'interrompt vers le milieu pour former un demi-cercle, signe que vous serez exposé à de grands périls avec les bêtes féroces, c'est-à-dire avec les blancs, si vous ne les exterminez. — *La ligne de fortune,* entourée, comme la ligne de vie, de petits rameaux qui s'élèvent vers le haut de la main, confirme l'avenir de puissance et de suprématie auquel vous êtes appelé; droite et déliée dans sa partie supérieure, elle annonce le talent de gouverner. — La cinquième ligne, celle du *triangle,* prolongée jusque vers la racine du doigt du milieu, vous promet le plus heureux succès dans toute entreprise. — Voyons les doigts. — Le pouce, traversé dans sa longueur de petites lignes qui vont de l'ongle à la jointure, vous promet un grand héritage : celui de la gloire de Bouckmann sans doute! ajouta l'obi d'une voix haute. — La petite éminence qui forme la racine de l'index est chargée de petites rides doucement marquées : honneurs et dignités! — Le doigt du milieu n'annonce rien. — Votre doigt annulaire est sillonné de lignes croisées les unes sur les autres : vous vaincrez tous vos ennemis, vous dominerez tous vos rivaux! Ces lignes forment des croix de Saint-André, signe de génie et de croyance! — La jointure qui unit le petit doigt à la main offre des rides tortueuses : la fortune vous comblera de faveurs. J'y vois encore la figure d'un cercle, présage à ajouter aux autres, qui vous annonce puissance et dignités !

« Heureux, dit Éléasar Thaleb, celui qui porte tous ces signes ! le destin est chargé de sa prospérité, et son étoile lui amènera le génie qui donne la gloire. » — Maintenant, général, laissez-moi interroger votre front. — « Celui, dit Rachel Flintz la bohémienne, qui porte au milieu du front sur la ride du soleil une petite figure carrée ou un triangle, fera une grande fortune... » La voici, bien prononcée. « Si ce signe est à droite, il promet une importante succession... » Toujours celle de Bouckmann ! « Le signe d'un fer à cheval entre les deux sourcils, au-dessus de la ride de la lune, annonce qu'on saura se venger de l'injure et de la tyrannie. » Je porte ce signe ; vous le portez aussi...

La manière dont l'obi prononça les mots, *je porte ce signe,* me frappa encore.

— On le remarque, ajouta-t-il du même ton, chez les braves qui savent méditer une révolte courageuse et briser la servitude dans un combat. La griffe de lion que vous avez empreinte au-dessous du sourcil prouve votre brillant courage. Enfin, général Jean Biassou, votre front présente le plus éclatant de tous les signes de prospérité : c'est une combinaison de lignes qui forment la lettre *M,* la première du nom de la Vierge. En quelque partie du front, sur quelque ride que cette figure paraisse, elle annonce le génie, la gloire et la puissance. Celui qui la porte fera toujours triompher la cause qu'il embrassera ; ceux dont il sera le chef n'auront jamais à regretter aucune perte ; il vaudra à lui seul tous les défenseurs de son parti. Vous êtes cet élu du destin !

— *Gratias,* monsieur le chapelain, dit Biassou, se préparant à retourner à son trône d'acajou.

— Attendez, général, reprit l'obi, j'oubliais encore un signe. La ligne du soleil, fortement prononcée sur votre front, prouve du savoir-vivre, le désir de faire des heureux, beaucoup de libéralité, et un penchant à la magnificence.

Biassou parut comprendre que l'oubli venait plutôt de sa part que de celle de l'obi. Il tira de sa poche une bourse assez lourde et la jeta dans le plat d'argent, pour ne pas faire mentir la *ligne du soleil.*

Cependant l'éblouissant horoscope du chef avait produit son effet dans l'armée. Tous les rebelles, sur lesquels la parole de l'obi était devenue plus puissante que jamais depuis les nouvelles de la mort de Bouckmann, passèrent du découragement à l'enthousiasme, et, se confiant aveuglément à leur sorcier infaillible et à leur général prédestiné, se mirent à hurler à l'envi : *Vive l'obi! Vive Biassou!* L'obi et Biassou se regardèrent, et je crus entendre le rire étouffé de l'obi répondant au ricanement du généralissime.

Je ne sais pourquoi cet obi tourmentait ma pensée; il me semblait que j'avais déjà vu ou entendu ailleurs quelque chose qui ressemblait à cet être singulier : Je voulus le faire parler.

— Monsieur l'obi, *señor cura, doctor medico,* monsieur le chapelain, *bon per!* lui dis-je.

Il se retourna brusquement.

— Il y a encore ici quelqu'un dont vous n'avez point tiré l'horoscope : c'est moi.

Il croisa ses bras sur le soleil d'argent qui couvrait sa poitrine velue, et ne me répondit pas. Je repris :

— Je voudrais bien savoir ce que vous augurez de mon

avenir ; mais vos honnêtes camarades m'ont enlevé ma montre et ma bourse, et vous n'êtes pas sorcier à prophétiser *gratis*.

Il s'avança précipitamment jusqu'au près de moi, et me dit sourdement à l'oreille :

— Tu te trompes ! Voyons ta main.

Je la lui présentai en le regardant en face. Ses yeux étincelaient ; il parut examiner ma main.

— « Si la ligne de vie, me dit-il, est coupée vers le milieu par deux petites lignes transversales et bien apparentes, c'est le signe d'une mort prochaine. » Ta mort est prochaine !

« Si la ligne de santé ne se trouve pas au milieu de la main, et qu'il n'y ait que la ligne de vie et la ligne de fortune réunies à leur origine de manière à former un angle, on ne doit pas s'attendre, avec ce signe, à une mort naturelle... » Ne t'attends point à une mort naturelle !

« Si le dessous de l'index est traversé d'une ligne dans toute sa longueur, on mourra de mort violente... » Entends-tu ? prépare-toi à une mort violente !

Il y avait quelque chose de joyeux dans cette voix sépulcrale qui annonçait la mort ; je l'écoutai avec indifférence et mépris.

— Sorcier, lui dis-je avec un sourire de dédain, tu es habile, tu pronostiques à coup sûr.

Il se rapprocha encore de moi.

— Tu doutes de ma science ! eh bien ! écoute encore : « La rupture de la ligne du soleil sur ton front m'annonce que tu prends un ennemi pour un ami, et un ami pour un ennemi... »

Le sens de ces paroles semblait concerner ce perfide Pierrot, que j'aimais et qui m'avait trahi, ce fidèle Habibrah, que je haïssais, et dont les vêtements ensanglantés attestaient la mort courageuse et dévouée. — Que veux-tu dire ? m'écriai-je...

— Écoute jusqu'au bout, poursuivit l'obi. Je t'ai dit de l'avenir, voici du passé : « La ligne de la lune est légèrement courbée sur ton front... : » cela signifie que ta femme t'a été enlevée...

Je tressaillis; je voulais m'élancer de mon siège; mes gardiens me retinrent.

— Tu n'es pas patient, reprit le sorcier; écoute donc jusqu'à la fin. « La petite croix qui coupe l'extrémité de cette courbure complète l'éclaircissement. » Ta femme t'a été enlevée la nuit même de tes noces...

— Misérable, m'écriai-je, tu sais où elle est ! Qui es-tu ? — Je tentai encore de me délivrer et de lui arracher son voile; mais il fallut céder au nombre et à la force, et je vis avec rage le mystérieux obi s'éloigner en me disant : — Me crois-tu maintenant ? Prépare-toi à ta mort prochaine !

XXXII

IL FALLUT, pour me distraire un moment des perplexités où m'avait jeté cette scène étrange, le nouveau drame qui succéda sous mes yeux à la comédie ridicule que Biassou et l'obi venaient de jouer devant leur bande ébahie.

Biassou s'était replacé sur son siège d'acajou, l'obi s'était assis à sa droite, Rigaud à sa gauche, sur les deux carreaux qui accompagnaient le trône du chef. L'obi, les bras croisés sur la poitrine, paraissait absorbé dans une profonde contemplation; Biassou et Rigaud mâchaient du tabac; et un aide-de-camp était venu demander au *mariscal-de-campo* s'il fallait faire défiler l'armée, quand trois groupes tumultueux de noirs arrivèrent ensemble à l'entrée de la grotte avec des clameurs furieuses. Chacun de ces attroupements amenait un prisonnier qu'ils voulaient remettre à la disposition de Biassou, moins pour savoir s'il lui conviendrait de leur faire grâce, que pour connaître son bon plaisir sur le genre de mort que les malheureux devaient endurer. Leurs cris sinistres ne l'annonçaient que trop : — Mort! mort! *Muerte! muerte!* — *Death! death!* criaient quelques nègres anglais, sans doute de la horde de Bouckmann, qui étaient déjà venus rejoindre les noirs espagnols et français de Biassou.

Le *mariscal-de-campo* leur imposa silence d'un signe de main, et fit avancer les trois captifs sur le seuil de la grotte. J'en reconnus deux avec surprise : l'un était ce *citoyen-général* C***, ce philanthrope correspondant de tous les négrophiles du globe, qui avait émis un avis si cruel pour les esclaves dans le conseil, chez le gouverneur; l'autre était le planteur équivoque qui avait tant de répugnance pour les mulâtres, au nombre desquels les blancs le comptaient. Le troisième paraissait appartenir à la classe des *petits blancs*; il portait un tablier de cuir, et avait les manches retroussées au-dessus du coude. Tous trois avaient été surpris séparément, cherchant à se cacher dans les montagnes.

Le petit blanc fut interrogé le premier.

— Qui es-tu, toi? lui dit Biassou.

— Je suis Jacques Belin, charpentier de l'hôpital des Pères, au Cap.

Une surprise mêlée de honte se peignit dans les yeux

du *généralissime des pays conquis.* — Jacques Belin ! dit-il en se mordant les lèvres.

— Oui, reprit le charpentier ; est-ce que tu ne me reconnais pas ?

— Commence, toi, dit le *mariscal-de-campo,* par me reconnaître et me saluer.

— Je ne salue pas mon esclave ! répondit le charpentier.

— Ton esclave, misérable ! s'écria le *généralissime.*

— Oui, répliqua le charpentier, oui, je suis ton premier maître. Tu feins de me méconnaître ; mais souviens-toi, Jean Biassou ; je t'ai vendu treize piastres-gourdes à un marchand dominguois.

Un violent dépit contracta tous les traits de Biassou.

— Eh quoi ! poursuivit le petit blanc, tu parais honteux de m'avoir servi ! Est-ce que Jean Biassou ne doit pas s'honorer d'avoir appartenu à Jacques Belin ? Ta propre mère, la vieille folle ! a bien souvent balayé mon échoppe ; mais à présent je l'ai vendue à monsieur le majordome de l'hôpital des Pères ; elle est si décrépite qu'il ne m'en a voulu donner que trente-deux livres, et six sous pour l'appoint. Voilà cependant ton histoire et la sienne ; mais il paraît que vous êtes devenus fiers, vous autres nègres et mulâtres, et que tu as oublié le temps où tu servais, à genoux, maître Jacques Belin, charpentier au Cap.

Biassou l'avait écouté avec ce ricanement féroce qui lui donnait l'air d'un tigre.

— Bien ! dit-il.

Alors il se tourna vers les nègres qui avaient amené maître Belin : — Emportez deux chevalets, deux planches et une scie, et emmenez cet homme. — Jacques Belin, charpentier au Cap, remercie-moi, je te procure une mort de charpentier.

Son rire acheva d'expliquer de quel horrible supplice allait être puni l'orgueil de son ancien maître. Je frissonnai ; mais Jacques Belin ne fronça pas le sourcil ; il se tourna fièrement vers Biassou : — Oui, dit-il, je dois te remercier, car je t'ai vendu pour le prix de treize piastres, et tu m'as rapporté certainement plus que tu ne vaux.

On l'entraîna.

XXXIII

LES DEUX autres prisonniers avaient assisté plus morts que vifs à ce prologue effrayant de leur propre tragédie. Leur attitude humble et effrayée contrastait avec la fermeté un peu fanfaronne du charpentier : ils tremblaient de tous leurs membres.

Biassou les considéra l'un après l'autre avec son air de renard ; puis, se plaisant à prolonger leur agonie, il entama avec Rigaud une conversation sur les différentes espèces de tabac, affirmant que le tabac de la Havane n'était bon qu'à fumer en cigares, et qu'il ne connaissait pas pour priser de meilleur tabac d'Espagne que celui dont feu Bouckmann lui avait envoyé deux barils, pris chez M. Lebattu, propriétaire de l'île de la Tortue. Puis, s'adressant brusquement au citoyen-général C*** :

— Qu'en penses-tu ? lui dit-il.

Cette apostrophe inattendue fit chanceler le citoyen. Il répondit en balbutiant :

— Je m'en rapporte, général, à l'opinion de votre excellence...

— Propos de flatteur! répliqua Biassou. Je te demande ton avis et non le mien. Est-ce que tu connais un tabac meilleur à prendre en prise que celui de M. Lebattu?

— Non vraiment, monseigneur, dit C***, dont le trouble amusait Biassou.

— *Général! excellence! monseigneur!* reprit le chef d'un air impatienté; tu es un aristocrate!

— Oh! vraiment non! s'écria le citoyen-général; je suis bon patriote de 91 et fervent négrophile!...

— *Négrophile,* interrompit le généralissime; qu'est-ce que c'est qu'un négrophile?...

— C'est un ami des noirs, balbutia le citoyen.

— Il ne suffit pas d'être ami des noirs, repartit sévèrement Biassou, il faut l'être aussi des hommes de couleur.

Je crois avoir dit que Biassou était sacatra.

— Des hommes de couleur, c'est ce que je voulais dire, répondit humblement le négrophile. Je suis lié avec tous les plus fameux partisans des nègres et des mulâtres...

Biassou, heureux d'humilier un blanc, l'interrompit encore :

— *Nègres* et *mulâtres!* qu'est-ce que cela veut dire? Viens-tu ici nous insulter avec ces noms odieux, inventés par le mépris des blancs? Il n'y a ici que des hommes de couleur et des noirs, entendez-vous, monsieur le colon?

— C'est une mauvaise habitude contractée dès l'enfance, reprit C***; pardonnez-moi, je n'ai point eu l'intention de vous offenser, monseigneur...

— Laisse là ton *monseigneur*; je te répète que je n'aime point ces façons d'aristocrate.

C*** voulut encore s'excuser; il se mit à bégayer une nouvelle explication : — Si vous me connaissiez, citoyen...

— Citoyen! pour qui me prends-tu? s'écria Biassou

avec colère. Je déteste ce jargon des jacobins. Est-ce que tu serais un jacobin, par hasard ! Songe que tu parles au généralissime des gens du roi ! *Citoyen !...* l'insolent !

Le pauvre négrophile ne savait plus sur quel ton parler à cet homme, qui repoussait également les titres de *monseigneur* et de *citoyen,* le langage des aristocrates et celui des patriotes ; il était atterré. Biassou, dont la colère n'était que simulée, jouissait cruellement de son embarras.

— Hélas ! dit enfin le citoyen-général, vous me jugez bien mal, noble défenseur des droits imprescriptibles de la moitié du genre humain...

Dans l'embarras de donner une qualification quelconque à ce chef qui paraissait les refuser toutes, il avait eu recours à l'une de ces périphrases sonores que les révolutionnaires substituent volontiers au nom et au titre de la personne qu'ils haranguent.

Biassou le regarda fixement et lui dit :

— Tu aimes donc les noirs et les sang-mêlés ?

— Si je les aime ! s'écria le citoyen C*** ; je corresponds avec Brissot et...

Biassou l'interrompit en ricanant.

— Ha ! ha ! je suis charmé de voir en toi un ami de notre cause. En ce cas, tu dois détester les misérables colons qui ont puni notre juste insurrection par les plus cruels supplices ; tu dois penser avec nous que ce ne sont pas les noirs, mais les blancs qui sont les véritables rebelles, puisqu'ils se révoltent contre la nature et l'humanité : tu dois exécrer ces monstres !

— Je les exècre ! répondit C***.

— Eh bien ! poursuivit Biassou, que penserais-tu d'un homme qui aurait, pour étouffer les dernières tentatives des esclaves, planté cinquante têtes de noirs des deux côtés de l'avenue de son habitation ?

La pâleur de C*** devint effrayante.

— Que penserais-tu d'un blanc qui aurait proposé de ceindre la ville du Cap d'un cordon de têtes d'esclaves?...

— Grâce! grâce! dit le citoyen-général terrifié.

— Est-ce que je te menace? reprit froidement Biassou. Laisse-moi achever... D'un cordon de têtes qui environnât la ville du fort Picolet au cap Caracol! Que penserais-tu de cela, hein? réponds!

Le mot de Biassou, *Est-ce que je te menace?* avait rendu quelque espérance à C***; il songea que peut-être le chef savait ces horreurs sans en connaître l'auteur, et répondit avec quelque fermeté pour prévenir toute présomption qui lui fût contraire : — Je pense que ce sont des crimes atroces.

Biassou ricanait. — Bon! Et quel châtiment infligerais-tu au coupable?

Ici le malheureux C*** hésita.

— Eh bien! reprit Biassou, es-tu l'ami des noirs ou non?

Des deux alternatives, le négrophile choisit la moins menaçante; et, ne remarquant rien d'hostile pour lui-même dans les yeux de Biassou, il dit d'une voix faible : — Le coupable mérite la mort.

— Fort bien répondu, dit tranquillement Biassou en jetant le tabac qu'il mâchait.

Cependant son air d'indifférence avait rendu quelque assurance au pauvre négrophile; il fit un effort pour écarter tous les soupçons qui pouvaient peser sur lui : — Personne, s'écria-t-il, n'a fait de vœux plus ardents que les miens pour le triomphe de votre cause. Je corresponds avec Brissot et Pruneau de Pomme-Gouge, en France; Magaw, en Amérique; Peter Paulus, en Hollande; l'abbé Tamburini, en Italie...

Il continuait d'étaler complaisamment cette litanie philanthropique, qu'il récitait volontiers, et qu'il avait notamment débitée en d'autres circonstances et dans un autre but chez M. de Blanchelande, quand Biassou l'arrêta.

— Hé! que me font à moi tous tes correspondants! Indique-moi seulement où sont tes magasins, tes dépôts : mon armée a besoin de munitions. Tes plantations sont sans doute riches, ta maison de commerce doit être forte, puisque tu corresponds avec tous les négociants du monde.

Le citoyen C*** hasarda une observation timide.

— Héros de l'humanité, ce ne sont point des négociants, ce sont des philosophes, des philanthropes, des négrophiles.

— Allons, dit Biassou en hochant la tête, le voilà revenu à ses diables de mots inintelligibles. Eh bien, si tu n'as ni dépôts ni magasins à piller, à quoi donc es-tu bon?

Cette question présentait une lueur d'espoir que C*** saisit avidement.

— Illustre guerrier, répondit-il, avez-vous un économiste dans votre armée?

— Qu'est-ce encore que cela? demanda le chef.

— C'est, dit le prisonnier avec autant d'emphase que sa crainte le lui permettait, c'est un homme nécessaire par excellence, celui qui seul apprécie, suivant leurs valeurs respectives, les ressources matérielles d'un empire, qui les échelonne dans l'ordre de leur importance, les classe suivant leur valeur, les bonifie et les améliore en combinant leurs sources et leurs résultats, et les distribue à propos, comme autant de ruisseaux fécondateurs, dans le grand fleuve de l'utilité générale, qui vient grossir à son tour la mer de la prospérité publique.

— *Caramba!* dit Biassou en se penchant vers l'obi. Que diantre veut-il dire avec ses mots, enfilés les uns aux autres comme les grains de votre chapelet ?

L'obi haussa les épaules en signe d'ignorance et de dédain. Cependant le citoyen C*** continuait :

— ... J'ai étudié, daignez m'entendre, vaillant chef des braves régénérateurs de Saint-Domingue, j'ai étudié les grands économistes, Turgot, Raynal et Mirabeau, l'ami des hommes ! J'ai mis leur théorie en pratique. Je sais la science indispensable au gouvernement des royaumes et des États quelconques...

— L'économiste n'est pas économe de paroles ! dit Rigaud avec son sourire doux et goguenard.

Biassou s'était écrié :

— Dis-moi donc, bavard ! est-ce que j'ai des royaumes et des États à gouverner ?

— Pas encore, grand homme, repartit C***, mais cela peut venir ; et d'ailleurs ma science descend, sans déroger, à des détails utiles pour la gestion d'une armée.

Le généralissime l'arrêta encore brusquement.

— Je ne gère pas mon armée, monsieur le planteur, je la commande.

— Fort bien, observa le citoyen ; vous serez le général, je serai l'intendant. J'ai des connaissances spéciales pour la multiplication des bestiaux...

— Crois-tu que nous élevons des bestiaux ? dit Biassou en ricanant : nous les mangeons. Quand le bétail de la colonie française me manquera, je passerai les mornes de la frontière et j'irai prendre les bœufs et les moutons espagnols qu'on élève dans les hattes des grandes plaines de Cotuy, de la Vega, de Saint-Jago et sur les bords de la Yuna ; j'irai encore chercher, s'il le faut, ceux qui paissent dans la presqu'île de Samana et aux revers de la montagne de Cibos, à partir des bouches du Neybe jusqu'au-delà de Santo-Domingo. D'ailleurs, je serai charmé de punir ces damnés planteurs espagnols ; ce sont eux qui ont livré Ogé ! Tu vois que je ne suis pas embarrassé du défaut de vivres, et que je n'ai pas besoin de ta science, *nécessaire par excellence !*

Cette vigoureuse déclaration déconcerta le pauvre économiste ; il essaya pourtant encore une dernière planche de salut.

— Mes études ne se sont pas bornées à l'éducation du bétail. J'ai d'autres connaissances spéciales qui peuvent vous être fort utiles. Je vous indiquerai les moyens d'exploiter la braie et les mines de charbon de terre.

— Que m'importe ! dit Biassou. Quand j'ai besoin de charbon, je brûle trois lieues de forêt.

— Je vous enseignerai à quel emploi est propre chaque espèce de bois, poursuivit le prisonnier ; le chicaron et le sabiecca pour les quilles de navire ; les yabas pour les courbes ; les tocumas[1] pour les membrures ; les hacamas, les gaïacs, les cèdres, les acomas...

— *Que te lleven todos los demonios de los diez-y-siete infiernos*[2] *!* s'écria Biassou impatienté.

— Plaît-il, mon gracieux patron ? dit l'économiste tout tremblant, et qui n'entendait pas l'espagnol.

— Écoute, reprit Biassou, je n'ai pas besoin de vaisseaux. Il n'y a qu'un emploi vacant dans ma suite ; ce n'est pas la place de *mayor-domo,* c'est la place de valet de chambre. Vois, *señor filosofo,* si elle te convient. Tu me serviras à genoux ; tu m'apporteras la pipe, le calalou[3] et

1. Néfliers.
2. Que puissent t'emporter tous les démons des dix-sept enfers.
3. Ragoût créole.

la soupe de tortue; et tu porteras derrière moi un éventail de plumes de paon ou de perroquet, comme ces deux pages que tu vois. Hum! réponds : veux-tu être mon valet de chambre?

Le citoyen C***, qui ne songeait qu'à sauver sa vie, se courba jusqu'à terre avec mille démonstrations de joie et de reconnaissance.

— Tu acceptes donc? demanda Biassou.

— Pouvez-vous douter, mon généreux maître, que j'hésite un moment devant une si insigne faveur que celle de servir votre personne?

A cette réponse, le ricanement diabolique de Biassou devint éclatant. Il croisa les bras, se leva d'un air de triomphe, et, repoussant du pied la tête du blanc prosterné devant lui, il s'écria d'une voix haute :

— J'étais bien aise d'éprouver jusqu'où peut aller la lâcheté des blancs, après avoir vu jusqu'où peut aller leur cruauté! Citoyen C***, c'est à toi que je dois ce double exemple. Je te connais! Comment as-tu été assez stupide pour ne pas t'en apercevoir? C'est toi qui as présidé aux supplices de juin, de juillet et d'août; c'est toi qui as fait planter cinquante têtes de noirs des deux côtés de ton avenue, en place de palmiers; c'est toi qui voulais égorger les cinq cents nègres restés dans tes fers après la révolte, et ceindre la ville du Cap d'un cordon de têtes d'esclaves, du fort Picolet à la pointe de Caracol. Tu aurais fait, si tu l'avais pu, un trophée de ma tête : maintenant tu t'estimerais heureux que je voulusse de toi pour valet de chambre. Non! non! j'ai plus de soin de ton honneur que toi-même; je ne te ferai pas cet affront. Prépare-toi à mourir!

Il fit un geste, et les noirs déposèrent auprès de moi le malheureux négrophile, qui, sans pouvoir prononcer une parole, était tombé à ses pieds comme foudroyé.

XXXIV

TON tour à présent! dit le chef en se tournant vers le dernier des prisonniers, le colon soupçonné par les blancs d'être sang-mêlé, et qui m'avait envoyé un cartel pour cette injure.

Une clameur générale des rebelles, étouffa la réponse du colon. — *Muerte! muerte!* Mort! *Death! Touyé! touyé!* s'écriaient-ils en grinçant les dents et en montrant les poings au malheureux captif.

— Général, dit un mulâtre qui s'exprimait plus clairement que les autres, c'est un blanc; il faut qu'il meure!

Le pauvre planteur, à force de gestes et de cris, parvint à faire entendre quelques paroles : — Non, non, monsieur le général! non, mes frères, je ne suis pas un blanc! C'est une abominable calomnie! Je suis un mulâtre, un sang-mêlé comme vous, fils d'une négresse comme vos mères et vos sœurs!

— Il ment! disaient les nègres furieux. C'est un blanc. Il a toujours détesté les noirs et les hommes de couleur.

— Jamais! reprenait le prisonnier. Ce sont les blancs que je déteste. Je suis un de vos frères. J'ai toujours dit avec vous : *Nègre cé blan, blan cé nègre*[1].

— Point! point! criait la multitude : *touyé blan, touyé blan*[2] *!*

Le malheureux répétait en se lamentant misérablement : — Je suis un mulâtre! je suis un des vôtres.

1. Dicton populaire chez les nègres révoltés, dont voici la traduction littérale : « Les nègres sont les blancs, les blancs sont les nègres. » On rendrait mieux le sens en traduisant ainsi : *Les nègres sont les maîtres, les blancs sont les esclaves.*
2. Tuez le blanc! tuez le blanc!

— La preuve ? dit froidement Biassou.

— La preuve, répondit l'autre dans son égarement, c'est que les blancs m'ont toujours méprisé.

— Cela peut être vrai, répliqua Biassou, mais tu es un insolent.

Un jeune sang-mêlé adressa vivement la parole au colon.

— Les blancs te méprisaient, c'est juste ; mais en revanche tu affectais, toi, de mépriser les sang-mêlés, parmi lesquels ils te rangeaient. On m'a même dit que tu avais provoqué en duel un blanc qui t'avait un jour reproché d'appartenir à notre caste.

Une rumeur universelle s'éleva dans la foule indignée, et les cris de mort, plus violents que jamais, couvrirent la justification du colon, qui, jetant sur moi un regard oblique de désappointement et de prière, redisait en pleurant : — C'est une calomnie ! Je n'ai point d'autre gloire et d'autre bonheur que d'appartenir aux noirs. Je suis un mulâtre.

— Si tu étais un mulâtre en effet, observa Rigaud paisiblement, tu ne te servirais pas de ce mot [1].

— Hélas ! sais-je ce que je dis ? reprenait le misérable. Monsieur le général en chef, la preuve que je suis sang-mêlé, c'est ce cercle noir que vous pouvez voir autour de mes ongles [2].

Biassou repoussa cette main suppliante.

— Je n'ai pas la science de monsieur le chapelain, qui devine qui vous êtes à l'inspection de votre main. Mais écoute : nos soldats t'accusent, les uns d'être blanc, les

1. Il faut se souvenir que les hommes de couleur rejetaient avec colère cette qualification, inventée, disaient-ils, par le mépris des blancs.
2. Plusieurs sang-mêlés présentent en effet à l'origine des ongles ce signe, qui s'efface avec l'âge, mais renaît chez leurs enfants.

autres d'être un faux frère. Si cela est, tu dois mourir. Tu soutiens que tu appartiens à notre caste, et que tu ne l'as jamais reniée. Il ne te reste qu'un moyen de prouver ce que tu avances et de te sauver.

— Lequel, mon général, lequel? demanda le colon avec empressement. Je suis prêt.

— Le voici, dit Biassou froidement. Prends ce stylet, et poignarde toi-même ces deux prisonniers blancs.

En parlant ainsi, il nous désignait du regard et de la main. Le colon recula d'horreur devant le stylet que Biassou lui présentait avec un sourire infernal.

— Eh bien, dit le chef, tu balances! C'est pourtant l'unique moyen de me prouver, ainsi qu'à mon armée, que tu n'es pas un blanc, et que tu es des nôtres. Allons, décide-toi, tu me fais perdre mon temps.

Les yeux du prisonnier étaient égarés. Il fit un pas vers le poignard, puis laissa retomber ses bras, et s'arrêta en détournant la tête. Un frémissement faisait trembler tout son corps.

— Allons donc! s'écria Biassou d'un ton d'impatience et de colère. Je suis pressé. Choisis, ou de les tuer toi-même, ou de mourir avec eux.

Le colon restait immobile et comme pétrifié.

— Fort bien! dit Biassou en se tournant vers les nègres; il ne veut pas être le bourreau, il sera le patient. Je vois que c'est un blanc; emmenez-le, vous autres...

Les noirs s'avançaient pour saisir le colon. Ce mouvement décida son choix entre la mort à donner et la mort à recevoir. L'excès de la lâcheté a aussi son courage. Il se précipita sur le poignard que lui offrait Biassou, puis, sans se donner le temps de réfléchir à ce qu'il allait faire, le misérable se jeta comme un tigre sur le citoyen C***, qui était couché près de moi.

Alors commença une horrible lutte. Le négrophile, que le dénouement de l'interrogatoire dont l'avait tourmenté Biassou venait de plonger dans un désespoir morne et stupide, avait vu la scène entre le chef et le planteur sang-mêlé d'un œil fixe, et tellement absorbé dans la terreur de son supplice prochain qu'il n'avait point paru la comprendre; mais quand il vit le colon fondre sur lui et le fer briller sur sa tête, l'imminence du danger le réveilla en sursaut. Il se dressa debout et arrêta le bras du meurtrier, en criant d'une voix lamentable : — Grâce! grâce! Que me voulez-vous donc? Que vous ai-je fait?

— Il faut mourir, monsieur, répondit le sang-mêlé, cherchant à dégager son bras et fixant sur sa victime des yeux effarés. Laissez-moi faire, je ne vous ferai point de mal.

— Mourir de votre main, disait l'économiste, pourquoi donc? Épargnez-moi! Vous m'en voulez peut-être de ce que j'ai dit autrefois que vous étiez un sang-mêlé? Mais laissez-moi la vie, je vous proteste que je vous reconnais pour un blanc. Oui, vous êtes un blanc, je le dirai partout, mais grâce...

Le négrophile avait mal choisi son moyen de défense.

— Tais-toi! tais-toi! cria le sang-mêlé furieux, et craignant que les nègres n'entendissent cette déclaration. Mais l'autre hurlait, sans l'écouter, qu'il le savait blanc et de fort bonne race. Le sang-mêlé fit un dernier effort pour le réduire au silence, écarta violemment les deux mains qui le retenaient, et fouilla de son poignard à travers les vêtements du citoyen C***. L'infortuné sentit la pointe du fer, et mordit avec rage le bras qui l'enfonçait. — Monstre! scélérat! tu m'assassines! — Il jeta un regard vers Biassou. — Défendez-moi, vengeur de l'humanité!... — Mais le meurtrier appuya fortement sur le poignard, un flot de sang jaillit autour de sa main et jusqu'à son visage. Les genoux du malheureux négrophile plièrent subitement, ses bras s'affaissèrent, ses yeux s'éteignirent, sa bouche poussa un sourd gémissement. Il tomba mort.

XXXV

ETTE scène, dans laquelle je m'attendais à jouer bientôt mon rôle, m'avait glacé d'horreur. Le *vengeur de l'humanité* avait contemplé la lutte de ses deux victimes d'un œil impassible. Quand ce fut fini, il se tourna vers ses pages épouvantés : — Apportez-moi d'autre tabac, dit-il, et il se remit à mâcher paisiblement. L'obi et Rigaud étaient immobiles, et les nègres paraissaient eux-mêmes effrayés de l'horrible spectacle que leur chef venait de leur donner.

Il restait cependant encore un blanc à poignarder, c'était moi; mon tour était venu. Je jetai un regard sur cet assassin, qui allait être mon bourreau. Il me fit pitié. Ses lèvres étaient violettes, ses dents claquaient; un mouvement convulsif, dont tremblaient tous ses membres, le faisait chanceler; sa main revenait sans cesse, et comme machinalement, sur son front pour en essuyer les traces de sang, et il regardait d'un air insensé le cadavre fumant étendu à ses pieds. Ses yeux hagards ne se détachaient pas de sa victime.

J'attendais le moment où il achèverait sa tâche par ma mort. J'étais dans une position singulière avec cet homme : il avait déjà failli me tuer pour prouver qu'il était blanc ; il allait maintenant m'assassiner pour démontrer qu'il était mulâtre.

— Allons, lui dit Biassou, c'est bien, je suis content de toi, l'ami ! Il jeta un coup d'œil sur moi et ajouta : — Je te fais grâce de l'autre. Va-t'en. Nous te déclarons bon frère, et nous te nommons bourreau de notre armée.

A ces paroles du chef, un nègre sortit des rangs, s'inclina trois fois devant Biassou et s'écria en son jargon, que je traduirai en français pour vous en faciliter l'intelligence : — Et moi, mon général ?

— Eh bien, toi, que veux-tu dire ? demanda Biassou.

— Est-ce que vous ne ferez rien pour moi, mon général ? dit le nègre. Voilà que vous donnez de l'avancement à ce chien de blanc, qui assassine pour se faire reconnaître des nôtres. Est-ce que vous ne m'en donnerez pas aussi, à moi qui suis un bon noir ?

Cette requête inattendue parut embarrasser Biassou ; il se pencha vers Rigaud, et le chef du rassemblement des Cayes lui dit en français : — On ne peut le satisfaire, tâchez d'éluder sa demande.

— Te donner de l'avancement ? dit alors Biassou au *bon noir* ; je ne demande pas mieux. Quel grade désires-tu ?

— Je voudrais être *oficial*[1].

— Officier ! reprit le généralissime ; eh bien ! quels sont tes titres pour obtenir l'épaulette ?

— C'est moi, répondit le noir avec emphase, qui ai mis le feu à l'habitation Lagoscette, dès les premiers jours d'août. C'est moi qui ai massacré M. Clément, le planteur, et porté la tête de son raffineur au bout d'une pique. J'ai égorgé dix femmes blanches et sept petits enfants ;

1. Officier.

l'un d'entre eux a même servi d'enseigne aux braves noirs de Bouckmann. Plus tard j'ai brûlé quatre familles de colons dans une chambre du fort Galifet, que j'avais fermée à double tour avant de l'incendier. Mon père a été roué au Cap, mon frère a été pendu au Rocrou, et j'ai failli moi-même être fusillé. J'ai brûlé trois plantations de café, six plantations d'indigo, deux cents carreaux de cannes à sucre ; j'ai tué mon maître, M. Noë, et sa mère...

— Épargne-nous tes états de services, dit Rigaud, dont la feinte mansuétude cachait une cruauté réelle, mais qui était féroce avec décence et ne pouvait souffrir le cynisme du brigandage.

— Je pourrais en citer encore bien d'autres, repartit le nègre avec orgueil ; mais vous trouvez sans doute que cela suffit pour mériter le grade d'*oficial* et pour porter une épaulette d'or sur ma veste, comme nos camarades que voilà.

Il montrait les aides-de-camp et l'état-major de Biassou. Le généralissime parut réfléchir un moment, puis il adressa gravement ces paroles au nègre :

— Je serais charmé de t'accorder un grade ; je suis satisfait de tes services ; mais il faut encore autre chose. — Sais-tu le latin ?

Le brigand ébahi ouvrit de grands yeux, et dit :

— Plaît-il, mon général ?

— Eh bien oui, reprit vivement Biassou, sais-tu le latin ?

— Le... latin... ? répéta le noir stupéfait.

— Oui, oui, oui, le latin ! sais-tu le latin ? poursuivit le rusé chef. Et, déployant un étendard sur lequel était écrit le verset du psaume : *In exitu Israël de Ægypto,* il ajouta : Explique-nous ce que veulent dire ces mots.

Le noir, au comble de la surprise, restait immobile et muet, et froissait machinalement le pagne de son caleçon, tandis que ses yeux effarés allaient du général au drapeau et du drapeau au général.

— Allons, répondras-tu ? dit Biassou avec impatience.

Le noir, après s'être gratté la tête, ouvrit et ferma plusieurs fois la bouche, et laissa enfin tomber ces mots embarrassés : — Je ne sais pas ce que veut dire le général.

Le visage de Biassou prit une subite expression de colère et d'indignation.

— Comment ! misérable drôle ! s'écria-t-il, comment ! tu veux être officier, et tu ne sais pas le latin !

— Mais, notre général... balbutia le nègre, confus et tremblant.

— Tais-toi ! reprit Biassou, dont l'emportement semblait croître. Je ne sais à quoi tient que je ne te fasse fusiller sur l'heure pour ta présomption. Comprenez-vous, Rigaud, ce plaisant officier qui ne sait seulement pas le latin ? Eh bien, drôle, puisque tu ne comprends point ce qui est écrit sur ce drapeau, je vais te l'expliquer : *In exitu,* tout soldat, *Israël,* qui ne sait pas le latin, *de Ægypto,* ne peut être nommé officier. — N'est-ce point cela, monsieur le chapelain ?

Le petit obi fit un signe affirmatif. Biassou continua.

— Ce frère, que je viens de nommer bourreau de l'armée, et dont tu es jaloux, sait le latin.

Il se tourna vers le nouveau *bourreau.*

— N'est-il pas vrai, l'ami ? Prouvez à ce butor que vous en savez plus que lui. Que signifie... *Dominus vobiscum ?*

Le malheureux colon sang-mêlé, arraché de sa sombre rêverie par cette voix redoutable, leva la tête, et quoique ses esprits fussent encore tout égarés par le lâche assassinat qu'il venait de commettre, la terreur le décida à l'obéissance. Il y avait quelque chose d'étrange dans l'air dont cet homme cherchait à retrouver un souvenir de collège parmi ses pensées d'épouvante et de remords, et dans la manière lugubre dont il prononça l'explication enfantine : — *Dominus vobiscum...* cela veut dire : ... « Que le Seigneur soit avec vous! »

— *Et cum spiritu tuo!* ajouta solennellement le mystérieux obi.

— *Amen,* dit Biassou. Puis, reprenant son accent irrité et mêlant à son courroux simulé quelques phrases de mauvais latin à la façon de Sganarelle, pour convaincre les noirs de la science de leur chef : — Rentre le dernier dans ton rang! cria-t-il au nègre ambitieux. *Sursùm corda!* ne t'avise plus à l'avenir de prétendre monter au rang de tes chefs, qui savent le latin, *orate, fratres,* ou je te fais pendre! *Bonus, bona, bonum!*

Le nègre, émerveillé et terrifié tout ensemble, retourna à son rang en baissant honteusement la tête, au milieu des huées générales de tous ses camarades, qui s'indignaient de ses prétentions si mal fondées, et fixaient des yeux d'admiration sur leur docte généralissime.

Il y avait un côté burlesque dans cette scène, qui acheva cependant de m'inspirer une haute idée de l'habileté de Biassou. Le moyen ridicule qu'il venait d'employer avec tant de succès[1] pour déconcerter les ambitions toujours si exigeantes dans une bande de rebelles me donnait à la fois la mesure de la stupidité des nègres et de l'adresse de leur chef.

1. Toussaint-Louverture s'est servi plus tard du même expédient avec le même avantage.

XXXVI

EPENDANT l'heure de l'*almuerzo*[1] de Biassou était venue. On apporta devant le *mariscal-de-campo de sù magestad catolica* une grande écaille de tortue dans laquelle fumait une espèce d'*olla podrida,* abondamment assaisonnée de tranches de lard, où la chair de tortue remplaçait *le carnero*[2], et la patate les *garganzas*[3]. Un énorme chou caraïbe flottait à la surface de ce *puchero.* Des deux côtés de l'écaille, qui servait à la fois de marmite et de soupière, étaient deux coupes d'écorce de coco pleines de raisins secs, de *sandias*[4], d'ignames et de figues : c'était le *postre*[5]. Un pain de maïs et une outre de vin goudronné complétaient l'appareil du festin. Biassou tira de sa poche quelques gousses d'ail et en frotta lui-même le pain ; puis, sans même faire enlever le cadavre palpitant couché devant ses yeux, il se mit à manger, et invita Rigaud à en faire autant. L'appétit de Biassou avait quelque chose d'effrayant.

L'obi ne partagea point leur repas. Je compris que, comme tous ses pareils, il ne mangeait jamais en public, afin de faire croire aux nègres qu'il était d'une essence surnaturelle et qu'il vivait sans nourriture.

Tout en déjeunant, Biassou ordonna à un aide-de-camp de faire commencer la revue, et les bandes se mirent à défiler en bon ordre devant la grotte. Les noirs du Morne-Rouge passèrent les premiers ; ils étaient environ

1. Déjeuner.
2. L'agneau.
3. Les pois chiches.
4. Melons d'eau.
5. Dessert.

quatre mille, divisés en petits pelotons serrés que conduisaient des chefs ornés, comme je l'ai déjà dit, de caleçons ou de ceintures écarlates. Ces noirs, presque tous grands et forts, portaient des fusils, des haches et des sabres : un grand nombre d'entre eux avaient des arcs, des flèches et des zagaies, qu'ils s'étaient forgés à défaut d'autres armes. Ils n'avaient point de drapeau, et marchaient en silence d'un air consterné.

En voyant défiler cette horde, Biassou se pencha à l'oreille de Rigaud, et lui dit en français : — Quand donc la mitraille de Blanchelande et de Rouvray me débarrassera-t-elle de ces bandits du Morne-Rouge ? Je les hais : ce sont presque tous des congos ! Et puis ils ne savent que tuer dans le combat ; ils suivaient l'exemple de leur chef imbécile, de leur idole Bug-Jargal, jeune fou qui voulait faire le généreux et le magnanime. Vous ne le connaissez pas, Rigaud ? vous ne le connaîtrez jamais, je l'espère. Les blancs l'ont fait prisonnier, et ils me délivreront de lui comme ils m'ont délivré de Bouckmann.

— A propos de Bouckmann, répondit Rigaud, voici les noirs marrons de Macaya qui passent, et je vois dans leurs rangs le nègre que Jean-François vous a envoyé pour vous annoncer la mort de Bouckmann. Savez-vous bien que cet homme pourrait détruire tout l'effet des prophéties de l'obi sur la fin de ce chef, s'il disait qu'on l'a arrêté pendant une demi-heure aux avant-postes, et qu'il m'avait confié sa nouvelle avant l'instant où vous l'avez fait appeler ?

— *Diabolo !* dit Biassou, vous avez raison, mon cher ; il faut fermer la bouche à cet homme-là. Attendez !

Alors, élevant la voix : — Macaya ! cria-t-il.

Ce chef des nègres marrons s'approcha et présenta son tromblon au col évasé en signe de respect.

— Faites sortir de vos rangs, reprit Biassou, ce noir que j'y vois là-bas, et qui ne doit pas en faire partie.

C'était le messager de Jean-François. Macaya l'amena au généralissime, dont le visage prit subitement cette expression de colère qu'il savait si bien simuler.

— Qui es-tu ? demanda-t-il au nègre interdit.

— Notre général, je suis un noir.

— *Caramba !* je le vois bien ! Mais comment t'appelles-tu ?

— Mon nom de guerre est Vavelan, mon patron chez les bienheureux est saint Sabas, diacre et martyr, dont la fête viendra le vingtième jour avant la nativité de Notre-Seigneur.

Biassou l'interrompit.

— De quel front oses-tu te présenter à la parade, au milieu des espingoles luisantes et des baudriers blancs, avec ton sabre sans fourreau, ton caleçon déchiré, tes pieds couverts de boue ?

— Notre général, répondit le noir, ce n'est pas ma faute : j'ai été chargé par le grand-amiral Jean-François de vous porter la nouvelle de la mort du chef des marrons anglais, Bouckmann ; et si mes vêtements sont déchirés, si mes pieds sont sales, c'est que j'ai couru à perdre haleine pour vous l'apporter plus tôt ; mais on m'a retenu au camp, et...

Biassou fronça le sourcil.

— Il ne s'agit point de cela, *gavacho !* mais de ton audace d'assister à la revue dans ce désordre. Recommande ton âme à saint Sabas, diacre et martyr, ton patron. Va te faire fusiller.

Ici j'eus encore une nouvelle preuve du pouvoir moral de Biassou sur les rebelles. L'infortuné, chargé d'aller lui-même se faire exécuter, ne se permit pas un murmure ;

il baissa la tête, croisa les bras sur sa poitrine, salua trois fois son juge impitoyable, et, après s'être agenouillé devant l'obi, qui lui donna gravement une absolution sommaire, il sortit de la grotte. Quelques minutes après, une détonation de mousqueterie annonça à Biassou que le nègre avait obéi et vécu !

Le chef, débarrassé de toute inquiétude, se tourna alors vers Rigaud, l'œil étincelant de plaisir, et avec un ricanement de triomphe qui semblait dire : Admirez[1] !

XXXVII

CEPENDANT la revue continuait. Cette armée, dont le désordre m'avait offert un tableau si extraordinaire quelques heures auparavant, n'était pas moins bizarre sous les armes. C'étaient tantôt des nègres absolument nus, munis de massues, de tomahawks, de casse-têtes, marchant au son

1. Toussaint-Louverture, qui s'était formé à l'école de Biassou, et qui, s'il ne lui était pas supérieur en habileté, était du moins fort loin de l'égaler en perfidie et en cruauté, Toussaint-Louverture a donné plus tard le spectacle du même pouvoir sur les nègres fanatisés. Ce chef, issu, dit-on, d'une race royale africaine, avait reçu, comme Biassou, quelque instruction grossière, à laquelle il ajoutait du génie. Il s'était dressé une façon de trône républicain à Saint-Domingue dans le même temps où Bonaparte se fondait en France une monarchie sur la victoire. Toussaint admirait naïvement le premier consul ; mais le premier consul, ne voyant dans Toussaint qu'un parodiste gênant de sa fortune, repoussa toujours dédaigneusement toute correspondance avec l'esclave affranchi qui osait lui écrire : *Au premier des blancs le premier des noirs.*

de la corne à bouquin, comme les sauvages ; tantôt des bataillons de mulâtres, équipés à l'espagnole ou à l'anglaise, bien armés et bien disciplinés, réglant leurs pas sur le roulement d'un tambour ; puis des cohues de négresses, de négrillons, chargés de fourches et de broches ; des fatras courbés sous de vieux fusils sans chien et sans canon ; des griotes avec leurs parures bariolées, des griots, effroyables de grimaces et de contorsions, chantant des airs incohérents sur la guitare, le tam-tam et le balafo. Cette étrange procession était de temps à autre coupée par des détachements hétérogènes de griffes, de marabouts, de sacatras, de mamelouks, de quarterons, de sang-mêlés libres ; ou par des hordes nomades de noirs marrons à l'attitude fière, aux carabines brillantes, traînant dans leurs rangs leurs cabrouets tout chargés, ou quelque canon pris aux blancs, qui leur servait moins d'arme que de trophée, et hurlant à pleine voix les hymnes du camp du Grand-Pré et d'Oua-Nassé. Au-dessus de toutes ces têtes flottaient des drapeaux de toutes couleurs, de toutes devises, blancs, rouges, tricolores, fleurdelisés, surmontés du bonnet de liberté, portant pour inscriptions : — *Mort aux prêtres et aux aristocrates !* — *Vive la religion ! Liberté ! Égalité !* — *Vive le roi ! A bas la métropole !* — Viva España ! — *Plus de tyrans !* etc. Confusion frappante qui indiquait que toutes les forces des rebelles n'étaient qu'un amas de moyens sans but, et qu'en cette armée il n'y avait pas moins de désordre dans les idées que dans les hommes.

En passant tour à tour devant la grotte, les bandes inclinaient leur bannière, et Biassou rendait le salut. Il adressait à chaque troupe quelque réprimande ou quelque éloge ; et chaque parole de sa bouche, sévère ou flatteuse, était recueillie par les siens avec un respect fanatique et une sorte de crainte superstitieuse.

Ce flot de barbares et de sauvages passa enfin. J'avoue que la vue de tant de brigands, qui m'avait distrait d'abord, finissait par me peser. Cependant le jour tombait, et au moment où les derniers rangs défilèrent, le soleil ne jetait plus qu'une teinte de cuivre rouge sur le front granitique des montagnes de l'orient.

XXXVIII

IASSOU paraissait rêveur. Quand la revue fut terminée, qu'il eut donné ses derniers ordres, et que tous les rebelles furent rentrés sous leurs ajoupas, il m'adressa la parole ;

— Jeune homme, me dit-il, tu as pu juger à ton aise de mon génie et de ma puissance. Voici que l'heure est venue pour toi d'en aller rendre compte à Léogri.

— Il n'a pas tenu à moi qu'elle ne vînt plus tôt, lui répondis-je froidement.

— Tu as raison, répliqua Biassou. Il s'arrêta un moment comme pour épier l'effet que produirait sur moi ce qu'il allait me dire, et il ajouta : — Mais il ne tient qu'à toi qu'elle ne vienne pas.

— Comment ! m'écriai-je étonné, que veux-tu dire ?

— Oui, continua Biassou, ta vie dépend de toi ; tu peux la sauver si tu le veux.

Cet accès de clémence, le premier et le dernier sans doute que Biassou ait jamais eu, me parut un prodige. L'obi, surpris comme moi, s'était élancé du siège où il avait conservé si longtemps la même attitude extatique, à la mode des fakirs hindous. Il se plaça en face du généralissime, et éleva la voix avec colère :

— *Que dice el exelentissimo señor mariscal-de-campo*[1] ? Se souvient-il de ce qu'il m'a promis ? Il ne peut, ni lui ni le *bon Giu,* disposer maintenant de cette vie : elle m'appartient.

En ce moment encore, à cet accent irrité, je crus me ressouvenir de ce maudit petit homme ; mais ce moment fut insaisissable, et aucune lumière n'en jaillit pour moi.

Biassou se leva sans s'émouvoir, parla bas un instant avec l'obi, lui montra le drapeau noir que j'avais déjà remarqué, et, après quelques mots échangés, le sorcier remua la tête de haut en bas et la releva de bas en haut, en signe d'adhésion. Tous deux reprirent leurs places et leurs attitudes.

— Écoute, me dit alors le généralissime en tirant de la poche de sa veste l'autre dépêche de Jean-François, qu'il y avait déposée : nos affaires vont mal ; Bouckmann vient de périr dans un combat. Les blancs ont exterminé deux mille noirs révoltés dans le district du Cul-de-Sac. Les colons continuent de se fortifier et de hérisser la plaine de postes militaires. Nous avons perdu, par notre faute, l'occasion de prendre le Cap : elle ne se représentera pas de longtemps. Du côté de l'est, la route principale est coupée par une rivière : les blancs, afin d'en défendre le passage, y ont établi une batterie sur des pontons, et ont formé sur chaque bord deux petits camps. Au sud, il y a une grande route qui traverse ce pays montueux appelé le Haut-du-Cap ; ils l'ont couverte de troupes et d'artillerie. La position est également fortifiée du côté de la terre par une bonne palissade, à laquelle tous les habi-

1. Que dit le très-excellent seigneur maréchal-de-camp.

tants ont travaillé, et l'on y a ajouté des chevaux de frise. Le Cap est donc à l'abri de nos armes. Notre embuscade aux gorges de Dompte-Mulâtre a manqué son effet. A tous nos échecs se joint la fièvre de Siam, qui dépeuple le camp de Jean-François. En conséquence, le grand-amiral de France[1] pense, et nous partageons son avis, qu'il conviendrait de traiter avec le gouverneur Blanchelande et l'assemblée coloniale. Voici la lettre que nous adressons à l'assemblée à ce sujet : écoute !

« Messieurs les députés,

» De grands malheurs ont affligé cette riche et importante colonie, nous y avons été enveloppés, et il ne nous reste plus rien à dire pour notre justification. Un jour vous nous rendrez toute la justice que mérite notre position. Nous devons être compris dans l'amnistie générale que le roi Louis XVI a prononcée pour tous indistinctement.

» Sinon, comme le roi d'Espagne est un bon roi, qui nous traite fort bien et nous *témoigne des récompenses*, nous continuerons de le servir avec zèle et dévouement.

» Nous voyons par la loi du 28 septembre 1791 que l'assemblée nationale et le roi vous accordent de prononcer définitivement sur l'état des personnes non libres et l'état politique des hommes de couleur. Nous défendrons les décrets de l'assemblée nationale et les vôtres, revêtus des formalités requises, jusqu'à la dernière goutte de notre sang. Il serait même intéressant que vous *déclariez*, par un arrêté sanctionné de monsieur le général, que votre intention est de vous occuper du sort des

1. Nous avons déjà dit que Jean-François prenait ce titre.

esclaves. Sachant qu'ils sont l'objet de votre sollicitude, par leurs chefs, à qui vous ferez parvenir ce travail, ils seraient satisfaits, et l'équilibre rompu se rétablirait en peu de temps.

» Ne comptez pas cependant, messieurs les représentants, que nous consentions à nous armer pour les volontés des assemblées révolutionnaires. Nous sommes sujets de trois rois : le roi de Congo, maître-né de tous les noirs ; le roi de France, qui représente nos pères ; et le roi d'Espagne, qui représente nos mères. Ces trois rois sont les descendants de ceux qui, conduits par une étoile, ont été adorer l'Homme-Dieu. Si nous servions les assemblées, nous serions peut-être entraînés à faire la guerre contre nos frères, les sujets de ces trois rois, à qui nous avons promis fidélité.

» Et puis, nous ne savons ce qu'on entend par volonté de la nation, vu que, *depuis que le monde règne,* nous n'avons exécuté que celle d'un roi. Le prince de France nous aime, celui d'Espagne ne cesse de nous secourir. Nous les aidons, ils nous aident : c'est la cause de l'humanité. Et d'ailleurs, ces majestés viendraient à nous manquer, que nous aurions bien vite *trôné un roi.*

» Telles sont nos intentions, moyennant quoi nous consentirons à faire la paix.

» *Signé* JEAN-FRANÇOIS, général ; BIASSOU, maréchal-de-champ ; DESPREZ, MANZEAU, TOUSSAINT, AUBERT, commissaires *ad hoc*[1] »

— Tu vois, ajouta Biassou après la lecture de cette pièce de diplomatie nègre, dont le souvenir s'est fixé mot

1. Il paraîtrait que cette lettre, ridiculement caractéristique, fut en effet envoyée à l'assemblée.

pour mot dans ma tête, tu vois que nous sommes pacifiques. Or, voilà ce que je veux de toi. Ni Jean-François ni moi n'avons été élevés dans les écoles des blancs, où l'on apprend le beau langage. Nous savons nous battre, mais nous ne savons point écrire. Cependant nous ne voulons pas qu'il reste rien dans notre lettre à l'assemblée qui puisse exciter les *burlerias* orgueilleuses de nos anciens maîtres. Tu parais avoir appris cette science frivole qui nous manque. Corrige les fautes qui pourraient, dans notre dépêche, prêter à rire aux blancs : à ce prix, je t'accorde la vie.

Il y avait dans ce rôle de correcteur des fautes d'orthographe diplomatique de Biassou quelque chose qui répugnait trop à ma fierté pour que je balançasse un moment. Et d'ailleurs, que me faisait la vie ? Je refusai son offre.

Il parut surpris. — Comment ! s'écria-t-il, tu aimes mieux mourir que de redresser quelques traits de plume sur un morceau de parchemin ?

— Oui, lui répondis-je.

Ma résolution semblait l'embarrasser. Il me dit après un instant de rêverie :

— Écoute bien, jeune fou, je suis moins obstiné que toi. Je te donne jusqu'à demain soir pour te décider à m'obéir ; demain, au coucher du soleil, tu seras ramené devant moi. Pense alors à me satisfaire. Adieu ; la nuit porte conseil. Songes-y bien, chez nous la mort n'est pas seulement la mort.

Le sens de ces dernières paroles, accompagné d'un rire affreux, n'était pas équivoque ; et les tourments que Biassou avait coutume d'inventer pour ses victimes achevaient de l'expliquer.

— Candi, ramenez le prisonnier, poursuivit Biassou ; confiez-en la garde aux noirs du Morne-Rouge ; je veux qu'il vive encore un tour de soleil, et mes autres soldats n'auraient peut-être pas la patience d'attendre que les vingt-quatre heures fussent écoulées.

Le mulâtre Candi, qui était le chef de sa garde, me fit lier les bras derrière le dos. Un soldat prit l'extrémité de la corde, et nous sortîmes de la grotte.

XXXIX

UAND les événements extraordinaires, les angoisses et les catastrophes viennent fondre tout à coup au milieu d'une vie heureuse et délicieusement uniforme, ces émotions inattendues, ces coups du sort, interrompent brusquement le sommeil de l'âme, qui se reposait dans la monotonie de la prospérité. Cependant le malheur qui arrive de cette manière ne semble pas un réveil, mais seulement un songe. Pour celui qui a toujours été heureux, le désespoir commence par la stupeur. L'adversité imprévue ressemble à la torpille; elle secoue, mais engourdit; et l'effrayante lumière qu'elle jette soudainement devant nos yeux n'est point le jour. Les hommes, les choses, les faits, passent alors devant nous avec une physionomie en quelque sorte fantastique, et se meuvent comme dans un rêve. Tout est changé dans l'horizon de notre vie, atmosphère et perspective : mais il s'écoule un long temps avant que nos yeux aient perdu cette sorte d'image lumineuse du bonheur passé qui les suit, et, s'interposant sans cesse entre eux et le sombre présent, en change la couleur et donne je ne sais quoi de faux à la réalité. Alors tout ce qui est nous paraît impossible et absurde : nous croyons à peine à notre propre existence, parce que, ne trouvant rien autour de nous de ce qui composait notre être, nous ne comprenons pas comment tout cela aurait disparu sans nous entraîner, et pourquoi de notre vie il ne serait resté que nous. Si cette position violente de l'âme se prolonge, elle dérange l'équilibre de la pensée et devient folie, état peut-être heureux, dans lequel la vie n'est plus pour l'infortuné qu'une vision, dont il est lui-même le fantôme.

XL

J'IGNORE, messieurs, pourquoi je vous expose ces idées. Ce ne sont point de celles que l'on comprend et que l'on fait comprendre. Il faut les avoir senties. Je les ai éprouvées. C'était l'état de mon âme au moment où les gardes de Biassou me remirent aux nègres du Morne-Rouge. Il me semblait que c'étaient des spectres qui me livraient à des spectres, et, sans opposer de résistance, je me laissai lier par la ceinture au tronc d'un arbre. Ils m'apportèrent quelques patates cuites à l'eau, que je mangeai par cette sorte d'instinct machinal que la bonté de Dieu laisse à l'homme au milieu des préoccupations de l'esprit.

Cependant la nuit était venue; mes gardiens se retirèrent dans leurs ajoupas, et six d'entre eux seulement restèrent près de moi, assis ou couchés devant un grand feu qu'ils avaient allumé pour se préserver du froid nocturne. Au bout de quelques instants, tous s'endormirent profondément.

L'accablement physique dans lequel je me trouvais alors ne contribuait pas peu aux vagues rêveries qui égaraient ma pensée. Je me rappelais les jours sereins et toujours les mêmes que, peu de semaines auparavant, je passais encore près de Marie, sans même entrevoir dans l'avenir une autre possibilité que celle d'un bonheur éternel. Je les comparais à la journée qui venait de s'écouler, journée où tant de choses étranges s'étaient déroulées devant moi, comme pour me faire douter de leur existence, où ma vie avait été trois fois condamnée, et n'avait pas été sauvée. Je méditais sur mon avenir présent, qui ne se composait plus que d'un lendemain, et ne m'offrait plus d'autre certitude que le malheur et la mort, heureusement prochaine. Il me semblait lutter contre un cauchemar affreux. Je me demandais s'il était possible que tout ce qui s'était passé fût passé, que ce qui m'entourait fût le camp du sanguinaire Biassou, que Marie fût pour jamais perdue pour moi, et que ce prisonnier gardé par six barbares, garrotté et dévoué à une mort certaine, ce prisonnier que me montrait la lueur d'un feu de brigands, fût bien moi. Et, malgré tous mes efforts pour fuir l'obsession d'une pensée bien plus déchirante encore, mon cœur revenait à Marie. Je m'interrogeais avec angoisse sur son sort; je me raidissais dans mes liens comme pour voler à son secours, espérant toujours que le rêve horrible se dissiperait, et que Dieu n'aurait pas voulu faire entrer toutes les horreurs sur lesquelles je n'osais m'arrêter dans la destinée de l'ange qu'il m'avait donné pour épouse. L'enchaînement douloureux de mes idées ramenait alors Pierrot devant moi, et la rage me rendait presque insensé; les artères de mon front me semblaient prêtes à se rompre; je me haïssais, je me maudissais, je me méprisais pour avoir un moment uni mon amitié pour Pierrot à mon amour pour Marie ; et, sans chercher à m'expliquer quel motif avait pu le pousser à se jeter lui-même dans les eaux de la Grande-Rivière, je pleurais de ne point l'avoir tué. Il était mort ; j'allais mourir ; et la seule chose que je regrettasse de sa vie et de la mienne, c'était ma vengeance.

Toutes ces émotions m'agitaient au milieu d'un demi-sommeil dans lequel l'épuisement m'avait plongé. Je ne sais combien de temps il dura ; mais j'en fus soudainement arraché par le retentissement d'une voix mâle qui chantait distinctement, mais de loin : *Yo que soy contrabandista.* J'ouvris les yeux en tressaillant ; tout était noir, les nègres dormaient, le feu mourait. Je n'entendais plus rien ; je pensai que cette voix était une illusion du sommeil, et mes paupières alourdies se refermèrent. Je les ouvris une seconde fois précipitamment ; la voix avait recommencé et chantait avec tristesse et de plus près ce couplet d'une romance espagnole :

En los campos de Ocaña,
Prisionero caì ;
Me llevan à Cotadilla :
Desdichado fui [1].

Cette fois il n'y avait plus de rêve. C'était la voix de Pierrot ! Un moment après elle s'éleva encore dans l'ombre et le silence, et fit entendre pour la deuxième fois, presque à mon oreille, l'air connu : *Yo que soy contrabandista.* Un dogue vint joyeusement se rouler à mes pieds, c'était Rask. Je levai les yeux. Un noir était devant

1. Dans les champs d'Ocana, / Je tombai prisonnier ; / Ils m'emmenèrent à Cotadilla : / Je fus malheureux !

moi, et la lueur du foyer projetait à côté du chien son ombre colossale : c'était Pierrot. La vengeance me transporta, la surprise me rendit immobile et muet. Je ne dormais pas. Les morts revenaient donc ! Ce n'était plus un songe, mais une apparition. Je me détournai avec horreur. A cette vue, sa tête tomba sur sa poitrine.

— Frère, murmura-t-il à voix basse, tu m'avais promis de ne jamais douter de moi quand tu m'entendrais chanter cet air ; frère, dis, as-tu oublié ta promesse ?

La colère me rendit la parole.

— Monstre ! m'écriai-je, je te retrouve donc enfin : bourreau, assassin de mon oncle, ravisseur de Marie ! oses-tu m'appeler ton frère ? Tiens, ne m'approche pas !

J'oubliais que j'étais attaché de manière à ne pouvoir faire presque aucun mouvement. J'abaissai comme involontairement les yeux sur mon côté pour y chercher mon épée. Cette intention visible le frappa. Il prit un air ému, mais doux.

— Non, dit-il, non, je n'approcherai pas. Tu es malheureux, je te plains ; toi, tu ne me plains pas, quoique je le sois plus que toi.

Je haussai les épaules. Il comprit ce reproche muet. Il me regarda d'un air rêveur.

— Oui, tu as beaucoup perdu ; mais, crois-moi, j'ai perdu plus que toi.

Cependant ce bruit de voix avait réveillé les six nègres qui me gardaient. Apercevant un étranger, ils se levèrent précipitamment en saisissant leurs armes ; mais, dès que leurs regards se furent arrêtés sur Pierrot, ils poussèrent un cri de surprise et de joie, et tombèrent prosternés en battant la terre de leurs fronts.

Mais les respects que ces nègres rendaient à Pierrot, les caresses que Rask portait alternativement de son maître à moi, en me regardant avec inquiétude, comme étonné de mon froid accueil, rien ne faisait impression sur moi en ce moment. J'étais tout entier à l'émotion de ma rage, rendue impuissante par les liens qui me chargeaient.

— Oh! m'écriai-je enfin en pleurant de fureur sous les entraves qui me retenaient, oh! que je suis malheureux! Je regrettais que ce misérable se fût fait justice à lui-même; je le croyais mort, et je me désolais pour ma vengeance. Et maintenant le voilà qui vient me narguer lui-même; il est là, vivant, sous mes yeux, et je ne puis jouir du bonheur de le poignarder. Oh! qui me délivrera de ces exécrables nœuds!

Pierrot se retourna vers les nègres, toujours en adoration devant lui : — Camarades, dit-il, détachez le prisonnier!

XLI

IL FUT promptement obéi. Mes six gardiens coupèrent avec empressement les cordes qui m'entouraient. Je me levai debout et libre, mais je restai immobile; l'étonnement m'enchaînait à son tour.

— Ce n'est pas tout, reprit alors Pierrot; et, arrachant le poignard de l'un des nègres, il me le présenta en disant : — Tu peux te satisfaire. A Dieu ne plaise que je te dispute le droit de disposer de ma vie. Tu l'as sauvée trois fois; elle est bien à toi maintenant; frappe, si tu veux frapper.

Il n'y avait ni reproche ni amertume dans sa voix. Il n'était que triste et résigné.

Cette voie inattendue ouverte à ma vengeance par celui

même qu'elle brûlait d'atteindre avait quelque chose de trop étrange et de trop facile. Je sentis que toute ma haine pour Pierrot, tout mon amour pour Marie, ne suffisaient pas pour me porter à un assassinat ; d'ailleurs, quelles que fussent les apparences, une voix me criait au fond du cœur qu'un ennemi et un coupable ne vient pas de cette manière au-devant de la vengeance et du châtiment. Vous le dirai-je enfin ? Il y avait dans le prestige impérieux dont cet être extraordinaire était environné quelque chose qui me subjuguait moi-même malgré moi dans ce moment. Je repoussai le poignard.

— Malheureux ! lui dis-je, je veux bien te tuer dans un combat, mais non t'assassiner ; défends-toi !

— Que je me défende ! répondit-il étonné ; et contre qui ?

— Contre moi !

Il fit un geste de stupeur.

— Contre toi ! C'est la seule chose pour laquelle je ne puisse t'obéir. Vois-tu Rask ? je puis bien l'égorger ; il se laissera faire : mais je ne saurais le contraindre à lutter contre moi ; il ne me comprendrait pas. Je ne te comprends pas ; je suis Rask pour toi.

Il ajouta après un silence :

— Je vois la haine dans tes yeux, comme tu l'as pu voir un jour dans les miens. Je sais que tu as éprouvé bien des malheurs ; ton oncle a été massacré, tes champs incendiés, tes amis égorgés ; on a saccagé tes maisons, dévasté ton héritage ; mais ce n'est pas moi, ce sont les miens. — Écoute, je t'ai dit un jour que les tiens m'avaient fait bien du mal ; tu m'as répondu que ce n'était pas toi : qu'ai-je fait alors ?

Son visage s'éclaircit ; il s'attendait à me voir tomber dans ses bras. Je le regardai d'un air farouche.

— Tu désavoues tout ce que m'ont fait les tiens, lui dis-je avec l'accent de la fureur, et tu ne parles pas de ce que tu m'as fait, toi !

— Quoi donc ? demanda-t-il.

Je m'approchai violemment de lui, et ma voix devint un tonnerre : — Où est Marie ? Qu'as-tu fait de Marie ?

A ce nom, un nuage passa sur son front : il parut un moment embarrassé. Enfin, rompant le silence :

— *Maria !* répondit-il. Oui, tu as raison... ; mais trop d'oreilles nous écoutent.

Son embarras, ces mots : *tu as raison,* rallumèrent un enfer dans mon cœur. Je crus voir qu'il éludait ma question. En ce moment il me regarda avec son visage ouvert, et me dit avec une émotion profonde :

— Ne me soupçonne pas, je t'en conjure. Je te dirai tout cela ailleurs. Tiens, aime-moi comme je t'aime, avec confiance.

Il s'arrêta un instant pour observer l'effet de ses paroles, et ajouta avec attendrissement :

— Puis-je t'appeler frère ?

Mais ma colère jalouse avait repris toute sa violence, et ces paroles tendres, qui me parurent hypocrites, ne firent que l'exaspérer.

— Oses-tu bien me rappeler ce temps ? m'écriai-je, misérable ingrat !

Il m'interrompit. De grosses larmes roulèrent dans ses yeux : — Ce n'est pas moi qui suis ingrat !

— Eh bien, parle ! repris-je avec emportement. Qu'as-tu fait de Marie ?

— Ailleurs, ailleurs ! me répondit-il. Ici nos oreilles n'entendent pas seules ce que nous disons. Au reste, tu ne me croirais pas sans doute sur parole, et puis le temps presse. Voilà qu'il fait jour, et il faut que je te tire d'ici.

Écoute, tout est fini, puisque tu doutes de moi, et tu feras aussi bien de m'achever avec un poignard ; mais attends encore un peu avant d'exécuter ce que tu appelles ta vengeance : je dois d'abord te délivrer. Viens avec moi trouver Biassou.

Cette manière d'agir et de parler cachait un mystère que je ne pouvais comprendre. Malgré toutes mes préventions contre cet homme, sa voix faisait toujours vibrer une corde dans mon cœur. En l'écoutant, je ne sais quelle puissance me dominait. Je me surprenais balançant entre la vengeance et la pitié, la défiance et un aveugle abandon. — Je le suivis.

XLII

NOUS sortîmes du quartier des nègres du Morne-Rouge. Je m'étonnais de marcher libre dans ce camp barbare où la veille chaque brigand semblait avoir soif de mon sang. Loin de chercher à nous arrêter, les noirs et les mulâtres se prosternaient sur notre passage avec des exclamations de surprise, de joie et de respect. J'ignorais quel rang Pierrot occupait dans l'armée des révoltés ; mais je me rappelais l'empire qu'il exerçait sur ses compagnons d'esclavage, et je m'expliquais sans peine l'importance dont il paraissait jouir parmi ses camarades de rébellion.

Arrivés à la ligne de gardes qui veillait devant la grotte de Biassou, le mulâtre Candi, leur chef, vint à nous, nous demandant de loin, avec menaces, pourquoi nous osions avancer si près du général ; mais quand il fut à portée de voir distinctement les traits de Pierrot, il ôta subitement sa montera brodée en or, et, comme terrifié de sa propre audace, il s'inclina jusqu'à terre, et nous introduisit près de Biassou, en balbutiant mille excuses auxquelles Pierrot ne répondit que par un geste de dédain.

Le respect des simples soldats nègres pour Pierrot ne m'avait pas étonné ; mais en voyant Candi, l'un de leurs principaux officiers, s'humilier ainsi devant l'esclave de mon oncle, je commençai à me demander quel pouvait être cet homme dont l'autorité semblait si grande. Ce fut bien autre chose quand je vis le généralissime, qui était seul au moment où nous entrâmes, et mangeait tranquillement un calalou, se lever précipitamment à l'aspect de Pierrot, et, dissimulant une surprise inquiète et un violent dépit sous des apparences de profond respect, s'incliner humblement devant mon compagnon, et lui offrir son propre trône d'acajou. Pierrot refusa.

— Jean Biassou, dit-il, je ne suis pas venu vous prendre votre place, mais simplement vous demander une grâce.

— *Alteza,* répondit Biassou en redoublant ses salutations, vous savez que vous devez disposer de tout ce qui dépend de Jean Biassou, de tout ce qui appartient à Jean Biassou, de Jean Biassou lui-même.

Ce titre d'*alteza,* qui équivaut à celui d'*altesse* ou de *hautesse,* donné à Pierrot par Biassou, accrut encore mon étonnement.

— Je n'en veux pas tant, reprit vivement Pierrot : je ne vous demande que la vie et la liberté de ce prisonnier.

Il me désignait de la main. Biassou parut un moment interdit : cet embarras fut court.

— Vous désolez votre serviteur, *alteza ;* vous exigez de lui bien plus qu'il ne peut vous accorder, à son grand regret. Ce prisonnier n'est point à Jean Biassou, n'appartient pas à Jean Biassou, et ne dépend pas de Jean Biassou.

— Que voulez-vous dire ? demanda Pierrot sévèrement. De qui dépend-il donc ? Y a-t-il ici un autre pouvoir que vous ?

— Hélas oui ! *alteza.*

— Et lequel ?

— Mon armée.

L'air caressant et rusé avec lequel Biassou éludait les questions hautaines et franches de Pierrot annonçait qu'il était déterminé à n'accorder à l'autre que les respects auxquels il paraissait obligé.

— Comment ! s'écria Pierrot, votre armée ! Et ne la commandez-vous pas ?

Biassou, conservant son avantage, sans quitter pourtant son attitude d'infériorité, répondit avec une apparence de sincérité :

— *Su alteza* pense-t-elle que l'on puisse réellement commander à des hommes qui ne se révoltent que pour ne pas obéir ?

J'attachais trop peu de prix à la vie pour rompre le silence ; mais ce que j'avais vu la veille de l'autorité illimitée de Biassou sur ces bandes aurait pu me fournir l'occasion de le démentir et de montrer à nu sa duplicité. Pierrot lui répliqua :

— Eh bien ! si vous ne savez pas commander à votre armée, et si vos soldats sont vos chefs, quels motifs de haine peuvent-ils avoir contre ce prisonnier ?

— Bouckmann vient d'être tué par les troupes du gouvernement, dit Biassou en composant tristement son visage féroce et railleur ; les miens ont résolu de venger sur ce blanc la mort du chef des nègres marrons de la Jamaïque ; ils veulent opposer trophée à trophée, et que la tête de ce jeune officier serve de contrepoids à la tête de Bouckmann dans la balance où le *bon Giu* pèse les deux partis.

— Comment avez-vous pu, dit Pierrot, adhérer à ces horribles représailles ? Écoutez-moi, Jean Biassou : ce sont ces cruautés qui perdront notre juste cause. Prisonnier au camp des blancs, d'où j'ai réussi à m'échapper, j'ignorais la mort de Bouckmann, que vous m'apprenez. C'est un juste châtiment du ciel pour ses crimes. Je vais vous apprendre une autre nouvelle : Jeannot, ce même chef des noirs qui avait servi de guide aux blancs pour les attirer dans l'embuscade de Dompte-Mulâtre, Jeannot vient aussi de mourir. Vous savez, ne m'interrompez pas, Biassou, qu'il rivalisait d'atrocité avec Bouckmann et vous ; or, faites attention à ceci, ce n'est point la foudre du ciel, ce ne sont point les blancs qui l'ont frappé : c'est Jean-François lui-même qui a fait cet acte de justice.

Biassou, qui écoutait avec un sombre respect, fit une exclamation de surprise. En ce moment Rigaud entra, salua profondément Pierrot, et parla bas à l'oreille du généralissime. On entendait au-dehors une grande agitation dans le camp. Pierrot continuait :

— ... Oui, Jean-François, qui n'a d'autre défaut qu'un luxe funeste, et l'étalage ridicule de cette voiture à six chevaux qui le mène chaque jour de son camp à la messe du curé de la Grande-Rivière, Jean-François a puni les fureurs de Jeannot. Malgré les lâches prières du brigand, quoique à son dernier moment il se soit cramponné au curé de la Marmelade, chargé de l'exhorter, avec tant de terreur qu'on a dû l'arracher de force, le monstre a été fusillé hier, au pied même de l'arbre armé de crochets de fer auxquels il suspendait ses victimes vivantes. Biassou, méditez cet exemple ! Pourquoi ces massacres qui contraignent les blancs à la férocité ? Pourquoi encore user de jongleries afin d'exciter la fureur de nos malheureux camarades, déjà trop exaspérés ? Il y a au Trou-Coffi un charlatan mulâtre, nommé Romaine-la-Prophétesse, qui fanatise une bande de noirs : il profane la sainte messe ; il leur persuade qu'il est en rapport avec la Vierge, dont il écoute les prétendus oracles en mettant sa tête dans le tabernacle ; et il pousse ses camarades au meurtre et au pillage, au nom de Marie !...

Il y avait peut-être une expression plus tendre encore que la vénération religieuse dans la manière dont Pierrot prononça ce nom. Je ne sais comment cela se fit, mais je m'en sentis offensé et irrité.

— ... Eh bien ! poursuivit l'esclave, vous avez dans votre camp je ne sais quel obi, je ne sais quel jongleur comme ce Romaine-la-Prophétesse ! Je n'ignore point qu'ayant à conduire une armée composée d'hommes de tous pays, de toutes familles, de toutes couleurs, un lien commun vous est nécessaire ; mais ne pouvez-vous le trouver autre part que dans un fanatisme féroce et des superstitions ridicules ? Croyez-moi, Biassou, les blancs sont moins cruels que nous. J'ai vu beaucoup de planteurs défendre les jours de leur esclave : je n'ignore pas que, pour plusieurs d'entre eux, ce n'était pas sauver la vie d'un homme, mais une somme d'argent ; du moins leur intérêt leur donnait une vertu. Ne soyons pas moins cléments qu'eux : c'est aussi notre intérêt. Notre cause sera-t-elle plus sainte et plus juste quand nous aurons exterminé des femmes, égorgé des enfants, torturé des vieillards, brûlé des colons dans leurs maisons ? Ce sont là pourtant nos exploits de chaque jour. Faut-il, répondez, Biassou, que le seul vestige de notre passage soit toujours une trace de sang ou une trace de feu ?

Il se tut. L'éclat de son regard, l'accent de sa voix donnaient à ses paroles une force de conviction et d'autorité impossible à reproduire. Comme un renard pris par un lion, l'œil obliquement baissé de Biassou semblait chercher par quelle ruse il pourrait échapper à tant de puissance. Pendant qu'il méditait, le chef de la bande des Cayes, ce même Rigaud qui la veille avait vu d'un front tranquille tant d'horreurs se commettre devant lui, paraissait s'indigner des attentats dont Pierrot avait tracé le tableau, et s'écriait avec une hypocrite consternation :

— Eh! mon bon Dieu, qu'est-ce que c'est qu'un peuple en fureur!

XLIII

EPENDANT la rumeur extérieure s'accroissait et paraissait inquiéter Biassou. J'ai appris plus tard que cette rumeur provenait des nègres du Morne-Rouge, qui parcouraient le camp en annonçant le retour de mon libérateur, et exprimaient l'intention de le seconder, quel que fût le motif pour lequel il s'était rendu près de Biassou. Rigaud venait d'informer le généralissime de cette circonstance; et c'est la crainte d'une scission funeste qui détermina le chef rusé à l'espèce de concession qu'il fit aux désirs de Pierrot.

— *Alteza,* dit-il avec un air de dépit, si nous sommes sévères pour les blancs, vous êtes sévère pour nous. Vous avez tort de m'accuser de la violence du torrent : il m'entraîne. Mais enfin *que podria hacer a hora*[1] qui vous fût agréable ?

— Je vous l'ai déjà dit, *señor* Biassou, répondit Pierrot : laissez-moi emmener ce prisonnier.

Biassou demeura un moment pensif, puis s'écria, donnant à l'expression de ses traits le plus de franchise qu'il put :

— Allons, *alteza,* je veux vous prouver quel est mon désir de vous plaire. Permettez-moi seulement de dire deux mots en secret au prisonnier ; il sera libre ensuite de vous suivre.

— Vraiment, qu'à cela ne tienne, répondit Pierrot. Et son visage, jusqu'alors fier et mécontent, rayonnait de joie. Il s'éloigna de quelques pas.

Biassou m'entraîna dans un coin de la grotte, et me dit à voix basse : — Je ne puis t'accorder la vie qu'à une condition ; tu la connais, y souscris-tu ?

Il me montrait la dépêche de Jean-François. Un consentement m'eût paru une bassesse. — Non ! lui dis-je.

— Ah ! reprit-il avec son ricanement. Toujours aussi décidé ! Tu comptes donc beaucoup sur ton protecteur ? Sais-tu qui il est ?

— Oui, lui répliquai-je vivement ; c'est un monstre comme toi, seulement plus hypocrite encore !

Il se redressa avec étonnement, et, cherchant à deviner dans mes yeux si je parlais sérieusement : — Comment ! dit-il, tu ne le connais donc pas ?

Je répondis avec dédain : — Je ne reconnais en lui qu'un esclave de mon oncle, nommé Pierrot.

Biassou se remit à ricaner.

1. Que pourrais-je faire maintenant ?

— Ha ! ha ! voilà qui est singulier ! Il demande ta vie et ta liberté, et tu l'appelles « un monstre comme moi ! »

— Que m'importe ! répondis-je. Si j'obtenais un moment de liberté, ce ne serait pas pour lui demander ma vie, mais la sienne !

— Qu'est-ce que cela ? dit Biassou. Tu parais pourtant parler comme tu penses, et je ne suppose pas que tu veuilles plaisanter avec ta vie. Il y a là-dessous quelque chose que je ne comprends pas. Tu es protégé par un homme que tu hais ; il plaide pour ta vie, et tu veux sa mort ! Au reste, cela m'est égal, à moi. Tu désires un moment de liberté, c'est la seule chose que je puisse t'accorder ; je te laisserai libre de le suivre : donne-moi seulement d'abord ta parole d'honneur de venir te remettre dans mes mains deux heures avant le coucher du soleil. — Tu es français, n'est-ce pas ?

Vous le dirai-je, messieurs ? la vie m'était à charge ; je répugnais d'ailleurs à la recevoir de ce Pierrot, que tant d'apparences désignaient à ma haine ; je ne sais pas si même il n'entra pas dans ma résolution la certitude que Biassou, qui ne lâchait pas aisément une proie, ne consentirait jamais à ma délivrance ; je ne désirais réellement que quelques heures de liberté pour achever, avant de mourir, d'éclaircir le sort de ma bien-aimée Marie et le mien. La parole que Biassou, confiant en l'honneur français, me demandait, était un moyen sûr et facile d'obtenir encore un jour : je la donnai.

Après m'avoir lié de la sorte, le chef se rapprocha de Pierrot.

— *Alteza,* dit-il d'un ton obséquieux, le prisonnier blanc est à vos ordres ; vous pouvez l'emmener ; il est libre de vous accompagner.

Je n'avais jamais vu autant de bonheur dans les yeux de Pierrot.

— Merci, Biassou, s'écria-t-il en lui tendant la main, merci ! Tu viens de me rendre un service qui te fait maître désormais de tout exiger de moi ! Continue à disposer de mes frères du Morne-Rouge jusqu'à mon retour.

Il se tourna vers moi. — Puisque tu es libre, dit-il, viens ! Et il m'entraîna avec une énergie singulière.

Biassou nous regarda sortir d'un air étonné, qui perçait même à travers les démonstrations de respect dont il accompagna le départ de mon compagnon.

XLIV

L ME tardait d'être seul avec Pierrot. Son trouble, quand je l'avais questionné sur le sort de Marie, l'insolente tendresse avec laquelle il osait prononcer son nom, avaient encore enraciné les sentiments d'exécration et de jalousie qui germèrent en mon cœur au moment où je le vis enlever à travers l'incendie du fort Galifet celle que je pouvais à peine appeler mon épouse. Que m'importaient, après cela, les reproches généreux qu'il avait adressés devant moi au sanguinaire Biassou, les soins qu'il avait pris de ma vie, et même cette empreinte extraordinaire qui marquait toutes ses paroles et toutes ses actions ? Que m'importait ce mystère qui semblait l'envelopper ; qui le faisait apparaître vivant à mes yeux quand je croyais avoir assisté à sa mort ; qui me le montrait captif chez les blancs quand je l'avais vu s'ensevelir dans la Grande-Rivière ; qui changeait l'esclave en altesse, le prisonnier en libérateur ? De toutes ces choses incompréhensibles, la seule qui fût claire pour moi, c'était le rapt odieux de Marie, un outrage à venger, un crime à punir. Ce qui s'était déjà passé d'étrange sous mes yeux suffisait à peine pour me faire suspendre mon jugement, et j'attendais avec impatience l'instant où je pourrais contraindre mon rival à s'expliquer. Ce moment vint enfin.

Nous avions traversé les triples haies de noirs prosternés sur notre passage, et s'écriant avec surprise : *Miraculo ! ya no esta prisionero*[1] *!* J'ignore si c'est de moi ou de Pierrot qu'ils voulaient parler. Nous avions franchi les dernières limites du camp ; nous avions perdu de vue derrière les arbres et les rochers les dernières vedettes de Biassou : Rask, joyeux, nous devançait, puis revenait à nous ; Pierrot marchait avec rapidité : je l'arrêtai brusquement.

— Écoute, lui dis-je, il est inutile d'aller plus loin. Les oreilles que tu craignais ne peuvent plus nous entendre : parle, qu'as-tu fait de Marie ?

Une émotion concentrée faisait haleter ma voix. Il me regarda avec douceur.

— Toujours ! me répondit-il.

— Oui, toujours ! m'écriai-je furieux, toujours ! Je te ferai cette question jusqu'à ton dernier souffle, jusqu'à mon dernier soupir : où est Marie ?

— Rien ne peut donc dissiper tes doutes sur ma foi ? Tu le sauras bientôt.

— Bientôt, monstre ! répliquai-je. C'est maintenant que je veux le savoir. Où est Marie ? où est Marie ? entends-tu ! Réponds, ou échange ta vie contre la mienne ! Défends-toi !

1. Miracle ! Il n'est déjà plus prisonnier !

— Je t'ai déjà dit, reprit-il avec tristesse, que cela ne se pouvait pas. Le torrent ne lutte pas contre sa source; ma vie, que tu as sauvée trois fois, ne peut combattre contre ta vie. Je le voudrais d'ailleurs, que la chose serait encore impossible. Nous n'avons qu'un poignard pour nous deux.

En parlant ainsi il tira un poignard de sa ceinture, et me le présenta. — Tiens, dit-il.

J'étais hors de moi. Je saisis le poignard et le fis briller sur sa poitrine. Il ne songeait pas à s'y soustraire.

— Misérable, lui dis-je, ne me force point à un assassinat. Je te plonge cette lame dans le cœur si tu ne me dis pas où est ma femme à l'instant.

Il me répondit sans colère :

— Tu es le maître. Mais, je t'en prie à mains jointes, laisse-moi encore une heure de vie, et suis-moi. Tu doutes de celui qui te doit trois vies, de celui que tu nommais ton frère; mais écoute, si dans une heure tu en doutes encore, tu seras libre de me tuer. Il sera toujours temps. Tu vois bien que je ne veux pas te résister. Je t'en conjure au nom même de *Maria*... Il ajouta péniblement : de ta femme. — Encore une heure; et si je te supplie ainsi, va, ce n'est pas pour moi, c'est pour toi!

Son accent avait une expression ineffable de persuasion et de douleur. Quelque chose sembla m'avertir qu'il disait peut-être vrai, que l'intérêt seul de sa vie ne suffirait pas pour donner à sa voix cette tendresse pénétrante, cette suppliante douceur, et qu'il plaidait pour plus que lui-même. Je cédai encore une fois à cet ascendant secret qu'il exerçait sur moi, et qu'en ce moment je rougissais de m'avouer.

— Allons, dis-je, je t'accorde ce sursis d'une heure; je te suivrai.

Je voulus lui rendre le poignard.

— Non, répondit-il, garde-le, tu te défies de moi. Mais viens, ne perdons pas de temps.

XLV

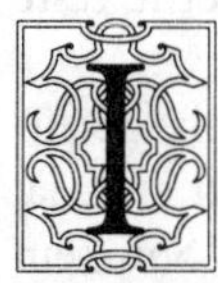

Il RECOMMENÇA à me conduire. Rask, qui, pendant notre entretien, avait fréquemment essayé de se remettre en marche, puis était revenu chaque fois vers nous, nous demandant en quelque sorte du regard pourquoi nous nous arrêtions, Rask reprit joyeusement sa course. Nous nous enfonçâmes dans une forêt vierge. Au bout d'une demi-heure environ, nous débouchâmes sur une jolie savane verte, arrosée d'une eau de roche et bordée par la lisière fraîche et profonde des grands arbres centenaires de la forêt. Une caverne, dont une multitude de plantes grimpantes, la clématite, la liane, le jasmin, verdissaient le front grisâtre, s'ouvrait sur la savane. Rask allait aboyer, Pierrot le fit taire d'un signe, et, sans dire une parole, m'entraîna par la main dans la caverne.

Une femme, le dos tourné à la lumière, était assise dans cette grotte sur un tapis de sparterie. Au bruit de nos pas, elle se retourna... — Mes amis, c'était Marie!

Elle était vêtue d'une robe blanche, comme le jour de notre union, et portait encore dans ses cheveux la couronne de fleurs d'oranger, dernière parure virginale de la jeune épouse, que mes mains n'avaient pas détachée de son front. Elle m'aperçut, me reconnut, jeta un cri et tomba dans mes bras mourante de joie et de surprise. J'étais éperdu.

A ce cri, une vieille femme qui portait un enfant dans ses bras accourut d'une dernière chambre pratiquée dans un enfoncement de la caverne. C'était la nourrice de Marie et le dernier enfant de mon malheureux oncle. Pierrot était allé chercher de l'eau à la source voisine. Il en jeta quelques gouttes sur le visage de Marie. Leur fraîcheur rappela la vie ; elle ouvrit les yeux. — Léopold, dit-elle ; mon Léopold — Marie ! répondis-je ; et le reste de nos paroles s'acheva dans un baiser.

— Pas devant moi au moins ! s'écria une voix déchirante. Nous levâmes les yeux : c'était Pierrot. Il était là, assistant à nos caresses comme à un supplice. Son sein gonflé haletait, une sueur glacée tombait à grosses gouttes de son front. Tous ses membres tremblaient. Tout à coup il cacha son visage de ses deux mains, et s'enfuit hors de la grotte en répétant avec un accent terrible : — Pas devant moi !

Marie se souleva de mes bras à demi, et s'écria en le suivant des yeux : — Grand Dieu ! mon Léopold, notre amour paraît lui faire mal. Est-ce qu'il m'aimerait ?

Le cri de l'esclave m'avait prouvé qu'il était mon rival ; l'exclamation de Marie me prouvait qu'il était aussi mon ami.

— Marie ! répondis-je, et une félicité inouïe entra dans mon cœur en même temps qu'un mortel regret, Marie ! est-ce que tu l'ignorais ?

— Mais je l'ignore encore, me dit-elle avec une chaste rougeur. Comment ! il m'aime ! Je ne m'en étais jamais aperçue.

Je la pressai sur mon cœur avec ivresse.

— Je retrouve ma femme et mon ami ! m'écriai-je ; que je suis heureux et que je suis coupable ! J'avais douté de lui.

— Comment! reprit Marie étonnée, de lui! de Pierrot! Oh oui, tu es bien coupable. Tu lui dois deux fois ma vie, et peut-être plus encore, ajouta-t-elle en baissant les yeux. Sans lui le crocodile de la rivière m'aurait dévorée; sans lui les nègres... C'est Pierrot qui m'a arrachée de leurs mains, au moment où ils allaient sans doute me rejoindre à mon malheureux père!

Elle s'interrompit et pleura.

— Et pourquoi, lui demandai-je, Pierrot ne t'a-t-il pas renvoyée au Cap, à ton mari?

— Il l'a tenté, répondit-elle, mais ne l'a pu. Obligé de se cacher également des noirs et des blancs, cela lui était fort difficile. Et puis, on ignorait ce que tu étais devenu. Quelques-uns disaient t'avoir vu tomber mort, mais Pierrot m'assurait que non, et j'étais bien certaine du contraire, car quelque chose m'en aurait avertie; et si tu étais mort, je serais morte aussi en même temps.

— Pierrot, lui dis-je, t'a donc amenée ici?

— Oui, mon Léopold; cette grotte isolée est connue de lui seul. Il avait sauvé en même temps que moi tout ce qui restait de la famille, ma bonne nourrice et mon petit frère; il nous y a cachés. Je t'assure qu'elle est bien commode; et sans la guerre, qui fouille tout le pays, maintenant que nous sommes ruinés, j'aimerais à l'habiter avec toi. Pierrot pourvoyait à tous nos besoins. Il venait souvent; il avait une plume rouge sur la tête. Il me consolait, me parlait de toi, m'assurait que je te serais rendue. Cependant, ne l'ayant pas vu depuis trois jours, je commençais à m'inquiéter, lorsqu'il est revenu avec toi. Ce pauvre ami, il a donc été te chercher?

— Oui, lui répondis-je.

— Mais comment se fait-il avec cela, reprit-elle, qu'il soit amoureux de moi? En es-tu sûr?

— Sûr maintenant, lui dis-je. C'est lui qui, sur le point de me poignarder, s'est laissé fléchir par la crainte de t'affliger ; c'est lui qui te chantait ces chansons d'amour dans le pavillon de la rivière.

— Vraiment ! reprit Marie avec une naïve surprise, c'est ton rival ! Le méchant homme aux soucis est ce bon Pierrot ! Je ne puis croire cela. Il était avec moi si humble, si respectueux, plus que lorsqu'il était notre esclave ! Il est vrai qu'il me regardait quelquefois d'un air singulier ; mais ce n'était que de la tristesse, et je l'attribuais à mon malheur. Si tu savais avec quel dévouement passionné il m'entretenait de mon Léopold ! Son amitié parlait de toi presque comme mon amour.

Ces explications de Marie m'enchantaient et me désolaient à la fois. Je me rappelais avec quelle cruauté j'avais traité ce généreux Pierrot, et je sentais toute la force de son reproche tendre et résigné : — *Ce n'est pas moi qui suis ingrat.*

En ce moment Pierrot rentra. Sa physionomie était sombre et douloureuse. On aurait dit un condamné qui revient de la torture, mais qui en a triomphé. Il s'avança vers moi à pas lents, et me dit d'une voix grave, en me montrant le poignard que j'avais placé dans ma ceinture : — L'heure est écoulée.

— L'heure ! Quelle heure ? lui dis-je.

— Celle que tu m'avais accordée ; elle m'était nécessaire pour te conduire ici. Je t'ai supplié alors de me laisser la vie, maintenant je te conjure de me l'ôter.

Les sentiments les plus doux du cœur, l'amour, l'amitié, la reconnaissance, s'unissaient en ce moment pour me déchirer. Je tombai aux pieds de l'esclave sans pouvoir dire un mot, en sanglotant amèrement. Il me releva avec précipitation. — Que fais-tu ? me dit-il.

— Je te rends l'hommage que je te dois; je ne suis plus digne d'une amitié comme la tienne. Ta reconnaissance ne peut aller jusqu'à me pardonner mon ingratitude.

Sa figure eut quelque temps encore une expression de rudesse; il paraissait éprouver de violents combats; il fit un pas vers moi et recula, il ouvrit la bouche et se tut. Ce moment fut de courte durée; il m'ouvrit ses bras en disant : — Puis-je à présent t'appeler frère?

Je ne lui répondis qu'en me jetant sur son cœur.

Il ajouta après une légère pause :

— Tu es bon, mais le malheur t'avait rendu injuste.

— J'ai retrouvé mon frère, lui dis-je, je ne suis plus malheureux, mais je suis bien coupable.

— Coupable! frère. Je l'ai été aussi, et plus que toi. Tu n'es plus malheureux; moi, je le serai toujours.

XLVI

LA JOIE que les premiers transports de l'amitié avaient fait briller sur son visage s'évanouit; ses traits prirent une expression de tristesse singulière et énergique.

— Écoute, me dit-il d'un ton froid, mon père était roi au pays de Kakongo. Il rendait la justice à ses sujets devant sa porte, et, à chaque jugement qu'il portait, il buvait, suivant l'usage des rois, une pleine coupe de vin de palmier. Nous vivions heureux et puissants. Des Européens vinrent; ils me donnèrent ces connaissances futiles qui t'ont frappé. Leur chef était un capitaine espagnol; il promit à mon père des pays plus vastes que les siens, et des femmes blanches : mon père le suivit avec sa famille... — Frère, ils nous vendirent !

La poitrine du noir se gonfla, ses yeux étincelaient ; il brisa machinalement un jeune néflier qui se trouvait près de lui ; puis il continua sans paraître s'adresser à moi :

— Le maître du pays de Kakongo eut un maître, et son fils se courba en esclave sur les sillons de Santo-Domingo. — On sépara le jeune lion de son vieux père pour les dompter plus aisément. — On enleva la jeune épouse à son époux pour en tirer plus de profit en les unissant là à d'autres. — Les petits enfants cherchèrent la mère qui les avait nourris, le père qui les baignait dans les torrents ; ils ne trouvèrent que des tyrans barbares, et couchèrent parmi les chiens !

Il se tut : ses lèvres remuaient sans qu'il parlât, son regard était fixe et égaré. Il me saisit enfin le bras brusquement.

— Frère, entends-tu ? J'ai été vendu à différents maîtres comme une pièce de bétail.

— Tu te souviens du supplice d'Ogé ; ce jour-là j'ai revu mon père, écoute : — c'était sur la roue !

Je frémis. Il ajouta :

— Ma femme a été prostituée à des blancs. Écoute, frère : elle est morte et m'a demandé vengeance. Te le dirai-je ? continua-t-il en hésitant et en baissant les yeux ; j'ai été coupable ; j'en ai aimé une autre... Mais passons !

Tous les miens me pressaient de les délivrer et de me venger. Rask m'apportait leurs messages.

Je ne pouvais les satisfaire, j'étais moi-même dans les prisons de ton oncle. Le jour où tu obtins ma grâce, je partis pour arracher mes enfants des mains d'un maître féroce ; j'arrivai. — Frère, le dernier des petits-fils du roi de Kakongo venait d'expirer sous les coups d'un blanc! les autres l'avaient précédé.

Il s'interrompit, et me demanda froidement : — Frère, qu'aurais-tu fait?

Ce déplorable récit m'avait glacé d'horreur. Je répondis à sa question par un geste menaçant. Il me comprit et se mit à sourire avec amertume. Il poursuivit :

— Les esclaves se révoltèrent contre leurs maîtres, et les punirent du meurtre de mes enfants. Ils m'élurent pour leur chef. Tu sais les malheurs qu'entraîna cette rébellion. J'appris que ceux de ton oncle se préparaient à suivre le même exemple. J'arrivai dans l'Acul la nuit même de l'insurrection. — Tu étais absent. — Ton oncle venait d'être poignardé dans son lit. Les noirs incendiaient déjà les plantations. Ne pouvant calmer leur fureur, parce qu'ils croyaient me venger en brûlant les propriétés de ton oncle, je dus sauver ce qui restait de ta famille. Je pénétrai dans le fort par l'issue que j'y avais pratiquée. Je confiai la nourrice de ta femme à un noir fidèle. J'eus plus de peine à sauver ta *Maria*. Elle avait couru vers la partie embrasée du fort pour en tirer le plus jeune de ses frères, seul échappé au massacre. Des noirs l'entouraient; ils allaient la tuer. Je me présentai et leur ordonnai de me laisser me venger moi-même. Ils se retirèrent; je pris ta femme dans mes bras, je confiai l'enfant à Rask, et je les déposai tous deux dans cette caverne, dont je connaissais seul l'existence et l'accès. — Frère, voilà mon crime.

De plus en plus pénétré de remords et de reconnaissance, je voulus me jeter encore une fois aux pieds de Pierrot; il m'arrêta d'un air offensé.

— Allons, viens, dit-il un moment après en me prenant la main, emmène ta femme et partons tous les cinq.

Je lui demandai avec surprise où il voulait nous conduire.

— Au camp des blancs, me répondit-il. Cette retraite n'est plus sûre. Demain, à la pointe du jour, les blancs doivent attaquer le camp de Biassou ; la forêt sera certainement incendiée. Et puis nous n'avons pas un moment à perdre ; dix têtes répondent de la mienne. Nous pouvons nous hâter, car tu es libre ; nous le devons, car je ne le suis pas.

Ces paroles accrurent ma surprise ; je lui en demandai l'explication.

— N'as-tu pas entendu raconter que Bug-Jargal était prisonnier ? dit-il avec impatience.

— Oui, mais qu'as-tu de commun avec ce Bug-Jargal ?

Il parut à son tour étonné, et répondit gravement :

— Je suis ce Bug-Jargal.

XLVII

J'ÉTAIS habitué, pour ainsi dire, à la surprise avec cet homme. Ce n'était pas sans étonnement que je venais de voir un instant auparavant l'esclave Pierrot se transformer en roi africain. Mon admiration était au comble d'avoir maintenant à reconnaître en lui le redoutable et magnanime Bug-Jargal, chef des révoltés du Morne-Rouge. Je comprenais enfin d'où venaient les respects que rendaient tous les rebelles, et même Biassou, au chef Bug-Jargal, au roi de Kakongo.

Il ne parut pas s'apercevoir de l'impression qu'avaient produite sur moi ses dernières paroles.

— L'on m'avait dit, reprit-il, que tu étais de ton côté prisonnier au camp de Biassou; j'étais venu pour te délivrer.

— Pourquoi me disais-tu donc tout à l'heure que tu n'étais pas libre?

Il me regarda, comme cherchant à deviner ce qui amenait cette question toute naturelle.

— Écoute, me dit-il, ce matin j'étais prisonnier parmi les tiens. J'entendis annoncer dans le camp que Biassou avait déclaré son intention de faire mourir avant le coucher du soleil un jeune captif nommé Léopold d'Auverney. On renforça les gardes autour de moi. J'appris que mon exécution suivrait la tienne, et qu'en cas d'évasion dix de mes camarades répondraient de moi. — Tu vois que je suis pressé.

Je le retins encore. — Tu t'es donc échappé? lui dis-je.

— Et comment serais-je ici? Ne fallait-il pas te sauver? Ne te dois-je pas la vie? Allons, suis-moi maintenant. Nous sommes à une heure de marche du camp des blancs comme du camp de Biassou. Vois, l'ombre de ces cocotiers s'allonge, et leur tête ronde paraît sur l'herbe comme l'œuf énorme du condor. Dans trois heures le soleil sera couché. Viens, frère, le temps presse.

Dans trois heures le soleil sera couché. Ces paroles si simples me glacèrent comme une apparition funèbre. Elles me rappelèrent la promesse fatale que j'avais faite à Biassou. Hélas! en revoyant Marie, je n'avais plus pensé à notre séparation éternelle et prochaine; je n'avais été que ravi et enivré; tant d'émotions m'avaient enlevé la mémoire, et j'avais oublié ma mort dans mon bonheur. Le mot de mon ami me rejeta violemment dans mon infortune. *Dans trois heures le soleil sera couché!* Il fallait une heure pour me rendre au camp de Biassou... Mon devoir était impérieusement prescrit ; le brigand avait ma parole, et il valait mieux encore mourir que de donner à ce barbare le droit de mépriser la seule chose à laquelle il parût se fier encore, l'honneur d'un Français. L'alternative était terrible ; je choisis ce que je devais choisir ; mais, je l'avouerai, messieurs, j'hésitai un moment. Étais-je coupable ?

XLVIII

NFIN, poussant un soupir, je pris d'une main la main de Bug-Jargal, de l'autre celle de ma pauvre Marie, qui observait avec anxiété le nuage sinistre répandu sur tous mes traits.

— Bug-Jargal, dis-je avec effort, je te confie le seul être au monde que j'aime plus que toi, Marie. — Retournez au camp sans moi, car je ne puis vous suivre.

— Mon Dieu, s'écria Marie respirant à peine, quelque nouveau malheur !

Bug-Jargal avait tressailli. Un étonnement douloureux se peignait dans ses yeux : — Frère, que dis-tu ?

La terreur qui oppressait Marie à la seule idée d'un malheur que sa trop prévoyante tendresse semblait deviner, me faisait une loi de lui en cacher la réalité, et de lui épargner des adieux si déchirants ; je me penchai à l'oreille de Bug-Jargal, et lui dis à voix basse : — Je suis captif. J'ai juré à Biassou de revenir me mettre en son pouvoir deux heures avant la fin du jour : j'ai promis de mourir.

Il bondit de fureur : sa voix devint éclatante.

— Le monstre ! Voilà pourquoi il a voulu t'entretenir

secrètement; c'était pour t'arracher cette promesse. J'aurais dû me défier de ce misérable Biassou. Comment n'ai-je pas prévu quelque perfidie? Ce n'est pas un noir, c'est un mulâtre.

— Qu'est-ce donc? Quelle perfidie? Quelle promesse? dit Marie épouvantée : qui est ce Biassou?

— Tais-toi, tais-toi, répétai-je bas à Bug-Jargal, n'alarmons pas Marie.

— Bien, me dit-il d'un ton sombre. Mais comment as-tu pu consentir à cette promesse? pourquoi l'as-tu donnée?

— Je te croyais ingrat, je croyais Marie perdue pour moi. Que m'importait la vie?

— Mais une promesse de bouche ne peut t'engager avec ce brigand?

— J'ai donné ma parole d'honneur.

Il parut chercher à comprendre ce que je voulais dire.

— Ta parole d'honneur! Qu'est-ce que cela? Vous n'avez pas bu à la même coupe? Vous n'avez pas rompu ensemble un anneau ou une branche d'érable à fleurs rouges?

— Non.

— Eh bien! que nous dis-tu donc? Qu'est-ce qui peut t'engager?

— Mon honneur, répondis-je.

— Je ne sais pas ce que cela signifie. Rien ne te lie avec Biassou. Viens avec nous.

— Je ne puis, frère, j'ai promis.

— Non! tu n'a pas promis, s'écria-t-il avec emportement; puis, élevant la voix : — Sœur, joignez-vous à moi, empêchez votre mari de nous quitter; il veut retourner au camp des nègres d'où je l'ai tiré, sous prétexte qu'il a promis sa mort à leur chef, à Biassou.

— Qu'as-tu fait ? m'écriai-je. Il était trop tard pour prévenir l'effet de ce mouvement généreux qui lui faisait implorer pour la vie de son rival l'auxiliaire de celle qu'il aimait. Marie s'était jetée dans mes bras avec un cri de désespoir. Ses mains jointes autour de mon cou la suspendaient sur mon cœur, car elle était sans force et presque sans haleine.

— Oh ! murmurait-elle péniblement, que dit-il là, mon Léopold ? N'est-il pas vrai qu'il me trompe, et que ce n'est pas au moment qui vient de nous réunir que tu veux me quitter, et me quitter pour mourir ? Réponds-moi vite ou je meurs. Tu n'as pas le droit de donner ta vie, parce que tu ne dois pas donner la mienne. Tu ne voudrais pas te séparer de moi pour ne me revoir jamais.

— Marie, repris-je, ne le crois pas ; je vais te quitter en effet ; il le faut ; mais nous nous reverrons ailleurs.

— Ailleurs, reprit-elle avec effroi ; ailleurs ! où ?...

— Dans le ciel, répondis-je, ne pouvant mentir à cet ange.

Elle s'évanouit encore une fois, mais alors c'était de douleur. L'heure pressait ; ma résolution était prise. Je la déposai entre les bras de Bug-Jargal, dont les yeux étaient pleins de larmes.

— Rien ne peut donc te retenir ? me dit-il. Je n'ajouterai rien à ce que tu vois. Comment peux-tu résister à *Maria ?* Pour une seule des paroles qu'elle t'a dites, je lui aurais sacrifié un monde, et toi tu ne veux pas lui sacrifier ta mort ?

— L'honneur ! répondis-je. Adieu, Bug-Jargal ; adieu, frère, je te la lègue.

Il me prit la main ; il était pensif, et semblait à peine m'entendre. — Frère, il y a au camp des blancs un de tes parents ; je lui remettrai *Maria ;* quant à moi, je ne puis accepter ton legs.

Il me montra un pic dont le sommet dominait toute la contrée environnante.

— Vois ce rocher : quand le signe de ta mort y apparaîtra, le bruit de la mienne ne tardera pas à se faire entendre. — Adieu.

Sans m'arrêter au sens inconnu de ces dernières paroles, je l'embrassai ; je déposai un baiser sur le front pâle de Marie, que les soins de sa nourrice commençaient à ranimer, et je m'enfuis précipitamment, de peur que son premier regard, sa première plainte ne m'enlevassent toute ma force.

XLIX

JE M'ENFUIS, je me plongeai dans la profonde forêt, en suivant la trace que nous avions laissée, sans même oser jeter un coup d'œil derrière moi. Comme pour étourdir les pensées qui m'obsédaient, je courus sans relâche à travers les taillis, les savanes et les collines, jusqu'à ce qu'enfin, à la crête d'une roche, le camp de Biassou, avec ses lignes de cabrouets, ses rangées d'ajoupas et sa fourmilière de noirs, apparut sous mes yeux. Là je m'arrêtai. Je touchais au terme de ma course et de mon existence. La fatigue et l'émotion rompirent mes forces ; je m'appuyai contre un arbre pour ne pas tomber, et je laissai errer mes yeux sur le tableau qui se développait à mes pieds dans la fatale savane.

Jusqu'à ce moment je croyais avoir goûté toutes les coupes d'amertume et de fiel. Je ne connaissais pas le plus cruel de tous les malheurs ; c'est d'être contraint par une force morale plus puissante que celle des événements à renoncer volontairement, heureux, au bonheur, vivant, à la vie. Quelques heures auparavant, que m'importait d'être au monde ! Je ne vivais pas ; l'extrême désespoir est une espèce de mort qui fait désirer la véritable. Mais j'avais été tiré de ce désespoir ; Marie m'avait été rendue ; ma félicité morte avait été pour ainsi dire ressuscitée ; mon passé était redevenu mon avenir ; et tous mes rêves éclipsés avaient reparu plus éblouissants que jamais ; la vie enfin, une vie de jeunesse, d'amour et d'enchantement, s'était de nouveau déployée radieuse devant moi dans un immense horizon. Cette vie, je pouvais la recommencer ; tout m'y invitait en moi et hors de moi. Nul obstacle matériel, nulle entrave visible. J'étais libre, j'étais heureux, et pourtant il fallait mourir. Je n'avais fait qu'un pas dans cet Éden, et je ne sais quel devoir, qui n'était pas même éclatant, me forçait à reculer vers un supplice. La mort est peu de chose pour une âme flétrie et déjà glacée par l'adversité ; mais que sa main est poignante, qu'elle semble froide, quand elle tombe sur un cœur épanoui et comme réchauffé par les joies de l'existence ! Je l'éprouvais ; j'étais sorti un moment du sépulcre ; j'avais été enivré dans ce court moment de ce qu'il y a de plus céleste sur la terre, l'amour, le dévouement, la liberté ; et maintenant il fallait brusquement redescendre au tombeau !

L

UAND l'affaissement du regret fut passé, une sorte de rage s'empara de moi ; je m'enfonçai à grands pas dans la vallée ; je sentais le besoin d'abréger. Je me présentai aux avant-postes des nègres. Ils parurent surpris et refusaient de m'admettre. Chose bizarre ! je fus contraint presque de les prier. Deux d'entre eux enfin s'emparèrent de moi, et se chargèrent de me conduire à Biassou.

J'entrai dans la grotte de ce chef. Il était occupé à faire jouer les ressorts de quelques instruments de torture dont il était entouré. Au bruit que firent ses gardes en m'introduisant, il tourna la tête ; ma présence ne parut pas l'étonner.

— Vois-tu ? dit-il en m'étalant l'appareil horrible qui l'environnait.

Je demeurai calme ; je connaissais la cruauté du *héros de l'humanité,* et j'étais déterminé à tout endurer sans pâlir.

— N'est-ce pas, reprit-il en ricanant, n'est-ce pas que Léogri a été bien heureux de n'être que pendu ?

Je le regardai sans répondre, avec un froid dédain.

— Faites avertir monsieur le chapelain, dit-il alors à un aide-de-camp.

Nous restâmes un moment tous deux silencieux, nous regardant en face. Je l'observais ; il m'épiait.

En ce moment Rigaud entra ; il paraissait agité, et parla bas au généralissime. — Qu'on rassemble tous les chefs de mon armée, dit tranquillement Biassou.

Un quart d'heure après, tous les chefs, avec leurs costumes diversement bizarres, étaient réunis devant la grotte. Biassou se leva.

— Écoutez, *amigos!* les blancs comptent nous attaquer ici, demain au point du jour. La position est mauvaise ; il faut la quitter. Mettons-nous tous en marche au coucher du soleil, et gagnons la frontière espagnole. — Macaya, vous formerez l'avant-garde avec vos noirs marrons. — Padrejan, vous enclouerez les pièces prises à l'artillerie de Praloto ; elles ne pourraient nous suivre dans les mornes. Les braves de la Croix-des-Bouquets s'ébranleront après Macaya. — Toussaint suivra avec les noirs de Léogane et du Trou. — Si les griots et les griotes font le moindre bruit, j'en charge le bourreau de l'armée. — Le lieutenant-colonel Cloud distribuera les fusils débarqués au cap Cabron, et conduira les sang-mêlés ci-devant libres par les sentiers de la Vista. — On égorgera les prisonniers, s'il en reste ; on mâchera les balles ; on empoisonnera les flèches. Il faudra jeter trois tonnes d'arsenic dans la source où l'on puise l'eau du camp ; les coloniaux prendront cela pour du sucre, et boiront sans défiance. — Les troupes du Limbé, du Dondon et de l'Acul marcheront après Cloud et Toussaint. — Obstruez avec des rochers toutes les avenues de la savane, carabinez tous les chemins ; incendiez les forêts. — Rigaud, vous resterez près de nous. — Candi, vous rassemblerez ma garde autour de moi. — Les noirs du Morne-Rouge formeront l'arrière-garde, et n'évacueront la savane qu'au soleil levant.

Il se pencha vers Rigaud et dit à voix basse : — Ce sont les noirs de Bug-Jargal ; s'ils pouvaient être écrasés ici ! *Muerta la tropa, muerto el gefe*[1] *!*

— Allez, *hermanos,* reprit-il en se redressant. Candi vous portera le mot d'ordre.

Les chefs se retirèrent.

1. Morte la bande, mort le chef !

— Général, dit Rigaud, il faudrait expédier la dépêche de Jean-François. Nous sommes mal dans nos affaires ; elle pourrait arrêter les blancs.

Biassou la tira précipitamment de sa poche. — Vous m'y faites penser ; mais il y a tant de fautes de grammaire, comme ils disent, qu'ils en riront. — Il me présenta le papier. — Écoute, veux-tu sauver ta vie ? ma bonté le demande encore une fois à ton obstination. Aide-moi à refaire cette lettre : je te dicterai mes idées ; tu écriras cela en *style blanc.*

Je fis un signe de tête négatif. Il parut impatienté. — Est-ce non ? me dit-il.

— Non, répondis-je.

Il insista.

Réfléchis bien. Et son regard semblait appeler le mien sur l'attirail de bourreau avec lequel il jouait.

— C'est parce que j'ai réfléchi, repris-je, que je refuse. Tu me parais craindre pour toi et les tiens ; tu comptes sur ta lettre à l'assemblée pour retarder la marche et la vengeance des blancs. Je ne veux pas d'une vie qui servirait peut-être à sauver la tienne. Fais commencer mon supplice.

— Ah ! ah ! *muchacho !* répliqua Biassou en poussant du pied les instruments de torture, il me semble que tu te familiarises avec cela. J'en suis fâché, mais je n'ai pas le temps de t'en faire faire l'essai. Cette position est dangereuse ; il faut que j'en sorte au plus vite. — Ah ! tu refuses de me servir de secrétaire ! aussi bien, tu as raison, car je ne t'en aurais pas moins fait mourir après. On ne saurait vivre avec un secret de Biassou ; et puis, mon cher, j'avais promis ta mort à monsieur le chapelain.

Il se tourna vers l'obi, qui venait d'entrer.

— *Bon per,* votre escouade est-elle prête ? Celui-ci fit un signe de tête affirmatif.

— Avez-vous pris pour la composer des noirs du Morne-Rouge ? Ce sont les seuls de l'armée qui ne soient point encore forcés de s'occuper des apprêts du départ.

L'obi répondit *oui* par un second signe.

Biassou alors me montra du doigt le grand drapeau noir que j'avais déjà remarqué, et qui figurait dans un coin de la grotte. — Voici qui doit avertir les tiens du moment où ils pourront donner ton épaulette à ton lieutenant. — Tu sens que dans cet instant-là je dois déjà être en marche. — A propos, tu viens de te promener, comment as-tu trouvé les environs ?

— J'y ai remarqué, répondis-je froidement, assez d'arbres pour y pendre toi et toute ta bande.

— Eh bien ! répliqua-t-il avec un ricanement forcé, il est un endroit que tu n'as sans doute pas vu, et avec lequel le *bon per* te fera faire connaissance. — Adieu, jeune capitaine, bonsoir à Léogri.

Il me salua avec ce rire qui me rappelait le bruit du serpent à sonnettes, fit un geste, me tourna le dos, et les nègres m'entraînèrent. L'obi voilé nous accompagnait, son chapelet à la main.

LI

E MARCHAIS au milieu d'eux sans faire de résistance ; il est vrai qu'elle eût été inutile. Nous montâmes sur la croupe d'un mont situé à l'ouest de la savane, où nous nous reposâmes un instant; là je jetai un dernier regard sur ce soleil couchant qui ne devait plus se lever pour moi. Mes guides se levèrent, je les suivis. Nous descendîmes dans une petite vallée qui m'eût enchanté dans tout autre instant. Un torrent la traversait dans sa largeur et communiquait au sol une humidité féconde; ce torrent se jetait à l'extrémité du vallon dans un de ces lacs bleus dont abonde l'intérieur des mornes à Saint-Domingue. Que de fois, dans des temps plus heureux, je m'étais assis pour rêver sur le bord de ces beaux lacs, à l'heure du crépuscule, quand leur azur se change en une nappe d'argent où le reflet des premières étoiles du soir sème des paillettes d'or! Cette heure allait bientôt venir, mais il fallait passer! Que cette vallée me sembla belle! On y voyait des platanes à fleurs d'érable d'une force et d'une hauteur prodigieuses; des bouquets touffus de *maurilias,* sorte de palmier qui exclut toute autre végétation sous son ombrage, des dattiers, des magnolias avec leurs larges calices, de grands catalpas montrant leurs feuilles polies et découpées parmi les grappes d'or des faux ébéniers. L'odier du Canada y mêlait ses fleurs d'un jaune pâle aux auréoles bleues dont se charge cette espèce de chèvrefeuille sauvage que les nègres nomment *coali.* Des rideaux verdoyants de lianes dérobaient à la vue les flancs bruns des rochers voisins. Il s'élevait de tous les points de ce sol vierge un parfum primitif comme celui que devait respirer le premier homme sur les premières roses de l'Éden. — Nous marchions cependant le long d'un sentier tracé sur le bord du torrent. Je fus surpris de voir ce sentier aboutir brusquement au pied d'un roc à pic, au bas duquel je remarquai une ouverture en forme d'arche, d'où s'échappait le torrent. Un bruit sourd, un vent impétueux sortaient de cette arche naturelle. Les nègres prirent à gauche un chemin tortueux et inégal qui semblait avoir été creusé par les eaux d'un torrent desséché depuis longtemps. Une voûte se présenta, à demi bouchée par les ronces, les houx et les épines sauvages qui y croissaient. Un bruit pareil à celui de l'arche de la vallée se faisait entendre sous cette voûte. Les noirs m'y entraînèrent. Au moment où je fis le premier pas dans ce souterrain, l'obi s'approcha de moi, et me dit d'une voix étrange : — Voici ce que j'ai à te prédire maintenant : un de nous deux seulement sortira de cette voûte et repassera par ce chemin. — Je dédaignai de répondre. Nous avançâmes dans l'obscurité. Le bruit devenait de plus en plus fort ; nous ne nous entendions plus marcher. Je jugeai qu'il devait être produit par une chute d'eau : je ne me trompais pas.

Après dix minutes de marche dans les ténèbres, nous arrivâmes sur une espèce de plate-forme intérieure, formée par la nature dans le centre même de la montagne. La plus grande partie de cette plate-forme demi-circulaire était inondée par le torrent qui jaillissait des veines du mont avec un bruit épouvantable. Au-dessus de cette salle souterraine, la voûte formait une sorte de dôme tapissé de lierre d'une couleur jaunâtre. Cette voûte était traversée presque dans toute sa largeur par une crevasse à travers laquelle le jour pénétrait, et dont le bord était couronné d'arbustes verts, dorés en ce moment des rayons du soleil. A l'extrémité nord de la plate-forme, le torrent se perdait avec fracas dans un gouffre au fond duquel semblait flotter, sans pouvoir y pénétrer, la vague lueur qui descendait de la crevasse. Sur l'abîme se penchait un vieil arbre, dont les plus hautes branches se mêlaient à l'écume de la cascade, et dont la souche noueuse perçait le roc, un ou deux pieds au-dessous du bord. Cet arbre, baignant ainsi à la fois dans le torrent sa tête et sa racine, qui se projetait sur ce gouffre comme un bras décharné, était si dépouillé de verdure qu'on n'en pouvait reconnaître l'espèce. Il offrait un phénomène singulier : l'humidité qui imprégnait ses racines l'empêchait seule de mourir, tandis que la violence de la cataracte lui arrachait successivement ses branches nouvelles, et le forçait de conserver éternellement les mêmes rameaux.

LII

LES NOIRS s'arrêtèrent en cet endroit terrible, et je vis qu'il fallait mourir.

Alors, près de ce gouffre dans lequel je me précipitais en quelque sorte volontairement, l'image du bonheur auquel j'avais renoncé peu d'heures auparavant revint m'assaillir comme un regret, presque comme un remords. Toute prière était indigne de moi ; une plainte m'échappa pourtant.

— Amis, dis-je aux noirs qui m'entouraient, savez-vous que c'est une triste chose que de périr à vingt ans, quand on est plein de force et de vie, qu'on est aimé de ceux qu'on aime, et qu'on laisse derrière soi des yeux qui pleureront jusqu'à ce qu'ils se ferment ?

Un rire horrible accueillit ma plainte. C'était celui du petit obi. Cette espèce de malin esprit, cet être impénétrable s'approcha brusquement de moi.

— Ha ! ha ! ha ! Tu regrettes la vie. *Labado sea Dios !* Ma seule crainte, c'était que tu n'eusses pas peur de la mort !

C'était cette même voix, ce même rire, qui avaient déjà fatigué mes conjectures.

— Misérable, lui dis-je, qui es-tu donc?

— Tu vas le savoir! me répondit-il d'un accent terrible. Puis, écartant le soleil d'argent qui parait sa brune poitrine : — Regarde!

Je me penchai jusqu'à lui. Deux noms étaient gravés sur le sein velu de l'obi en lettres blanchâtres, traces hideuses et ineffaçables qu'imprimait un fer ardent sur la poitrine des esclaves. L'un de ces noms était *Effingham,* l'autre était celui de mon oncle, le mien, *d'Auverney!* Je demeurai muet de surprise!

— Eh bien! Léopold d'Auverney, me demanda l'obi, ton nom te dit-il le mien?

— Non, répondis-je étonné de m'entendre nommer par cet homme, et cherchant à rallier mes souvenirs. Ces deux noms ne furent jamais réunis que sur la poitrine du bouffon... Mais il est mort, le pauvre nain, et d'ailleurs il nous était attaché, lui. Tu ne peux pas être Habibrah!

— Lui-même! s'écria-t-il d'une voix effrayante; et, soulevant la sanglante *gorra,* il détacha son voile. Le visage difforme du nain de la maison s'offrit à mes yeux; mais à l'air de folle gaieté que je lui connaissais avait succédé une expression menaçante et sinistre.

— Grand Dieu! m'écriai-je frappé de stupeur, tous les morts reviennent-ils? C'est Habibrah, le bouffon de mon oncle!

Le nain mit la main sur son poignard, et dit sourdement : — Son bouffon... et son meurtrier.

Je reculai avec horreur.

— Son meurtrier!... Scélérat, est-ce donc ainsi que tu as reconnu ses bontés?

Il m'interrompit : — Ses bontés! dis ses outrages!

— Comment, repris-je, c'est toi qui l'as frappé, misérable !

— Moi ! répondit-il avec une expression horrible. Je lui ai enfoncé le couteau si profondément dans le cœur, qu'à peine a-t-il eu le temps de sortir du sommeil pour entrer dans la mort. Il a crié faiblement : *A moi, Habibrah!...* J'étais à lui.

Son atroce récit, son atroce sang-froid me révoltèrent.

— Malheureux ! lâche assassin ! Tu avais donc oublié les faveurs qu'il n'accordait qu'à toi ? tu mangeais près de sa table, tu dormais près de son lit...

— ... Comme un chien ! interrompit brusquement Habibrah ; *como un perro!* Va ! je ne me suis que trop souvenu de ces faveurs qui sont des affronts ! Je m'en suis vengé sur lui, je vais m'en venger sur toi ! Écoute. Crois-tu donc que pour être mulâtre, nain et difforme, je ne sois pas homme ? Ah ! j'ai une âme, et une âme plus profonde et plus forte que celle dont je vais délivrer ton corps de jeune fille ! J'ai été donné à ton oncle comme un sapajou. Je servais à ses plaisirs, j'amusais ses mépris. Il m'aimait, dis-tu ; j'avais une place dans son cœur ; oui, entre sa guenon et son perroquet. Je m'en suis choisi une autre avec mon poignard !

Je frémissais.

— Oui, continua le nain, c'est moi ! c'est bien moi ! regarde-moi en face, Léopold d'Auverney ! Tu as assez ri de moi, tu peux frémir maintenant. Et dis-moi, tu me rappelles la honteuse prédilection de ton oncle pour celui qu'il nommait son bouffon ! Quelle prédilection, *bon Giu!* Si j'entrais dans vos salons, milles rires dédaigneux m'accueillaient ; ma taille, mes difformités, mes traits, mon costume dérisoire, jusqu'aux infirmités déplorables de ma nature, tout en moi prêtait aux railleries de ton exécrable oncle et de ses exécrables amis. Et moi, je ne pouvais pas même me taire; il fallait, *o rabia!* il fallait mêler mon rire aux rires que j'excitais! Réponds, crois-tu que de pareilles humiliations soient un titre à la reconnaissance d'une créature humaine? Crois-tu qu'elles ne vaillent pas les misères des autres esclaves; les travaux sans relâche, les ardeurs du soleil, les carcans de fer et le fouet des commandeurs? Crois-tu qu'elles ne suffisent pas pour faire germer dans un cœur d'homme une haine ardente, implacable, éternelle, comme le stigmate d'infamie qui flétrit ma poitrine? Oh! pour avoir souffert si longtemps, que ma vengeance a été courte! Que n'ai-je pu faire endurer à mon odieux tyran tous les tourments qui renaissaient pour moi à tous les moments de tous les jours! Que n'a-t-il pu avant de mourir connaître l'amertume de l'orgueil blessé et sentir quelles traces brûlantes laissent les larmes de honte et de rage sur un visage condamné à un rire perpétuel! Hélas! il est bien dur d'avoir tant attendu l'heure de punir, et d'en finir d'un coup de poignard! Encore s'il avait pu savoir quelle main le frappait! Mais j'étais trop impatient d'entendre son dernier râle; j'ai enfoncé trop vite le couteau; il est mort sans m'avoir reconnu, et ma fureur a trompé ma vengeance! Cette fois, du moins, elle sera plus complète. Tu me vois bien, n'est-ce pas? Il est vrai que tu dois avoir peine à me reconnaître dans le nouveau jour qui me montre à toi. Tu ne m'avais jamais vu que sous un air rieur et joyeux; maintenant que rien n'interdit à mon âme de paraître dans mes yeux, je ne dois plus me ressembler. Tu ne connaissais que mon masque : voici mon visage!

Il était horrible.

— Monstre! m'écriai-je, tu te trompes, il y a encore

quelque chose du baladin dans l'atrocité de tes traits et de ton cœur.

— Ne parle pas d'atrocité! interrompit Habibrah. Songe à la cruauté de ton oncle...

— Misérable, repris-je indigné; s'il était cruel, c'était par toi! Tu plains le sort des malheureux esclaves; mais pourquoi alors tournais-tu contre tes frères le crédit que la faiblesse de ton maître t'accordait? Pourquoi n'as-tu jamais essayé de le fléchir en leur faveur?

— J'en aurais été bien fâché! Moi, empêcher un blanc de se souiller d'une atrocité! non! non! Je l'engageais au contraire à redoubler de mauvais traitements envers ses esclaves, afin d'avancer l'heure de la révolte, afin que l'excès de l'opposition amenât enfin la vengeance! En paraissant nuire à mes frères, je les servais!

Je restai confondu devant une si profonde combinaison de la haine.

— Eh bien! continua le nain, trouves-tu que j'aie su méditer et exécuter? Que dis-tu du bouffon Habibrah? Que dis-tu du fou de ton oncle?

— Achève ce que tu as si bien commencé, lui répondis-je. Fais-moi mourir, mais hâte-toi.

Il se mit à se promener de long en large sur la plate-forme, en se frottant les mains. — Et s'il ne me plaît pas de me hâter, à moi? si je veux jouir à mon aise de tes angoisses? Vois-tu, Biassou me devait ma part dans le butin du dernier pillage. Quand je t'ai vu au camp des noirs, je ne lui ai demandé que ta vie. Il me l'a accordée volontiers; et maintenant elle est à moi! Je m'en amuse. Tu vas bientôt suivre cette cascade dans ce gouffre; sois tranquille; mais je dois te dire auparavant qu'ayant découvert la retraite où ta femme avait été cachée, j'ai inspiré aujourd'hui à Biassou de faire incendier la forêt, cela doit être commencé à présent. Ainsi ta famille est anéantie. Ton oncle a péri par le fer; tu vas périr par l'eau; ta Marie par le feu!

— Misérable! misérable! m'écriai-je; et je fis un mouvement pour me jeter sur lui. Il se tourna vers les nègres : — Allons, attachez-le! il avance son heure.

Alors les nègres commencèrent à me lier en silence avec des cordes qu'ils avaient apportées. Tout à coup je crus entendre les aboiements lointains d'un chien; je pris ce bruit pour une illusion causée par le mugissement de la cascade. Les nègres achevèrent de m'attacher, et m'approchèrent du gouffre qui devait m'engloutir. Le nain, croisant les bras, me regardait avec une joie triomphante. Je levai les yeux vers la crevasse pour fuir son odieuse vue, et pour découvrir encore le ciel. En ce moment un aboiement plus fort et plus prononcé se fit entendre. La tête énorme de Rask passa par l'ouverture. Je tressaillis. Le nain s'écria : *Allons!* Les noirs, qui n'avaient pas remarqué les aboiements, se préparèrent à me lancer au milieu de l'abîme...

LIII

CAMARADES! cria une voix tonnante.

Tous se retournèrent : — c'était Bug-Jargal. Il était debout sur le bord de la crevasse; une plume rouge flottait sur sa tête.

— Camarades, répéta-t-il, arrêtez!

Les noirs se prosternèrent. Il continua :

— Je suis Bug-Jargal.

Les noirs frappèrent la terre de leurs fronts, en poussant des cris dont il était difficile de distinguer l'expression.

— Déliez le prisonnier, cria le chef.

Ici le nain parut se réveiller de la stupeur où l'avait plongé cette apparition inattendue. Il arrêta brusquement les bras des noirs prêts à couper mes liens. — Comment! qu'est-ce? s'écria-t-il. *Que quiere decir eso?* Puis, levant la tête vers Bug-Jargal : — Chef du Morne-Rouge, que venez-vous faire ici?

Bug-Jargal répondit : — Je viens commander à mes frères!

— En effet, dit le nain avec une rage concentrée, ce sont des noirs du Morne-Rouge! Mais de quel droit, ajouta-t-il en haussant la voix, disposez-vous de mon prisonnier?

Le chef répondit : — Je suis Bug-Jargal!

Les noirs frappèrent la terre de leurs fronts.

— Bug-Jargal, reprit Habibrah, ne peut pas défaire ce qu'a fait Biassou. Ce blanc m'a été donné par Biassou. Je veux qu'il meure; il mourra. — *Vosotros,* dit-il aux noirs, obéissez! jetez-le dans le gouffre.

A la voix puissante de l'obi, les noirs se relevèrent et firent un pas vers moi. Je crus que c'en était fait.

— Déliez le prisonnier, cria Bug-Jargal.

En un clin d'œil je fus libre. Ma surprise égalait la rage de l'obi. Il voulut se jeter sur moi. Les noirs l'arrêtèrent. Alors il s'exhala en imprécations et en menaces.

— *Demonios! rabia! infierno de mi alma!* Comment! misérables! vous refusez de m'obéir! vous méconnaissez *mi voz!* Pourquoi ai-je perdu *el tiempo* à écouter *este maldicho!* J'aurais dû le faire jeter tout de suite aux poissons *del baratro!* A force de vouloir une vengeance complète, je la perds. *O rabia de Sathan! Escuchate vosotros!* Si vous ne m'obéissez pas, si vous ne précipitez pas cet exécrable blanc dans le torrent, je vous maudis! Vos cheveux deviendront blancs; les maringouins et les bigailles vous dévoreront tout vivants; vos jambes et vos bras plieront comme des roseaux; votre haleine brûlera votre gosier comme un sable ardent : vous mourrez bientôt, et après votre mort vos esprits seront condamnés à tourner sans cesse une meule grosse comme une montagne, dans la lune où il fait froid!

Cette scène produisait sur moi un effet singulier. Seul de mon espèce dans cette caverne humide et noire, environné de ces nègres pareils à des démons, balancé en quelque sorte au penchant de cet abîme sans fond, tour à tour menacé par ce nain hideux, par ce sorcier difforme, dont un jour pâle laissait à peine entrevoir le vêtement bariolé et la mitre pointue, et protégé par le grand noir, qui m'apparaissait au seul point d'où l'on pût voir le ciel, il me semblait être aux portes de l'enfer, attendre la perte ou le salut de mon âme, et assister à une lutte opiniâtre entre mon bon ange et mon mauvais génie.

Les noirs paraissaient terrifiés des malédictions de l'obi. Il voulut profiter de leur indécision, et s'écria : — Je veux que le blanc meure, vous obéirez : il mourra!

Bug-Jargal répondit gravement : — Il vivra! Je suis Bug-Jargal. Mon père était roi au pays de Kakongo, et rendait la justice sur le seuil de sa porte.

Les noirs s'étaient prosternés de nouveau.

Le chef poursuivit :

— Frères! allez dire à Biassou de ne pas déployer sur la montagne le drapeau noir qui doit annoncer aux blancs la mort de ce captif, car ce captif a sauvé la vie à Bug-Jargal, et Bug-Jargal veut qu'il vive.

Ils se relevèrent. Bug-Jargal jeta sa plume rouge au milieu d'eux. Le chef du détachement croisa les bras sur sa poitrine, et ramassa le panache avec respect ; puis ils sortirent sans proférer une parole. L'obi disparut avec eux dans les ténèbres de l'avenue souterraine.

Je n'essaierai pas de vous peindre, messieurs, la situation où je me trouvais. Je fixai des yeux humides sur Pierrot, qui de son côté me contemplait avec une singulière expression de reconnaissance et de fierté.

— Dieu soit béni ! dit-il enfin, tout est sauvé. Frère, retourne par où tu es venu. Tu me retrouveras dans la vallée.

Il me fit un signe de la main, et se retira.

LIV

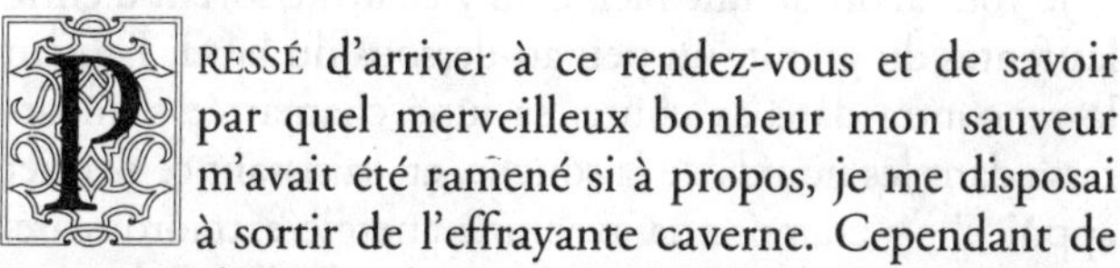

PRESSÉ d'arriver à ce rendez-vous et de savoir par quel merveilleux bonheur mon sauveur m'avait été ramené si à propos, je me disposai à sortir de l'effrayante caverne. Cependant de nouveaux dangers m'y étaient réservés. A l'instant où je me dirigeai vers la galerie souterraine, un obstacle imprévu m'en barra tout à coup l'entrée. C'était encore Habibrah. Le rancuneux obi n'avait pas suivi les nègres comme je l'avais cru ; il s'était caché derrière un pilier de roches, attendant un moment plus propice pour sa vengeance. Ce moment était venu. Le nain se montra subitement et rit. J'étais seul, désarmé ; un poignard, le même qui lui tenait lieu de crucifix, brillait dans sa main. A sa vue, je reculai involontairement.

— Ha! ha! *maldicho!* tu croyais donc m'échapper! mais le fou est moins fou que toi. Je te tiens, et cette fois je ne te ferai pas attendre. Ton ami Bug-Jargal ne t'attendra pas non plus en vain. Tu iras au rendez-vous dans la vallée, mais c'est le flot de ce torrent qui se chargera de t'y conduire.

En parlant ainsi, il se précipita vers moi le poignard levé.

— Monstre! lui dis-je en reculant sur la plate-forme, tout à l'heure tu n'étais qu'un bourreau, maintenant tu es un assassin!

— Je me venge! répondit-il en grinçant des dents.

En ce moment j'étais sur le bord du précipice ; il fondit brusquement sur moi afin de m'y pousser d'un coup de poignard. J'esquivai le choc. Le pied lui manqua sur cette mousse glissante dont les rochers humides sont en quelque sorte enduits : il roula sur la pente arrondie par les flots. — Mille démons! s'écria-t-il en rugissant : il était tombé dans l'abîme.

Je vous ai dit qu'une racine du vieil arbre sortait d'entre les fentes du granit, un peu au-dessous du bord. Le nain la rencontra dans sa chute, sa jupe chamarrée s'embarrassa dans les nœuds de la souche, et, saisissant ce dernier appui, il s'y cramponna avec une énergie extraordinaire. Son bonnet aigu se détacha de sa tête; il fallut lâcher son poignard; et cette arme d'assassin et la gorra sonnante du bouffon disparurent ensemble en se heurtant dans les profondeurs de la cataracte.

Habibrah, suspendu sur l'horrible gouffre, essaya d'abord de remonter sur la plate-forme; mais ses petits bras ne pouvaient atteindre jusqu'à l'arête de l'escarpement, et ses ongles s'usaient en efforts impuissants pour entamer la surface visqueuse du roc qui surplombait dans le ténébreux abîme. Il hurlait de rage.

La moindre secousse de ma part eût suffi pour le précipiter ; mais c'eût été une lâcheté, et je n'y songeai pas un moment. Cette modération le frappa. Remerciant le ciel du salut qu'il m'envoyait d'une manière si inespérée, je me décidais à l'abandonner à son sort, et j'allais sortir de la salle souterraine, quand j'entendis tout à coup la voix du nain sortir de l'abîme, suppliante et douloureuse.

— Maître ! criait-il, maître ! ne vous en allez pas, de grâce ! Au nom du *bon Giu,* ne laissez pas mourir, impénitente et coupable, une créature humaine que vous pouvez sauver. Hélas !.... les forces me manquent, la branche glisse et plie dans mes mains, le poids de mon corps m'entraîne, je vais la lâcher ou elle va se rompre... Hélas ! maître ! l'effroyable gouffre tourbillonne audessous de moi ! *Nombre santo de Dios !* n'aurez-vous aucune pitié pour votre pauvre bouffon ? Il est bien criminel ; mais ne lui prouverez-vous pas que les blancs valent mieux que les mulâtres, les maîtres que les esclaves ?

Je m'étais rapproché du précipice presque ému, et la terne lumière qui descendait de la crevasse me montrait sur le visage repoussant du nain une expression que je ne lui connaissais pas encore, celle de la prière et de la détresse.

— *Señor* Léopold, continua-t-il, encouragé par le mouvement de pitié qui m'était échappé, serait-il vrai qu'un être humain vît son semblable dans une position aussi horrible, pût le secourir, et ne le fît pas ! Hélas ! tendez-moi la main, maître. Il ne faudrait qu'un peu d'aide pour me sauver. Ce qui est tout pour moi est si peu de chose pour vous ! Tirez-moi à vous, de grâce ! Ma reconnaissance égalera mes crimes...

Je l'interrompis :

— Malheureux ! ne rappelle pas ce souvenir !

— C'est pour le détester, maître, reprit-il. Ah! soyez plus généreux que moi! O ciel! ô ciel! je faiblis! je tombe!..... *Ay desdichado!* La main! votre main! tendez-moi la main! au nom de la mère qui vous a porté!

Je ne saurais vous dire à quel point était lamentable cet accent de terreur et de souffrance! J'oubliai tout. Ce n'était plus un ennemi, un traître, un assassin, c'était un malheureux qu'un léger effort de ma part pouvait arracher à une mort affreuse. Il m'implorait si pitoyablement! Toute parole, tout reproche eût été inutile et ridicule ; le besoin d'aide paraissait urgent. Je me baissai, et, m'agenouillant le long du bord, l'une de mes mains appuyée sur le tronc de l'arbre dont la racine soutenait l'infortuné Habibrah, je lui tendis l'autre.... — Dès qu'elle fut à sa portée, il la saisit de ses deux mains avec une force prodigieuse, et, loin de se prêter au mouvement d'ascension que je voulais lui donner, je le sentis qui cherchait à m'entraîner avec lui dans l'abîme. Si le tronc de l'arbre ne m'eût pas prêté un aussi solide appui, j'aurais été infailliblement arraché du bord par la secousse violente et inattendue que me donna le misérable.

— Scélérat! m'écriai-je, que fais-tu?

— Je me venge! répondit-il avec un rire éclatant et infernal. Ah! je te tiens enfin! Imbécile! tu t'es livré toi-même! Je te tiens! Tu étais sauvé, j'étais perdu; et c'est toi qui rentres volontairement dans la gueule du caïman, parce qu'elle a gémi après avoir rugi! Me voilà consolé, puisque ma mort est une vengeance! Tu es pris au piège, *amigo!* et j'aurai un compagnon humain chez les poissons du lac.

— Ah! traître! disais-je en me raidissant, voilà comme tu me récompenses d'avoir voulu te tirer du péril!

— Oui, reprenait-il, je sais que j'aurais pu me sauver

avec toi, mais j'aime mieux que tu périsses avec moi. J'aime mieux ta mort que ma vie ! Viens !

En même temps ses deux mains bronzées et calleuses se crispaient sur la mienne avec des efforts inouïs ; ses yeux flamboyaient, sa bouche écumait ; ses forces, dont il déplorait si douloureusement l'abandon un moment auparavant, lui étaient revenues, exaltées par la rage et la vengeance ; ses pieds s'appuyaient ainsi que deux leviers aux parois perpendiculaires du rocher, et il bondissait comme un tigre sur la racine, qui, mêlée à ses vêtements, le soutenait malgré lui ; car il eût voulu la briser afin de peser de tout son poids sur moi et de m'entraîner plus vite. Il interrompait quelquefois, pour la mordre avec fureur, le rire épouvantable que m'offrait son monstrueux visage. On eût dit l'horrible démon de cette caverne cherchant à attirer une proie dans son palais d'abîmes et de ténèbres.

Un de mes genoux s'était heureusement arrêté dans une anfractuosité du rocher ; mon bras s'était en quelque sorte noué à l'arbre qui m'appuyait ; et je luttais contre les efforts du nain avec toute l'énergie que le sentiment de la conservation peut donner dans un semblable moment. De temps en temps je soulevais péniblement ma poitrine, et j'appelais de toutes mes forces : *Bug-Jargal!* Mais le fracas de la cascade et l'éloignement me laissaient bien peu d'espoir qu'il pût entendre une voix.

Cependant le nain, qui ne s'était pas attendu à tant de résistance, redoublait ses furieuses secousses. Je commençais à perdre mes forces, bien que cette lutte eût duré bien moins de temps qu'il ne m'en faut pour vous la raconter. Un tiraillement insupportable paralysait presque mon bras ; ma vue se troublait ; des lueurs livides et confuses se croisaient devant mes yeux ; des tintements remplissaient mes oreilles ; j'entendais crier la racine prête à rompre, rire le monstre prêt à tomber, et il me semblait que le gouffre hurlant se rapprochait de moi.

Avant de tout abandonner à l'épuisement et au désespoir, je tentai un dernier appel : je rassemblai mes forces éteintes, et je criai encore une fois : *Bug-Jargal!* Un aboiement me répondit... J'avais reconnu Rask, je tournai les yeux. Bug-Jargal et son chien étaient au bord de la crevasse. Je ne sais s'il avait entendu ma voix ou si quelque inquiétude l'avait ramené. Il vit mon danger. — Tiens bon! me cria-t-il. Habibrah, craignant mon salut, me criait de son côté en écumant de fureur : — Viens donc! viens! Et il ramassait, pour en finir, le reste de sa vigueur surnaturelle. En ce moment, mon bras fatigué se détacha de l'arbre. C'en était fait de moi! quand je me sentis saisir par-derrière : c'était Rask. A un signe de son maître il avait sauté de la crevasse sur la plate-forme, et sa gueule me retenait puissamment par les basques de mon habit. Ce secours inattendu me sauva. Habibrah avait consumé toute sa force dans son dernier effort; je rappelai la mienne pour lui arracher ma main. Ses doigts engourdis et raides furent enfin contraints de me lâcher; la racine, si longtemps tourmentée, se brisa sous son poids; et, tandis que Rask me retirait violemment en arrière, le misérable nain s'engloutit dans l'écume de la sombre cascade, en me jetant une malédiction que je n'entendis pas, et qui retomba avec lui dans l'abîme. — Telle fut la fin du bouffon de mon oncle.

LV

ETTE scène effrayante, cette lutte forcenée, son dénouement terrible, m'avaient accablé. J'étais presque sans force et sans connaissance. La voix de Bug-Jargal me ranima.

— Frère ! me criait-il, hâte-toi de sortir d'ici ! Le soleil sera couché dans une demi-heure. Je vais t'attendre là-bas. Suis Rask.

Cette parole amie me rendit tout à la fois espérance, vigueur et courage. Je me relevai. Le dogue s'enfonça rapidement dans l'avenue souterraine ; je le suivis : son jappement me guidait dans l'ombre. Après quelques instants je revis le jour devant moi ; enfin nous atteignîmes l'issue, et je respirai librement. En sortant de dessous la voûte humide et noire je me rappelai la prédiction du nain, au moment où nous y étions entrés : — « L'un de nous deux seulement repassera par ce chemin. » Son attente avait été trompée, mais sa prophétie s'était réalisée.

LVI

ARVENU dans la vallée, je revis Bug-Jargal ; je me jetai dans ses bras, et j'y demeurai oppressé, ayant mille questions à lui faire et ne pouvant parler.

— Écoute, me dit-il, ta femme, ma sœur, est en sûreté. Je l'ai remise au camp des blancs, à l'un de vos parents, qui commande les avant-postes ; je voulais me rendre prisonnier, de peur qu'on ne sacrifiât en ma place les dix têtes qui répondent de la mienne. Ton parent m'a dit de fuir et de tâcher de prévenir ton supplice, les dix noirs ne devant être exécutés que si tu l'étais, ce que Biassou devait faire annoncer en arborant un drapeau noir sur la plus haute de nos montagnes. Alors j'ai couru, Rask m'a conduit, et je suis arrivé à temps, grâce au ciel! Tu vivras et moi aussi.

Il me tendit la main et ajouta : — Frère, es-tu content?

Je le serrai de nouveau dans mes bras; je le conjurai de ne plus me quitter, de rester avec moi parmi les blancs; je lui promis un grade dans l'armée coloniale. Il m'interrompit d'un air farouche : — Frère, est-ce que je te propose de t'enrôler parmi les miens?

Je gardai le silence, je sentais mon tort. Il ajouta avec gaieté : — Allons, viens vite revoir et rassurer ta femme!

Cette proposition répondait à un besoin pressant de mon cœur; je me levai ivre de bonheur; nous partîmes. Le noir connaissait le chemin; il marchait devant moi; Rask nous suivait... !

Ici d'Auverney s'arrêta et jeta un sombre regard autour de lui. La sueur coulait à grosses gouttes de son front. Il couvrit son visage avec sa main. Rask le regardait d'un air inquiet. — Oui, c'est ainsi que tu me regardais! murmura-t-il.

Un instant après, il se leva violemment agité, et sortit de la tente. Le sergent et le dogue l'accompagnèrent.

LVII

E GAGERAIS, s'écria Henri, que nous approchons de la catastrophe ! Je serais vraiment fâché qu'il arrivât quelque chose à Bug-Jargal ; c'était un fameux homme !

Paschal ôta de ses lèvres le goulot de sa bouteille revêtue d'osier, et dit :

— J'aurais voulu, pour douze paniers de porto, voir la noix de coco qu'il vida d'un trait.

Alfred, qui était en train de rêver à un air de guitare, s'interrompit, et pria le lieutenant Henri de lui rattacher ses aiguillettes ; il ajouta :

— Ce nègre m'intéresse beaucoup. Seulement je n'ai pas encore osé demander à d'Auverney s'il savait aussi l'air de : *la hermosa Padilla.*

— Biassou est bien plus remarquable, reprit Paschal ; son vin goudronné ne devait pas valoir grand'chose, mais du moins cet homme-là savait ce que c'est qu'un Français. Si j'avais été son prisonnier, j'aurais laissé pousser ma moustache pour qu'il me prêtât quelques piastres dessus, comme la ville de Goa à ce capitaine portugais. Je vous déclare que mes créanciers sont plus impitoyables que Biassou.

— A propos, capitaine ! voilà quatre louis que je vous dois ! s'écria Henri en jetant sa bourse à Paschal.

Le capitaine regarda d'un œil étonné son généreux débiteur, qui aurait à plus juste titre pu se dire son créancier. Henri se hâta de poursuivre.

— Voyons, messieurs, que pensez-vous jusqu'ici de l'histoire que nous raconte le capitaine ?

— Ma foi, dit Alfred, je n'ai pas écouté fort attentivement, mais je vous avoue que j'aurais espéré quelque chose de plus intéressant de la bouche du rêveur d'Auverney. Et puis il y a une romance en prose ; et je n'aime pas les romances en prose : sur quel air chanter cela ? En somme, l'histoire de Bug-Jargal m'ennuie ; c'est trop long.

— Vous avez raison, dit l'aide-de-camp Paschal ; c'est trop long. Si je n'avais pas eu ma pipe et mon flacon, j'aurais passé une méchante nuit. Remarquez en outre qu'il y a beaucoup de choses absurdes. Comment croire, par exemple, que ce petit magot de sorcier,... comment l'appelle-t-il déjà ?... *Habitbas ?* Comment croire qu'il veuille, pour noyer son ennemi, se noyer lui-même ?...

— Henri l'interrompit en souriant : — Dans de l'eau, surtout ! n'est-ce pas, capitaine Paschal ? Quant à moi, ce qui m'amusait le plus pendant le récit de d'Auverney, c'était de voir son chien boiteux lever la tête chaque fois qu'il prononçait le nom de Bug-Jargal.

— Et en cela, interrompit Paschal, il faisait précisément le contraire de ce que j'ai vu faire aux vieilles bonnes femmes de Celadas quand le prédicateur prononçait le nom de Jésus ; j'entrais dans l'église avec une douzaine de cuirassiers...

Le bruit du fusil du factionnaire avertit que d'Auverney rentrait. Tout le monde se tut. Il se promena quelque temps les bras croisés et en silence. Le vieux Thadée, qui s'était rassis dans un coin, l'observait à la dérobée, et s'efforçait de paraître caresser Rask, pour que le capitaine ne s'aperçût pas de son inquiétude.

D'Auverney reprit enfin :

LVIII

ASK nous suivait. Le rocher le plus élevé de la vallée n'était plus éclairé par le soleil : une lueur s'y peignit tout à coup, et passa. — Le noir tressaillit; il me serra fortement la main.

— Écoute, me dit-il.

Un bruit sourd, semblable à la décharge d'une pièce d'artillerie, se fit entendre alors dans les vallées, et se prolongea d'échos en échos.

— C'est le signal, dit le nègre d'une voix sombre. Il reprit : — C'est un coup de canon, n'est-ce pas?

Je fis un signe de tête affirmatif.

En deux bonds il fut sur une roche élevée : je l'y suivis. Il croisa les bras, et se mit à sourire tristement.

— Vois-tu? me dit-il.

Je regardai du côté qu'il m'indiquait, et je vis le pic qu'il m'avait montré lors de mon entrevue avec Marie, le seul que le soleil éclairât encore, surmonté d'un grand drapeau noir.

Ici, d'Auverney fit une pause.

— J'ai su depuis que Biassou, pressé de partir, et me croyant mort, avait fait arborer l'étendard avant le retour du détachement qui avait dû m'exécuter.

Bug-Jargal était toujours là, debout, les bras croisés, et contemplant le lugubre drapeau. Soudain il se retourna vivement et fit quelques pas, comme pour descendre du roc. — Dieu! Dieu! mes malheureux compagnons! Il revint à moi : — As-tu entendu le canon? me demanda-t-il. Je ne répondis point.

— Eh bien! frère, c'était le signal. On les conduit maintenant.

Sa tête tomba sur sa poitrine. Il se rapprocha encore de moi.

— Va retrouver ta femme, frère, Rask te conduira ; il siffla un air africain, le chien se mit à remuer la queue, et parut vouloir se diriger vers un point de la vallée.

Bug-Jargal me prit la main et s'efforça de sourire ; mais ce sourire était convulsif.

— Adieu ! me cria-t-il d'une voix forte ; et il se perdit dans les touffes d'arbres qui nous entouraient.

J'étais pétrifié. Le peu que je comprenais à ce qui venait d'avoir lieu me faisait prévoir tous les malheurs.

Rask, voyant son maître disparaître, s'avança sur le bord du roc, et se mit à secouer la tête avec un hurlement plaintif. Il revint en baissant la queue ; ses grands yeux étaient humides ; il me regarda d'un air inquiet, puis il retourna vers l'endroit d'où son maître était parti, et aboya à plusieurs reprises. Je le compris : je sentais les mêmes craintes que lui. Je fis quelques pas de son côté ; alors il partit comme un trait en suivant les traces de Bug-Jargal ; je l'aurais eu bientôt perdu de vue, quoique je courusse aussi de toutes mes forces, si, de temps en temps, il ne se fût arrêté, comme pour me donner le temps de le joindre. — Nous traversâmes ainsi plusieurs vallées, nous franchîmes des collines couvertes de bouquets de bois. Enfin !...

La voix de d'Auverney s'éteignit. Un sombre désespoir se manifesta sur tous ses traits ; il put à peine articuler ces mots :

— Poursuis, Thadée, car je n'ai pas plus de force qu'une vieille femme.

Le vieux sergent n'était pas moins ému que le capitaine ; il se mit pourtant en devoir de lui obéir.

— Avec votre permission... — Puisque vous le désirez,

mon capitaine. — Il faut vous dire, mes officiers, que, quoique Bug-Jargal, dit Pierrot, fût un grand nègre, bien doux, bien fort, bien courageux, et le premier brave de la terre, après vous, s'il vous plaît, mon capitaine, je n'en étais pas moins bien animé contre lui, ce que je ne me pardonnerai jamais, quoique mon capitaine me l'ait pardonné. Si bien, mon capitaine, qu'après avoir attendu annoncer votre mort pour le soir du second jour, j'entrai dans une furieuse colère contre ce pauvre homme, et ce fut avec un vrai plaisir infernal que je lui annonçai que ce serait lui ou, à son défaut, dix des siens, qui vous tiendraient compagnie, et qui seraient fusillés en manière de représailles, comme on dit. A cette nouvelle, il ne manifesta rien, sinon qu'une heure après il se sauva en pratiquant un grand trou...

D'Auverney fit un geste d'impatience. Thadée reprit :

— Soit! quand on vit le grand drapeau noir sur la montagne, comme il n'était pas revenu, ce qui ne nous étonnait pas, avec votre permission, mes officiers, on tira le coup de canon de signal, et je fus chargé de conduire les dix nègres au lieu de l'exécution, appelé la Bouche-du-Grand-Diable, et éloigné du camp d'environ... Enfin, qu'importe! Quand nous fûmes là, vous sentez bien, messieurs, que ce n'était pas pour leur donner la clef des champs, je les fis lier, comme cela se pratique, et je disposai mes pelotons. — Voilà que je vois arriver de la forêt le grand nègre. Les bras m'en tombèrent. Il vint à moi tout essoufflé.

— J'arrive à temps! dit-il. Bonjour, Thadée.

Non, messieurs, il ne dit que cela, et il alla délier ses compatriotes. J'étais là, moi, tout stupéfait. Alors, avec votre permission, mon capitaine, il s'engagea un grand combat de générosité entre les noirs et lui, lequel aurait bien dû durer un peu plus longtemps... N'importe! oui, je m'en accuse, ce fut moi qui le fis cesser. Il prit la place des noirs. En ce moment son grand chien... Pauvre Rask! il arriva et me sauta à la gorge. — Il aurait bien dû, mon capitaine, s'y tenir quelques moments de plus! — Mais Pierrot fit un signe, et le pauvre dogue me lâcha; Bug-Jargal ne put pourtant pas empêcher qu'il ne vînt se coucher à ses pieds. Alors, je vous croyais mort, mon capitaine... J'étais en colère. — Je criai...

Le sergent étendit la main, regarda le capitaine, mais ne put articuler le mot fatal.

— Bug-Jargal tomba. — Une balle avait cassé la patte de son chien... Depuis ce temps-là, nos officiers (et le sergent secouait la tête tristement), depuis ce temps-là il est boiteux. J'entendis des gémissements dans le bois voisin, j'y entrai : c'était vous, mon capitaine; une balle vous avait atteint au moment où vous accouriez pour sauver le grand nègre. — Oui, mon capitaine, vous gémissiez; mais c'était sur lui! Bug-Jargal était mort! — Vous, mon capitaine, on vous rapporta au camp. Vous étiez blessé moins dangereusement que lui, car vous guérîtes, grâce aux bons soins de madame Marie.

Le sergent s'arrêta. D'Auverney reprit d'une voix solennelle et douloureuse :

— Bug-Jargal était mort!

Thadée baissa la tête.

— Oui, dit-il; et il m'avait laissé la vie; et c'est moi qui l'ai tué!

NOTE

Comme les lecteurs ont en général l'habitude d'exiger des éclaircissements définitifs sur le sort de chacun des personnages auxquels on a tenté de les intéresser, il a été fait des recherches, dans l'intention de satisfaire à cette habitude, sur la destinée ultérieure du capitaine Léopold d'Auverney, de son sergent et de son chien. Le lecteur se rappelle peut-être que la sombre mélancolie du capitaine provenait d'une double cause, la mort de Bug-Jargal, dit Pierrot, et la perte de sa chère Marie, laquelle n'avait été sauvée de l'incendie du fort Galifet que pour périr peu de temps après dans le premier incendie du Cap. Quant au capitaine lui-même, voilà ce qu'on a découvert sur son compte.

Le lendemain d'une grande bataille gagnée par les troupes de la république française sur l'armée de l'Europe, le général divisionnaire M***, chargé du commandement en chef, était dans sa tente, seul, et rédigeant, d'après les notes de son chef d'état-major, le rapport qui devait être envoyé à la Convention nationale, sur la victoire de la veille. Un aide-de-camp vint lui dire que le représentant du peuple en mission près de lui demandait à lui parler. Le général abhorrait ces espèces d'ambassadeurs à bonnets rouges, que la Montagne députait dans les camps pour les dégrader et les décimer, délateurs attitrés, chargés par des bourreaux d'espionner la gloire. Cependant il eût été dangereux de refuser la visite de l'un d'entre eux, surtout après une victoire. L'idole sanglante de ces temps-là aimait les victimes illustres ; et les sacrificateurs de la place de la Révolution étaient joyeux quand ils pouvaient, d'un même coup, faire tomber une tête et une couronne, ne fût-elle que d'épines, comme celle de Louis XVI, de fleurs, comme celle des jeunes filles de Verdun, ou de lauriers, comme celle de Custine et d'André Chénier. Le général ordonna donc qu'on introduisît le représentant.

Après quelques félicitations louches et restrictives sur le récent triomphe des armées républicaines, le représentant, se rapprochant du général, lui dit à demi-voix :

— Ce n'est pas tout, citoyen général : il ne suffit pas de vaincre les ennemis du dehors, il faut encore exterminer les ennemis du dedans.

— Que voulez-vous dire, citoyen représentant ? répondit le général étonné.

— Il y a dans votre armée, reprit mystérieusement le commissaire de la Convention, un capitaine nommé Léopold d'Auverney ; il sert dans la 32e demi-brigade. Général, le connaissez-vous ?

— Oui, vraiment ! repartit le général. Je lisais précisément un rapport de l'adjudant-général, chef de la 32e demi-brigade, qui le concerne. La 32e avait en lui un excellent capitaine.

— Comment, citoyen général ! dit le représentant avec hauteur. Est-ce que vous lui auriez donné un autre grade ?

— Je ne vous cacherai pas, citoyen représentant, que telle était en effet mon intention...

Ici le commissaire interrompit impétueusement le général. — La victoire vous aveugle, général M*** ! Prenez garde à ce que vous faites et à ce que vous dites. Si vous réchauffez dans votre sein les serpents ennemis du peuple, tremblez que le peuple ne vous écrase en écrasant les serpents ! Ce Léopold d'Auverney est un aristocrate, un contre-révolutionnaire, un royaliste, un feuillant, un girondin ! La justice publique le réclame ! Il faut me le livrer sur l'heure.

Le général répondit froidement :

— Je ne puis.

— Comment, vous ne pouvez ! reprit le commissaire dont l'emportement redoublait. Ignorez-vous, général M***, qu'il n'existe ici de pouvoir illimité que le mien ? La république vous ordonne, et vous ne pouvez ! Écoutez-moi : je veux, par condescendance pour vos succès, vous lire la note qui m'a été donnée sur ce d'Auverney, et que je dois envoyer avec sa personne à l'accusateur public. C'est l'extrait d'une liste de noms que vous ne voudrez pas me forcer de clore par le vôtre. Écoutez. — « LÉOPOLD AUVERNEY (ci-devant DE), capitaine dans la 32e demi-brigade, convaincu, *primo,* d'avoir raconté dans un conciliabule de conspirateurs une prétendue histoire contre-révolutionnaire, tendant à ridiculiser les principes de l'égalité et de la liberté, et à exalter les anciennes superstitions connues sous les noms de *royauté* et de *religion ;* convaincu, *secundo,* de s'être servi d'expressions réprouvées par tous les bons sans-culottes pour caractériser divers événements mémorables, notamment l'affranchissement des ci-devant noirs de Saint-Domingue ; convaincu, *tertio,* de s'être toujours servi du mot *monsieur* dans son récit, et jamais du mot *citoyen ;* enfin, *quarto,* d'avoir, par ledit récit, conspiré ouvertement le renversement de la république au profit de la faction des girondins et brissotistes. Il mérite la mort. » — Eh bien ! général, que dites-vous de cela ? Protégerez-vous encore ce traître ? Balancerez-vous à livrer au châtiment cet ennemi de la patrie ?

— Cet ennemi de la patrie, répliqua le général avec dignité, s'est sacrifié pour elle. A l'extrait de votre rapport je répondrai par un extrait du mien ; écoutez à votre tour. — « LÉOPOLD D'AUVERNEY, capitaine dans la 32e demi-brigade, a décidé la nouvelle victoire que nos armes ont obtenue. Une redoute formidable avait été établie par les coalisés ; elle était la clef de la bataille ; il fallait l'emporter. La mort du brave qui l'attaquerait le premier était certaine. Le capitaine d'Auverney s'est dévoué ; il a pris la redoute, s'y est fait tuer, et nous avons vaincu. Le sergent Thadée, de la 32e, et un chien, ont été trouvés morts près de lui. Nous proposons à la Convention nationale de décréter que le capitaine Léopold d'Auverney a bien mérité de la patrie. » — Vous voyez, représentant, continua le général avec tranquillité, la différence de nos missions ; nous envoyons tous deux, chacun de notre côté, une liste à la Convention. Le même nom se trouve dans les deux listes. Vous le dénoncez comme le nom d'un traître, moi comme celui d'un héros ; vous le vouez à l'ignominie, moi à la gloire ; vous faites dresser un échafaud, moi un trophée : chacun son rôle. Il est heureux pourtant que ce brave ait pu échapper dans une bataille à vos supplices. Dieu merci ! celui que vous voulez faire mourir est mort. Il ne vous a pas attendu.

Le commissaire, furieux de voir s'évanouir sa conspiration avec son conspirateur, murmura entre ses dents : — Il est mort ! c'est dommage !

Le général l'entendit et s'écria indigné : — Il vous reste encore une ressource, citoyen représentant du peuple ! Allez chercher le corps du capitaine d'Auverney dans les décombres de la redoute. Qui sait ? les boulets ennemis auront peut-être laissé la tête du cadavre à la guillotine nationale !

LE DERNIER JOUR D'UN CONDAMNÉ

Il n'y avait en tête des premières éditions de cet ouvrage, publié d'abord sans nom d'auteur, que les quelques lignes qu'on va lire :

« Il y a deux manières de se rendre compte de l'existence de ce livre. Ou il y a eu, en effet, une liasse de papiers jaunes et inégaux sur lesquels on a trouvé, enregistrées une à une, les dernières pensées d'un misérable ; ou il s'est rencontré un homme, un rêveur occupé à observer la nature au profit de l'art, un philosophe, un poète, que sais-je ? dont cette idée a été la fantaisie, qui l'a prise, ou plutôt s'est laissé prendre par elle, et n'a pu s'en débarrasser qu'en la jetant dans un livre.

» De ces deux explications, le lecteur choisira celle qu'il voudra. »

Comme on le voit, à l'époque où ce livre fut publié, l'auteur ne jugea pas à propos de dire dès lors toute sa pensée. Il aima mieux attendre qu'elle fût comprise et voir si elle le serait. Elle l'a été. L'auteur aujourd'hui peut démasquer l'idée politique, l'idée sociale, qu'il avait voulu populariser sous cette innocente et candide forme littéraire. Il déclare donc, ou plutôt il avoue hautement que le Dernier Jour d'un Condamné *n'est autre chose qu'un plaidoyer, direct ou indirect, comme on voudra, pour l'abolition de la peine de mort. Ce qu'il a eu dessein de faire, ce qu'il voudrait que la postérité vît dans son œuvre, si jamais elle s'occupe de si peu, ce n'est pas la défense spéciale, et toujours facile, et toujours transitoire, de tel ou tel criminel choisi, de tel ou tel accusé d'élection ; c'est la plaidoirie générale et permanente pour tous les accusés présents et à venir ; c'est le grand point de droit de l'humanité allégué et plaidé à toute voix devant la société, qui est la grande cour de cassation ; c'est cette suprême fin de non-recevoir,* abhorrescere à sanguine, *construite à tout jamais en avant de tous les procès criminels ; c'est la sombre et fatale question qui palpite obscurément au fond de toutes les causes capitales sous les triples épaisseurs de pathos dont l'enveloppe la rhétorique sanglante des gens du roi ; c'est la question de vie et de mort, dis-je, déshabillée, dénudée, dépouillée des entortillages sonores du parquet, brutalement mise au jour, et posée où il faut qu'on la voie, où il faut qu'elle soit, où elle est réellement dans son vrai milieu, dans son milieu horrible, non au tribunal, mais à l'échafaud ; non chez le juge, mais chez le bourreau.*

Voilà ce qu'il a voulu faire. Si l'avenir lui décernait un jour la gloire de l'avoir fait, ce qu'il n'ose espérer, il ne voudrait pas d'autre couronne.

Il le déclare donc, et il le répète, il occupe, au nom de tous les accusés possibles, innocents ou coupables, devant toutes les cours, tous les prétoires, tous les jurys, toutes les justices. Ce livre est adressé à quiconque juge. Et pour que le plaidoyer soit aussi vaste que la cause, il a dû, et c'est pour cela que le Dernier Jour d'un Condamné *est ainsi fait, élaguer de toutes parts, dans son sujet, le contingent, l'accident, le particulier, le spécial, le relatif, le modifiable, l'épisode, l'anecdote, l'événement, le nom propre, et se borner (si c'est là se borner) à plaider la cause d'un condamné quelconque, exécuté un jour quelconque pour un crime quelconque. Heureux si, sans autre outil que sa pensée, il a fouillé assez avant pour faire saigner un cœur sous l'*œs triplex *du magistrat! heureux s'il a rendu pitoyables ceux qui se croient justes! heureux si, à force de creuser dans le juge, il a réussi quelquefois à y retrouver un homme!*

Il y a trois ans, quand ce livre parut, quelques personnes imaginèrent que cela valait la peine d'en contester l'idée à l'auteur. Les uns supposèrent un livre anglais, les autres un livre américain. Singulière manie de chercher à mille lieues les origines des choses, et de faire couler des sources du Nil le ruisseau qui lave votre rue! Hélas! il n'y a en ceci ni livre anglais, ni livre américain, ni livre chinois. L'auteur a pris l'idée du Dernier Jour d'un Condamné, *non dans un livre, il n'a pas l'habitude d'aller chercher ses idées si loin, mais là où vous pouviez tous la prendre, où vous l'avez prise peut-être (car qui n'a fait ou rêvé dans son esprit* le Dernier Jour d'un Condamné *?), tout bonnement sur la place publique, sur la place de Grève. C'est là qu'un jour en passant il a ramassé cette idée fatale, gisante dans une mare de sang, sous les rouges moignons de la guillotine.*

Depuis, chaque fois qu'au gré des funèbres jeudis de la cour de cassation, il arrivait un de ces jours où le cri d'un arrêt de mort se fait dans Paris, chaque fois que l'auteur entendait passer sous ses fenêtres ces hurleurs enroués qui ameutent des spectateurs pour la Grève, chaque fois, la douloureuse idée lui revenait, s'emparait de lui, lui emplissait la tête de gendarmes, de bourreaux et de foule, lui expliquait heure par heure les dernières souffrances du misérable agonisant : en ce moment on le confesse, en ce moment on lui coupe les cheveux, en ce moment on lui lie les mains ; — le sommait, lui pauvre poète, de dire tout cela à la société qui fait ses affaires pendant que cette chose monstrueuse s'accomplit : le pressait, le poussait, le secouait, lui arrachait ses vers de l'esprit, s'il était en train d'en faire, et les tuait à peine ébauchés; barrait tous ses travaux, se mettait en travers de tout, l'investissait, l'obsédait, l'assiégeait. C'était un supplice, un supplice qui commençait avec le jour, et qui durait, comme celui du misérable qu'on torturait au même moment, jusqu'à quatre heures. *Alors seulement, une fois le* ponens caput expiravit *crié par la voix sinistre de l'horloge, l'auteur respirait et retrouvait quelque liberté d'esprit. Un jour enfin, c'était, à ce qu'il croit, le lendemain de l'exécution d'Ulbach, il se mit à écrire ce livre. Depuis lors, il a été soulagé. Quand un de ces crimes publics, qu'on nomme exécutions judiciaires, a été commis, sa conscience lui a dit qu'il n'en était plus solidaire; et il n'a plus senti à son front cette goutte de sang qui rejaillit de la Grève sur la tête de tous les membres de la communauté sociale.*

Toutefois, cela ne suffit pas. Se laver les mains est bien, empêcher le sang de couler serait mieux.

Aussi ne connaîtrait-il pas de but plus élevé, plus saint, plus auguste, que celui-là : concourir à l'abolition de la peine de mort. Aussi est-ce du fond du cœur qu'il adhère aux vœux et aux efforts des hommes généreux de toutes les nations qui travaillent depuis plusieurs années à jeter bas l'arbre patibulaire, le seul arbre que les révolutions ne déracinent pas. C'est avec joie qu'il vient, à son tour, lui chétif, donner son coup de cognée, et élargir de son mieux l'entaille que Beccaria a faite, il y a soixante-six ans, au vieux gibet dressé depuis tant de siècles sur la chrétienté.

Nous venons de dire que l'échafaud est le seul édifice que les révolutions ne démolissent pas. Il est rare, en effet, que les révolutions soient sobres de sang humain, et, venues qu'elles sont pour émonder, pour ébrancher, pour étêter la société, la peine de mort est une des serpes dont elles se dessaisissent le plus malaisément.

Nous l'avouerons cependant, si jamais révolution nous parut digne et capable d'abolir la peine de mort, c'est la révolution de juillet. Il semble, en effet, qu'il appartenait au mouvement populaire le plus clément des temps modernes de raturer la pénalité barbare de Louis XI, de Richelieu et de Robespierre, et d'inscrire au front de la loi l'inviolabilité de la vie humaine. 1830 méritait de briser le couperet de 93.

Nous l'avons espéré un moment. En août 1830, il y avait tant de générosité dans l'air, un tel esprit de douceur et de civilisation flottait dans les masses, on se sentait le cœur si bien épanoui par l'approche d'un bel avenir, qu'il nous sembla que la peine de mort était abolie de droit, d'emblée, d'un consentement tacite et unanime, comme le reste des choses mauvaises qui nous avaient gênés. Le peuple venait de faire un feu de joie des guenilles de l'ancien régime. Celle-là était la guenille sanglante, nous la crûmes dans le tas. Nous la crûmes brûlée comme les autres. Et pendant quelques semaines, confiant et crédule, nous eûmes foi pour l'avenir à l'inviolabilité de la vie, comme à l'inviolabilité de la liberté.

Et en effet, deux mois s'étaient à peine écoulés qu'une tentative fut faite pour résoudre en réalité légale l'utopie sublime de César Bonesana.

Malheureusement, cette tentative fut gauche, maladroite, presque hypocrite, et faite dans un autre intérêt que l'intérêt général.

Au mois d'octobre 1830, on se le rappelle, quelques jours après avoir écarté par l'ordre du jour la proposition d'ensevelir Napoléon sous la colonne, la Chambre tout entière se mit à pleurer et à bramer. La question de la peine de mort fut remise sur le tapis, nous allons dire quelques lignes plus bas à quelle occasion, et alors il sembla que toutes ces entrailles de législateurs étaient prises d'une subite et merveilleuse miséricorde. Ce fut à qui parlerait, à qui gémirait, à qui lèverait les mains au ciel. La peine de mort, grand Dieu ! quelle horreur ! Tel vieux procureur général, blanchi dans la robe rouge, qui avait mangé toute sa vie le pain trempé de sang des réquisitoires, se composa tout à coup un air piteux et attesta les dieux qu'il était indigné de la guillotine. Pendant deux jours, la tribune ne désemplit pas de harangueurs en pleureuses. Ce fut une lamentation, une myriologie, un concert de psaumes lugubres, un Super flumina Babylonis, *un* Stabat mater dolorosa, *une grande symphonie en ut, avec chœurs, exécutée par tout cet orchestre d'orateurs qui garnit les premiers bancs de la Chambre, et rend de si beaux sons dans les grands jours. Tel vint avec sa basse, tel avec son fausset. Rien n'y manqua. La chose fut on ne peut plus pathétique et pitoyable. La séance de nuit surtout fut tendre, paterne et déchirante comme un cinquième acte de Lachaussée. Le bon public, qui n'y comprenait rien, avait les larmes aux yeux*[1].

De quoi s'agissait-il donc ? d'abolir la peine de mort ?

Oui et non.

Voici le fait :

Quatre hommes du monde, quatre hommes comme il faut, de ces hommes qu'on a pu rencontrer dans un salon, et avec qui peut-être on a échangé quelques paroles polies, quatre de ces hommes, dis-je, avaient

1. Nous ne prétendons pas envelopper dans le même dédain tout ce qui a été dit à cette occasion à la Chambre. Il s'est bien prononcé çà et là quelques belles et dignes paroles. Nous avons applaudi, comme tout le monde, au discours grave et simple de M. de Lafayette, et, dans une autre nuance, à la remarquable improvisation de M. Villemain.

tenté, dans les hautes régions politiques, un de ces coups hardis que Bacon appelle crimes, *et que Machiavel appelle* entreprises. *Or, crime ou entreprise, la loi, brutale pour tous, punit cela de mort. Et les quatre malheureux étaient là, prisonniers, captifs de la loi, gardés par trois cents cocardes tricolores sous les belles ogives de Vincennes. Que faire et comment faire ? Vous comprenez qu'il est impossible d'envoyer à la Grève, dans une charrette, ignoblement liés avec de grosses cordes, dos à dos avec ce fonctionnaire qu'il ne faut pas seulement nommer, quatre hommes comme vous et moi, quatre* hommes du monde ! *Encore s'il y avait une guillotine en acajou !*

Hé ! il n'y a qu'à abolir la peine de mort !

Et là-dessus, la Chambre se met en besogne.

Remarquez, messieurs, qu'hier encore vous traitiez cette abolition d'utopie, de théorie, de rêve, de folie, de poésie. Remarquez que ce n'est pas la première fois qu'on cherche à appeler votre attention sur la charrette, sur les grosses cordes et sur l'horrible machine écarlate, et qu'il est étrange que ce hideux attirail vous saute ainsi aux yeux tout à coup.

Bah ! c'est bien de cela qu'il s'agit ! Ce n'est pas à cause de vous, peuple, que nous abolissons la peine de mort, mais à cause de nous, députés, qui pouvons être ministres. Nous ne voulons pas que la mécanique de Guillotin morde les hautes classes. Nous la brisons. Tant mieux si cela arrange tout le monde, mais nous n'avons songé qu'à nous. Ucalégon brûle. Éteignons le feu. Vite, supprimons le bourreau, biffons le code.

Et c'est ainsi qu'un alliage d'égoïsme altère et dénature les plus belles combinaisons sociales. C'est la veine noire dans le marbre blanc ; elle circule partout, et apparaît à tout moment à l'improviste sous le ciseau. Votre statue est à refaire.

Certes, il n'est pas besoin que nous le déclarions ici, nous ne sommes pas de ceux qui réclamaient les têtes des quatre ministres. Une fois ces infortunés arrêtés, la colère indignée que nous avait inspirée leur attentat s'est changée, chez nous comme chez tout le monde, en une profonde pitié. Nous avons songé aux préjugés d'éducation de quelques-uns d'entre eux, au cerveau peu développé de leur chef, relaps fanatique et obstiné des conspirations de 1804, blanchi avant l'âge sous l'ombre humide des prisons d'état, aux nécessités fatales de leur position commune, à l'impossibilité d'enrayer sur cette pente rapide où la monarchie s'était lancée elle-même à toute bride le 8 août 1829, à l'influence trop peu calculée par nous jusqu'alors de la personne royale, surtout à la dignité que l'un d'entre eux répandait comme un manteau de pourpre sur leur malheur. Nous sommes de ceux qui leur souhaitaient bien sincèrement la vie sauve, et qui étaient prêts à se dévouer pour cela. Si jamais, par impossible, leur échafaud eût été dressé un jour en Grève, nous ne doutons pas, et si c'est une illusion nous voulons la conserver, nous ne doutons pas qu'il n'y eût eu une émeute pour le renverser, et celui qui écrit ces lignes eût été de cette sainte émeute. Car, il faut bien le dire aussi, dans les crises sociales, de tous les échafauds l'échafaud politique est le plus abominable, le plus funeste, le plus vénéneux, le plus nécessaire à extirper. Cette espèce de guillotine-là prend racine dans le pavé, et en peu de temps repousse de bouture sur tous les points du sol.

En temps de révolution, prenez garde à la première tête qui tombe. Elle met le peuple en appétit.

Nous étions donc personnellement d'accord avec ceux qui voulaient épargner les quatre ministres, et d'accord de toutes les manières, par les raisons sentimentales comme par les raisons politiques. Seulement, nous eussions mieux aimé que la Chambre choisît une autre occasion pour proposer l'abolition de la peine de mort.

Si on l'avait proposée, cette souhaitable abolition, non à propos de quatre ministres tombés des Tuileries à Vincennes, mais à propos du premier voleur de grands chemins venu, à propos d'un de ces misérables que vous regardez à peine quand ils passent près de vous dans la rue, auxquels vous ne parlez pas, dont vous évitez instinctivement le coudoiement poudreux; malheureux dont l'enfance déguenillée a couru pieds nus dans la boue des carrefours, grelottant l'hiver au rebord des quais, se chauffant au soupirail des cuisines de M. Véfour chez qui vous dînez, déterrant çà et là une croûte de pain dans un tas d'ordures et l'essuyant avant de la manger, grattant tout le jour le ruisseau avec un clou pour y trouver un liard, n'ayant d'autre amusement que le spectacle gratis de la fête du roi et les exécutions en Grève, cet autre spectacle gratis; pauvres diables, que la faim pousse au vol, et le vol au reste; enfants déshérités d'une société marâtre, que la maison de force prend à douze ans, le bagne à dix-huit, l'échafaud à quarante; infortunés qu'avec une école et un atelier vous auriez pu rendre bons, moraux, utiles, et dont vous ne savez que faire, les versant, comme un fardeau inutile, tantôt dans la rouge fourmilière de Toulon, tantôt dans le muet enclos de Clamart, leur retranchant la vie après leur avoir ôté la liberté; si c'eût été à propos d'un de ces hommes que vous eussiez proposé d'abolir la peine de mort, oh! alors, votre séance eût été vraiment digne, grande, sainte, majestueuse, vénérable. Depuis les augustes pères de Trente invitant les hérétiques au concile au nom des entrailles de Dieu, Per viscera Dei, *parce qu'on espère leur conversion*, quoniam sancta synodus sperat hœreticorum conversionem, *jamais assemblée d'hommes n'aurait présenté au monde spectacle plus sublime, plus illustre et plus miséricordieux. Il a toujours appartenu à ceux qui sont vraiment forts et vraiment grands d'avoir souci du faible et du petit. Un conseil de brahmines serait beau prenant en main la cause du paria. Et ici la cause du paria, c'était la cause du peuple. En abolissant la peine de mort, à cause de lui et sans attendre que vous fussiez intéressés dans la question, vous faisiez plus qu'une œuvre politique, vous faisiez une œuvre sociale.*

Tandis que vous n'avez pas même fait une œuvre politique en essayant de l'abolir, non pour l'abolir, mais pour sauver quatre malheureux ministres pris la main dans le sac des coups d'état!

Qu'est-il arrivé? c'est que, comme vous n'étiez pas sincères, on a été défiant. Quand le peuple a vu qu'on voulait lui donner le change, il s'est fâché contre toute la question en masse, et, chose remarquable! il a pris fait et cause pour cette peine de mort dont il supporte pourtant tout le poids. C'est votre maladresse qui l'a amené là. En abordant la question de biais et sans franchise, vous l'avez compromise pour longtemps. Vous jouiez une comédie. On l'a sifflée.

Cette farce pourtant, quelques esprits avaient eu la bonté de la prendre au sérieux. Immédiatement après la fameuse séance, ordre avait été donné aux procureurs-généraux par un garde-des-sceaux honnête homme de suspendre indéfiniment toutes exécutions capitales. C'était en apparence un grand pas. Les adversaires de la peine de mort respirèrent. Mais leur illusion fut de courte durée.

Le procès des ministres fut mené à fin. Je ne sais quel arrêt fut rendu. Les quatre vies furent épargnées. Ham fut choisi comme juste milieu entre la mort et la liberté. Ces divers arrangements une fois faits, toute peur s'évanouit dans l'esprit des hommes d'État dirigeants, et avec la peur l'humanité s'en alla. Il ne fut plus question d'abolir le supplice capital; et une fois qu'on n'eut plus besoin d'elle, l'utopie redevint utopie, la théorie, théorie, la poésie, poésie.

Il y avait pourtant toujours dans les prisons quelques malheureux condamnés vulgaires qui se promenaient dans les préaux depuis cinq ou six mois, respirant l'air, tranquilles désormais, sûrs de vivre, prenant leur sursis pour leur grâce. Mais, attendez.

Le bourreau, à vrai dire, avait eu grand'peur. Le jour où il avait entendu nos faiseurs de lois parler humanité, philanthropie, progrès, il s'était cru perdu. Il s'était caché, le misérable, il s'était blotti sous sa guillotine, mal à l'aise au soleil de juillet comme un oiseau de nuit en plein jour, tâchant de se faire oublier, se bouchant les oreilles et n'osant souffler. On ne le voyait plus depuis six mois. Il ne donnait plus signe de vie. Peu à peu cependant il s'était rassuré dans ses ténèbres. Il avait écouté du côté des Chambres et n'avait plus entendu prononcer son nom. Plus de ces grands mots sonores dont il avait eu si grande frayeur. Plus de commentaires déclamatoires du Traité des Délits et des Peines. *On s'occupait de toute autre chose, de quelque grave intérêt social, d'un chemin vicinal, d'une subvention pour l'Opéra-Comique, ou d'une saignée de cent mille francs sur un budget apoplectique de quinze cents millions. Personne ne songeait plus à lui, coupe-tête. Ce que voyant, l'homme se tranquillise, il met sa tête hors de son trou, et regarde de tous côtés ; il fait un pas, puis deux, comme je ne sais plus quelle souris de La Fontaine, puis il se hasarde à sortir tout à fait de dessous son échafaudage, puis il saute dessus, le raccommode, le restaure, le fourbit, le caresse, le fait jouer, le fait reluire, se remet à suifer la vieille mécanique rouillée que l'oisiveté détraquait ; tout à coup il se retourne, saisit au hasard par les cheveux, dans la première prison venue, un de ces infortunés qui comptaient sur la vie, le tire à lui, le dépouille, l'attache, le boucle, et voilà les exécutions qui recommencent.*

Tout cela est affreux, mais c'est de l'histoire.

Oui, il y a eu un sursis de six mois accordé à de malheureux captifs, dont on a gratuitement aggravé la peine de cette façon en les faisant reprendre à la vie ; puis, sans raison, sans nécessité, sans trop savoir pourquoi, pour le plaisir, *on a un beau matin révoqué le sursis, et l'on a remis froidement toutes ces créatures humaines en coupe réglée. Eh ! mon Dieu ! je vous le demande, qu'est-ce que cela nous faisait à tous que ces hommes vécussent ? Est-ce qu'il n'y a pas en France assez d'air à respirer pour tout le monde ?*

Pour qu'un jour un misérable commis de la chancellerie, à qui cela était égal, se soit levé de sa chaise en disant : — Allons ! personne ne songe plus à l'abolition de la peine de mort. Il est temps de se remettre à guillotiner ! — Il faut qu'il se soit passé dans le cœur de cet homme-là quelque chose de bien monstrueux.

Du reste, disons-le, jamais les exécutions n'ont été accompagnées de circonstances plus atroces que depuis cette révocation du sursis de juillet. Jamais l'anecdote de la Grève n'a été plus révoltante et n'a mieux prouvé l'exécration de la peine de mort. Ce redoublement d'horreur est le juste châtiment des hommes qui ont remis le code du sang en vigueur. Qu'ils soient punis par leur œuvre. C'est bien fait.

Il faut citer ici deux ou trois exemples de ce que certaines exécutions ont eu d'épouvantable et d'impie. Il faut donner mal aux nerfs aux femmes des procureurs du Roi. Une femme, c'est quelquefois une conscience.

Dans le Midi, vers la fin du mois de septembre dernier, nous n'avons pas bien présents à l'esprit le lieu, le jour, ni le nom du condamné, mais nous les retrouverons si l'on conteste le fait, et nous croyons que c'est à Pamiers; vers la fin de septembre donc, on vient trouver un homme dans sa prison, où il jouait tranquillement aux cartes; on lui signifie qu'il faut mourir dans deux heures, ce qui le fait trembler de tous ses membres; car, depuis six mois qu'on l'oubliait, il ne comptait plus sur la mort; on le rase, on le tond, on le garrotte, on le confesse; puis on le brouette entre quatre gendarmes, et à travers la foule, au lieu de l'exécution. Jusqu'ici rien que de simple. C'est comme cela que cela se fait. Arrivé à l'échafaud, le bourreau le prend au prêtre, l'emporte, le ficelle sur la bascule, l'enfourne, *je me sers ici du mot d'argot, puis il lâche le couperet. Le lourd triangle de fer se détache avec peine, tombe en cahotant dans ses rainures, et, voici l'horrible qui commence, entaille l'homme sans le tuer. L'homme pousse un cri affreux. Le bourreau, déconcerté, relève le couperet et le laisse retomber. Le couperet mord le cou du patient une seconde fois, mais ne le tranche pas. Le patient hurle, la foule aussi. Le bourreau rehisse encore le couperet, espérant mieux du troisième coup. Point. Le troisième coup fait jaillir un troisième ruisseau de sang de la nuque du condamné, mais ne fait pas tomber la tête. Abrégeons. Le couteau remonta et retomba cinq fois, cinq fois il entama le condamné, cinq fois le condamné hurla sous le coup et secoua sa tête vivante en criant grâce! Le peuple indigné prit des pierres, et se mit dans sa justice à lapider le bourreau. Le bourreau s'enfuit sous la guillotine et s'y tapit derrière les chevaux des gendarmes. Mais vous n'êtes pas au bout. Le supplicié, se voyant seul sur l'échafaud, s'était redressé sur la planche et là, debout, effroyable, ruisselant de sang, soutenant sa tête à demi coupée qui pendait sur son épaule, il demandait avec de faibles cris qu'on vînt le détacher. La foule, pleine de pitié, était sur le point de forcer les gendarmes et de venir à l'aide du malheureux qui avait subi cinq fois son arrêt de mort. C'est en ce moment-là qu'un valet de bourreau, jeune homme de vingt ans, monte sur l'échafaud, dit au patient de se tourner pour qu'il le délie, et, profitant de la posture du mourant qui se livrait à lui sans défiance, saute sur son dos et se met à lui couper péniblement ce qui lui restait de cou avec je ne sais quel couteau de boucher. Cela s'est fait. Cela s'est vu. Oui.*

Aux termes de la loi, un juge a dû assister à cette exécution ! D'un signe il pouvait tout arrêter. Que faisait-il donc au fond de sa voiture, cet homme, pendant qu'on massacrait un homme ? Que faisait-il, ce punisseur d'assassins, pendant qu'on assassinait en plein jour, sous ses yeux, sous le souffle de ses chevaux, sous la vitre de sa portière ?

Et le juge n'a pas été mis en jugement ! et le bourreau n'a pas été mis en jugement ! Et aucun tribunal ne s'est enquis de cette monstrueuse extermination de toutes les lois sur la personne sacrée d'une créature de Dieu !

Au dix-septième siècle, à l'époque de barbarie du code criminel, sous Richelieu, sous Christophe Fouquet, quand M. de Chalais fut mis à mort devant le Bouffay de Nantes par un soldat maladroit qui, au lieu d'un coup d'épée, lui donna trente-quatre coups[1] *d'une doloire de tonnelier, du moins cela parut-il irrégulier au parlement de Paris ; il y eut enquête et procès, et si Richelieu ne fut pas puni, si Christophe Fouquet ne fut pas puni, le soldat le fut. Injustice sans doute, mais au fond de laquelle il y avait de la justice.*

Ici, rien. La chose a eu lieu après juillet, dans un temps de douces mœurs et de progrès, un an après la célèbre lamentation de la Chambre sur la peine de mort. Eh bien ! le fait a passé absolument inaperçu. Les journaux de Paris l'ont publié comme une anecdote. Personne n'a été inquiété. On a su seulement que la guillotine avait été disloquée exprès par quelqu'un qui voulait nuire à l'exécuteur des hautes œuvres. *C'était un valet du bourreau, chassé par son maître, qui, pour se venger, lui avait fait cette malice.*

Ce n'était qu'une espièglerie. Continuons.

A Dijon, il y a trois mois, on a mené au supplice une femme. (Une femme !) Cette fois encore, le couteau du docteur Guillotin a mal fait son service. La tête n'a pas été tout à fait coupée. Alors les valets de l'exécuteur se sont attelés aux pieds de la femme, et à travers les hurlements de la malheureuse, et à force de tiraillements et de soubresauts, ils lui ont séparé la tête du corps par arrachement.

A Paris, nous revenons au temps des exécutions secrètes. Comme on n'ose plus décapiter en Grève depuis juillet, comme on a peur, comme on est lâche, voici ce qu'on fait. On a pris dernièrement à Bicêtre un homme, un condamné à mort, un nommé Désandrieux, je crois ; on l'a mis dans une espèce de panier traîné sur deux roues, clos de toutes parts, cadenassé et verrouillé, puis, un gendarme en tête, un gendarme en queue, à petit

1. La Porte dit vingt-deux, mais Aubery dit trente-quatre. M. de Chalais cria jusqu'au vingtième.

bruit et sans foule, on a été déposer le paquet à la barrière déserte de Saint-Jacques. Arrivés là, il était huit heures du matin, à peine jour, il y avait une guillotine toute fraîche dressée, pour public quelques douzaines de petits garçons groupés sur les tas de pierres voisins autour de la machine inattendue ; vite, on a tiré l'homme du panier, et sans lui donner le temps de respirer, furtivement, sournoisement, honteusement, on lui a escamoté sa tête. Cela s'appelle un acte public et solennel de haute justice. Infâme dérision !

Comment donc les gens du roi comprennent-ils le mot civilisation ? Où en sommes-nous ? La justice ravalée aux stratagèmes et aux supercheries ! la loi aux expédients ! monstrueux !

C'est donc une chose bien redoutable qu'un condamné à mort, pour que la société le prenne en traître de cette façon !

Soyons justes pourtant, l'exécution n'a pas été tout à fait secrète. Le matin on a crié et vendu, comme de coutume, l'arrêt de mort dans les carrefours de Paris. Il paraît qu'il y a des gens qui vivent de cette vente. Vous entendez ? du crime d'un infortuné, de son châtiment, de ses tortures, de son agonie, on fait une denrée, un papier qu'on vend un sou. Concevez-vous rien de plus hideux que ce sou vertdegrisé dans le sang ? Qui est-ce donc qui le ramasse ?

Voilà assez de faits. En voilà trop. Est-ce que tout cela n'est pas horrible ? Qu'avez-vous à alléguer pour la peine de mort ?

Nous faisons cette question sérieusement ; nous la faisons pour qu'on y réponde ; nous la faisons aux criminalistes et non aux lettrés bavards. Nous savons qu'il y a des gens qui prennent l'excellence de la peine de mort pour texte à paradoxes comme tout autre thème. Il y en a d'autres qui n'aiment la peine de mort que parce qu'ils haïssent tel ou tel qui l'attaque. C'est pour eux une question quasi littéraire, une question de personnes, une question de noms propres. Ceux-là sont les envieux qui ne font pas plus faute aux bons jurisconsultes qu'aux grands artistes. Les Joseph Grippa ne manquent pas plus aux Filangieri que les Torregiani aux Michel-Ange, et les Scudéry aux Corneille.

Ce n'est pas à eux que nous nous adressons, mais aux hommes de loi proprement dits, aux dialecticiens, aux raisonneurs, à ceux qui aiment la peine de mort pour la peine de mort, pour sa beauté, pour sa bonté, pour sa grâce.

Voyons : qu'ils donnent leurs raisons.

Ceux qui jugent et qui condamnent disent la peine de mort nécessaire, d'abord : — parce qu'il importe de retrancher de la communauté sociale un membre qui lui a déjà nui et qui pourrait lui nuire encore. — S'il ne s'agissait que de cela, la prison perpétuelle suffirait. A quoi bon la mort? Vous objectez qu'on peut s'échapper d'une prison? faites mieux votre ronde. Si vous ne croyez pas à la solidité des barreaux de fer, comment osez-vous avoir des ménageries?

Pas de bourreau où le geôlier suffit.

Mais, reprend-on, — il faut que la société se venge, que la société punisse. — Ni l'un, ni l'autre. Se venger est de l'individu, punir est de Dieu.

La société est entre deux. Le châtiment est au-dessus d'elle, la vengeance au-dessous. Rien de si grand et de si petit ne lui sied. Elle ne doit pas « punir pour se venger »; elle doit corriger pour améliorer. *Transformez de cette façon la formule des criminalistes, nous la comprenons et nous y adhérons.*

Reste la troisième et dernière raison, la théorie de l'exemple. — Il faut faire des exemples! il faut épouvanter par le spectacle du sort réservé aux criminels ceux qui seraient tentés de les imiter! — Voilà bien à peu près textuellement la phrase éternelle dont tous les réquisitoires des cinq cents parquets de France ne sont que des variations plus ou moins sonores. Eh bien! nous nions d'abord qu'il y ait exemple. Nous nions que le spectacle des supplices produise l'effet qu'on en attend. Loin d'édifier le peuple, il le démoralise et ruine en lui toute sensibilité, partant toute vertu. Les preuves abondent et encombreraient notre raisonnement si nous voulions en citer. Nous signalerons pourtant un fait entre mille, parce qu'il est le plus récent. Au moment où nous écrivons, il n'a que dix jours de date. Il est du 5 mars, dernier jour du carnaval. A Saint-Pol, immédiatement après l'exécution d'un incendiaire nommé Louis Camus, une troupe de masques est venue danser autour de l'échafaud encore fumant. Faites donc des exemples! le mardi-gras vous rit au nez.

Que si, malgré l'expérience, vous tenez à votre théorie routinière de l'exemple, alors rendez-nous le seizième siècle, soyez vraiment formidables, rendez-nous la variété des supplices, rendez-nous Farinacci, rendez-nous les tourmenteurs-jurés, rendez-nous le gibet, la roue, le bûcher, l'estrapade, l'essorillement, l'écartèlement, la fosse à enfouir vif, la cuve à bouillir vif; rendez-nous, dans tous les carrefours de Paris, comme une boutique de plus ouverte parmi les autres, le hideux étal du bourreau, sans cesse garni de chair fraîche. Rendez-nous Montfaucon, ses seize piliers de pierre, ses brutes assises, ses caves à ossements, ses poutres, ses crocs, ses chaînes, ses brochettes de squelettes, son éminence de plâtre tachetée de corbeaux, ses potences succursales, et l'odeur de cadavre que, par le vent du nord-est, il répand à larges bouffées sur tout le faubourg du Temple; rendez-nous, dans sa permanence et dans sa puissance, ce gigantesque appentis du bourreau de Paris. A la bonne heure! voilà de l'exemple en grand. Voilà de la peine de mort bien comprise. Voilà un système de supplices qui a quelque proportion; voilà qui est horrible, mais qui est terrible.

Ou bien faites comme en Angleterre. En Angleterre, pays de commerce, on prend un contrebandier sur la côte de Douvres, on le pend pour l'exemple, pour l'exemple *on le laisse accroché au gibet; mais, comme les intempéries de l'air pourraient détériorer le cadavre, on l'enveloppe soigneusement d'une toile enduite de goudron, afin d'avoir à le renouveler moins souvent. O terre d'économie! goudronner les pendus!*

Cela pourtant a encore quelque logique. C'est la façon la plus humaine de comprendre la théorie de l'exemple.

Mais vous, est-ce bien sérieusement que vous croyez faire un exemple quand vous égorgillez misérablement un pauvre homme dans le recoin le plus désert des boulevards extérieurs? En Grève, en plein jour, passe encore; mais à la barrière Saint-Jacques! mais à huit heures du matin! Qui est-ce qui passe là? Qui est-ce qui va là? Qui est-ce qui sait que vous tuez un homme là? Qui est-ce qui se doute que vous faites un exemple là? Un exemple pour qui? pour les arbres du boulevard, apparemment.

Ne voyez-vous donc pas que vos exécutions publiques se font en tapinois? Ne voyez-vous donc pas que vous vous cachez? que vous avez peur et honte de votre œuvre? que vous balbutiez ridiculement votre discite justitiam moniti *? qu'au fond, vous êtes ébranlés, interdits, inquiets, peu certains d'avoir raison, gagnés par le doute général, coupant des têtes par routine et sans trop savoir ce que vous faites? Ne sentez-vous pas au fond du cœur que vous avez tout au moins perdu le sentiment moral et social de la mission de sang que vos prédécesseurs, les vieux parlementaires, accomplissaient avec une conscience si tranquille? La nuit, ne retournez-vous pas plus souvent qu'eux la tête sur votre oreiller? D'autres avant vous ont ordonné des exécutions capitales, mais ils s'estimaient dans le droit, dans le juste, dans le bien. Jouvenel des Ursins se croyait un juge; Élie de Thorette se croyait un juge; Laubardemont, Lareynie et Laffemas eux-mêmes, se croyaient des juges; vous, dans votre for intérieur, vous n'êtes pas bien sûrs de ne pas être des assassins!*

Vous quittez la Grève pour la barrière Saint-Jacques, la foule pour la solitude, le jour pour le crépuscule. Vous ne faites plus fermement ce que vous faites. Vous vous cachez, vous dis-je!

Toutes les raisons pour la peine de mort, les voilà donc démolies. Voilà tous les syllogismes de parquet mis à néant. Tous ces copeaux de réquisitoires, les voilà balayés et réduits en cendres. Le moindre attouchement de la logique dissout tous les mauvais raisonnements.

Que les gens du roi ne viennent donc plus nous demander des têtes, à nous jurés, à nous hommes, en nous adjurant d'une voix caressante au nom de la société à protéger, de la vindicte publique à assurer, des exemples à faire. Rhétorique, ampoule, et néant que tout cela! un coup d'épingle dans ces hyperboles, et vous les désenflez. Au fond de ce doucereux verbiage, vous ne trouvez que dureté de cœur, cruauté, barbarie, envie de prouver son zèle, nécessité de gagner ses honoraires. Taisez-vous, mandarins! Sous la patte de velours du juge on sent les ongles du bourreau.

Il est difficile de songer de sang-froid à ce que c'est qu'un procureur royal criminel. C'est un homme qui gagne sa vie à envoyer les autres à l'échafaud. C'est le pourvoyeur titulaire des places de Grève. Du reste, c'est un monsieur qui a des prétentions au style et aux lettres, qui est beau parleur ou croit l'être, qui récite au besoin un vers latin ou deux avant de conclure à la mort, qui cherche à faire de l'effet, qui intéresse son amour-propre, ô misère! là où d'autres ont leur vie engagée, qui a ses modèles à lui, ses types désespérants à atteindre, ses classiques, son Bellart, son Marchangy, comme tel poète a Racine et tel autre Boileau. Dans le débat, il tire du côté de la guillotine, c'est son rôle, c'est son état. Son réquisitoire, c'est son œuvre littéraire, il le fleurit de métaphores, il le parfume de citations, il faut que cela soit beau à l'audience, que cela plaise aux dames. Il a son bagage de lieux-communs encore très-neufs pour la province, ses élégances d'élocution, ses recherches, ses raffinements d'écrivain. Il hait le mot propre presque autant que nos poètes tragiques de l'école de Delille. N'ayez pas peur qu'il appelle les choses par leur nom. Fi donc! Il a pour toute idée dont la nudité vous révolterait des déguisements complets d'épithètes et d'adjectifs. Il rend M. Samson présentable. Il gaze le couperet. Il estompe la bascule. Il entortille le panier rouge dans une périphrase. On ne sait plus ce que c'est. C'est douceâtre et décent. Vous le représentez-vous, la nuit, dans son cabinet, élaborant à loisir et de son mieux cette harangue qui fera dresser un échafaud dans six semaines? Le voyez-vous suant sang et eau pour emboîter la tête d'un accusé dans le plus fatal article du code? Le voyez-vous scier avec une loi mal faite le cou d'un misérable? Remarquez-vous comme il fait infuser dans un gâchis de tropes et de synecdoches deux ou trois textes vénéneux pour en exprimer et en extraire à grand'peine la mort d'un homme? N'est-il pas vrai que, tandis qu'il écrit, sous sa table, dans l'ombre, il a probablement le bourreau accroupi à ses pieds, et qu'il arrête de temps en temps sa plume pour lui dire, comme le maître à son chien : — Paix là! paix là! tu vas avoir ton os!

Du reste, dans la vie privée, cet homme du roi peut être un honnête homme, bon père, bon fils, bon mari, bon ami, comme disent toutes les épitaphes du Père Lachaise.

Espérons que le jour est prochain où la loi abolira ces fonctions funèbres. L'air seul de notre civilisation doit dans un temps donné user la peine de mort.

On est parfois tenté de croire que les défenseurs de la peine de mort n'ont pas bien réfléchi à ce que c'est. Mais pesez donc un peu à la balance de quelque crime que ce soit ce droit exorbitant que la société s'arroge d'ôter ce qu'elle n'a pas donné, cette peine, la plus irréparable des peines irréparables!

De deux choses l'une :

Ou l'homme que vous frappez est sans famille, sans parents, sans adhérents dans ce monde. Et dans ce cas, il n'a reçu ni éducation, ni instruction, ni soins pour son esprit, ni soins pour son cœur; et alors de quel droit tuez-vous ce misérable orphelin? Vous le punissez de ce que son enfance a rampé sur le sol sans tige et sans tuteur! Vous lui imputez à forfait l'isolement où vous l'avez laissé! De son malheur vous faites son crime! Personne ne lui a appris à savoir ce qu'il faisait. Cet homme ignore. Sa faute est à sa destinée, non à lui. Vous frappez un innocent.

Ou cet homme a une famille; et alors croyez-vous que le coup dont vous l'égorgez ne blesse que lui seul? que son père, que sa mère, que ses enfants, n'en saigneront pas? Non. En le tuant, vous décapitez toute sa famille. Et ici encore vous frappez des innocents.

Gauche et aveugle pénalité, qui, de quelque côté qu'elle se tourne, frappe l'innocent!

Cet homme, ce coupable qui a une famille, séquestrez-le. Dans sa prison il pourra travailler encore pour les siens. Mais comment les fera-t-il vivre du fond de son tombeau? Et songez-vous sans frissonner à ce que deviendront ces petits garçons, ces petites filles, auxquels vous ôtez leur père, c'est-à-dire leur pain? Est-ce que vous comptez sur cette famille pour approvisionner dans quinze ans, eux le bagne, elles le musico? Oh! les pauvres innocents!

Aux colonies, quand un arrêt de mort tue un esclave, il y a mille francs d'indemnité pour le propriétaire de l'homme. Quoi! vous dédommagez le maître, et vous n'indemnisez pas la famille! Ici aussi ne prenez-vous pas un homme à ceux qui le possèdent? N'est-il pas, à un titre bien autrement sacré que l'esclave vis-à-vis du maître, la propriété de son père, le bien de sa femme, la chose de ses enfants?

Nous avons déjà convaincu votre loi d'assassinat. La voici convaincue de vol.

Autre chose encore. L'âme de cet homme, y songez-vous? Savez-vous dans quel état elle se trouve? Osez-vous bien l'expédier si lestement? Autrefois du moins, quelque foi circulait dans le peuple; au moment suprême, le souffle religieux qui était dans l'air pouvait amollir le plus endurci; un patient était en même temps un pénitent; la religion lui ouvrait un monde au moment où la société lui en fermait un autre; toute âme avait conscience de Dieu; l'échafaud n'était qu'une frontière du ciel. Mais quelle espérance mettez-vous sur l'échafaud maintenant que la grosse foule ne croit plus? maintenant que toutes les religions sont attaquées du dry-rot, comme ces vieux vaisseaux qui pourrissent dans nos ports, et qui jadis peut-être ont découvert des mondes? maintenant que les petits enfants se moquent de Dieu? De quel droit lancez-vous dans quelque chose dont vous doutez vous-mêmes les âmes obscures de vos condamnés, ces âmes telles que Voltaire et M. Pigault-Lebrun les ont faites! Vous les livrez à votre aumônier de prison, excellent vieillard sans doute, mais croit-il et fait-il croire? Ne grossoie-t-il pas comme une corvée son œuvre sublime? Est-ce que vous le prenez pour un prêtre, ce bonhomme qui coudoie le bourreau dans la charrette? Un écrivain plein d'âme et de talent l'a dit avant nous : C'est une horrible chose de conserver le bourreau après avoir ôté le confesseur!

Ce ne sont là, sans doute, que des « raisons sentimentales », comme disent quelques dédaigneux qui ne prennent leur logique que dans leur tête. A nos yeux, ce sont les meilleures. Nous préférons souvent les raisons du sentiment aux raisons de la raison. D'ailleurs, les deux séries se tiennent toujours, ne l'oublions pas. Le Traité des Délits *est greffé sur l'*Esprit des Lois. *Montesquieu a engendré Beccaria.*

La raison est pour nous, le sentiment est pour nous, l'expérience est aussi pour nous. Dans les états modèles, où la peine de mort est abolie, la masse des crimes capitaux suit d'année en année une baisse progressive. Pesez ceci.

Nous ne demandons cependant pas pour le moment une brusque et complète abolition de la peine de mort, comme celle où s'était si étourdiment engagée la Chambre des Députés. Nous désirons, au contraire, tous les essais, toutes les précautions, tous les tâtonnements de la prudence. D'ailleurs, nous ne voulons pas seulement l'abolition de la peine de mort, nous voulons un remaniement complet de la pénalité sous toutes ses formes, du haut en bas, depuis le verrou jusqu'au couperet, et le temps est un des ingrédients qui doivent entrer dans une pareille œuvre pour qu'elle soit bien faite. Nous comptons développer ailleurs, sur cette matière, le système d'idées que nous croyons applicable. Mais, indépendamment des abolitions partielles pour les cas de fausses monnaies, d'incendie, de vols qualifiés, etc., nous demandons que dès à présent, dans toutes les affaires capitales, le président soit tenu de poser au jury cette question : L'accusé a-t-il agi par passion ou par intérêt? *et que, dans le cas où le jury répondrait :* L'accusé a agi par passion, *il n'y ait pas condamnation à mort. Ceci nous épargnerait du moins quelques exécutions révoltantes. Ulbach et Debacker seraient sauvés. On ne guillotinerait plus Othello.*

Au reste, qu'on ne s'y trompe pas, cette question de la peine de mort mûrit tous les jours. Avant peu, la société entière la résoudra comme nous.

Que les criminalistes les plus entêtés y fassent attention, depuis un siècle la peine de mort va s'amoindrissant. Elle se fait presque douce. Signe de décrépitude. Signe de faiblesse. Signe de mort prochaine. La torture a disparu. La roue a disparu. La potence a disparu. Chose étrange! la guillotine est un progrès!

M. Guillotin était un philanthrope.

Oui, l'horrible Thémis dentue et vorace de Farinace et de Vouglans, de Delancre et d'Isaac Loisel, de d'Oppède et de Machault, dépérit. Elle maigrit. Elle se meurt.

Voici déjà la Grève qui n'en veut plus. La Grève se réhabilite. La vieille buveuse de sang s'est bien conduite en juillet. Elle veut mener désormais meilleure vie et rester digne de sa dernière belle action. Elle qui s'était prostituée depuis trois siècles à tous les échafauds, la pudeur la prend. Elle a honte de son ancien métier. Elle veut perdre son vilain nom. Elle répudie le bourreau. Elle lave son pavé.

A l'heure qu'il est, la peine de mort est déjà hors de Paris. Or, disons-le bien ici, sortir de Paris, c'est sortir de la civilisation.

Tous les symptômes sont pour nous. Il semble aussi qu'elle se rebute et qu'elle rechigne, cette hideuse machine, ou plutôt ce monstre fait de bois et de fer qui est à Guillotin ce que Galatée est à Pygmalion. Vues d'un certain côté, les effroyables exécutions que nous avons détaillées plus haut sont d'excellents signes. La guillotine hésite. Elle en est à manquer son coup. Tout le vieil échafaudage de la peine de mort se détraque.

L'infâme machine partira de France, nous y comptons, et, s'il plaît à Dieu, elle partira en boitant, car nous tâcherons de lui porter de rudes coups.

Qu'elle aille demander l'hospitalité ailleurs, à quelque peuple barbare, non à la Turquie, qui se civilise, non aux sauvages, qui ne voudraient pas d'elle[1] *; mais qu'elle descende quelques échelons encore de l'échelle de la civilisation, qu'elle aille en Espagne ou en Russie.*

L'édifice social du passé reposait sur trois colonnes, le prêtre, le roi, le bourreau. Il y a déjà longtemps qu'une voix a dit : Les dieux s'en vont! *Dernièrement une autre voix s'est élevée et a crié :* Les rois s'en vont! *Il est temps maintenant qu'une troisième voix s'élève et dise :* Le bourreau s'en va!

Ainsi l'ancienne société sera tombée pierre à pierre; ainsi la Providence aura complété l'écroulement du passé.

A ceux qui ont regretté les dieux, on a pu dire : Dieu reste. A ceux qui regrettent les rois, on peut dire : La patrie reste. A ceux qui regretteraient le bourreau, on n'a rien à dire.

Et l'ordre ne disparaîtra pas avec le bourreau; ne le croyez point. La voûte de la société future ne croulera pas pour n'avoir point cette clef hideuse. La civilisation n'est autre chose qu'une série de transformations successives. A quoi donc allez-vous assister? à la transformation de la pénalité. La douce loi du Christ pénétrera enfin le Code et rayonnera à travers. On regardera le crime comme une maladie, et cette maladie aura ses médecins qui remplaceront vos juges, ses hôpitaux qui remplaceront vos bagnes. La liberté et la santé se ressembleront. On versera le baume et l'huile où l'on appliquait le fer et le feu. On traitera par la charité ce mal qu'on traitait par la colère. Ce sera simple et sublime. La croix substituée au gibet. Voilà tout.

Victor HUGO
15 mars 1832.

1. Le « parlement » d'Otahiti vient d'abolir la peine de mort.

UNE COMÉDIE A PROPOS D'UNE TRAGÉDIE

PERSONNAGES.

MADAME DE BLINVAL.
LE CHEVALIER.
ERGASTE.
UN POÈTE ÉLÉGIAQUE.
UN PHILOSOPHE.
UN GROS MONSIEUR.
UN MONSIEUR MAIGRE.
DES FEMMES.
UN LAQUAIS.

UN SALON

UN POÈTE ÉLÉGIAQUE, lisant.

. . . .

. . . .

Le lendemain, des pas traversaient la forêt,
Un chien le long du fleuve en aboyant errait :
Et quand la bachelette en larmes
Revint s'asseoir, le cœur rempli d'alarmes,
Sur la tant vieille tour de l'antique châtel,
Elle entendit les flots gémir, la triste Isaure :
Mais plus n'entendit la mandore
Du gentil ménestrel !

TOUT L'AUDITOIRE.

Bravo ! charmant ! ravissant ![1]

On bat des mains.

1. Nous avons cru devoir réimprimer ici l'espèce de préface en dialogue qu'on va lire, et qui accompagnait la quatrième édition du *Dernier Jour d'un condamné.* Il faut se rappeler en la lisant au milieu de quelles objections politiques, morales et littéraires, les premières éditions de ce livre furent publiées.

MADAME DE BLINVAL.

Il y a dans cette fin un mystère indéfinissable qui tire les larmes des yeux.

LE POÈTE ÉLÉGIAQUE.

La catastrophe est voilée...

LE CHEVALIER, hochant la tête.

Mandore, ménestrel, c'est du romantique, ça!

LE POÈTE ÉLÉGIAQUE.

Oui, monsieur, mais du romantique raisonnable, du vrai romantique. Que voulez-vous? il faut bien faire quelques concessions.

LE CHEVALIER.

Des concessions! des concessions! c'est comme cela qu'on perd le goût. Je donnerais tous les vers romantiques seulement pour ce quatrain :

De par le Pinde et par Cythère,
Gentil-Bernard est averti
Que l'Art d'Aimer doit samedi
Venir souper chez l'Art de Plaire.

Voilà la vraie poésie! *L'Art d'Aimer qui soupe samedi chez l'Art de Plaire!* à la bonne heure! Mais aujourd'hui c'est *la mandore, le ménestrel.* On ne fait plus de *poésies fugitives*. Si j'étais poète, je ferais des *poésies fugitives ;* mais je ne suis pas poète, moi.

LE POÈTE ÉLÉGIAQUE.

Cependant, les élégies...

LE CHEVALIER.

Poésies fugitives, monsieur. Bas à madame de Blinval : Et puis, *châtel* n'est pas français, on dit *castel.*

QUELQU'UN, au poète élégiaque.

Une observation, monsieur. Vous dites *l'antique* châtel, pourquoi pas le *gothique ?*

LE POÈTE ÉLÉGIAQUE.

Gothique ne se dit pas en vers.

LE QUELQU'UN.

Ah ! c'est différent.

LE POÈTE ÉLÉGIAQUE, poursuivant.

Voyez-vous bien, monsieur, il faut se borner. Je ne suis pas de ceux qui veulent désorganiser le vers français, et nous ramener à l'époque des Ronsard et des Brébeuf. Je suis romantique, mais modéré. C'est comme pour les émotions. Je les veux douces, rêveuses, mélancoliques, mais jamais de sang, jamais d'horreurs. Voiler les catastrophes. Je sais qu'il y a des gens, des fous, des imaginations en délire qui... — Tenez, mesdames, avez-vous lu le nouveau roman ?

LES DAMES.

Quel roman ?

LE POÈTE ÉLÉGIAQUE.

Le Dernier Jour...

UN GROS MONSIEUR.

Assez, monsieur ; je sais ce que vous voulez dire. Le titre seul me fait mal aux nerfs.

MADAME DE BLINVAL.

Et à moi aussi. C'est un livre affreux. Je l'ai là.

LES DAMES.

Voyons, voyons.

On se passe le livre de main en main.

QUELQU'UN, lisant.

Le Dernier Jour d'un...

LE GROS MONSIEUR.

Grâce, madame !

MADAME DE BLINVAL.

En effet, c'est un livre abominable, un livre qui donne le cauchemar, un livre qui rend malade.

UNE FEMME, bas.

Il faudra que je lise cela.

LE GROS MONSIEUR.

Il faut convenir que les mœurs vont se dépravant de jour en jour. Mon Dieu, l'horrible idée ! développer, creuser, analyser, l'une après l'autre, et sans en passer une seule, toutes les souffrances physiques, toutes les tortures morales que doit éprouver un homme condamné à mort, le jour de l'exécution ! Cela n'est-il pas atroce ? Comprenez-vous, mesdames, qu'il se soit trouvé un écrivain pour cette idée, et un public pour cet écrivain ?

LE CHEVALIER.

Voilà en effet qui est souverainement impertinent.

MADAME DE BLINVAL.

Qu'est-ce que c'est que l'auteur ?

LE GROS MONSIEUR.

Il n'y avait pas de nom à la première édition.

LE POÈTE ÉLÉGIAQUE.

C'est le même qui a déjà fait deux autres romans, ma foi, j'ai oublié les titres. Le premier commence à la Morgue et finit à la Grève. A chaque chapitre, il y a un ogre qui mange un enfant.

LE GROS MONSIEUR.

Vous avez lu cela, monsieur ?

LE POÈTE ÉLÉGIAQUE.

Oui, monsieur ; la scène se passe en Islande.

LE GROS MONSIEUR.

En Islande, c'est épouvantable !

LE POÈTE ÉLÉGIAQUE.

Il a fait en outre des odes, des ballades, je ne sais quoi, où il y a des monstres qui ont des *corps bleus.*

LE CHEVALIER, riant.

Corbleu ! cela doit faire un furieux vers !

LE POÈTE ÉLÉGIAQUE.

Il a publié aussi un drame, — on appelle cela un drame, — où l'on trouve ce beau vers :

Demain vingt-cinq juin mil six cent cinquante-sept.

QUELQU'UN.

Ah, ce vers !

LE POÈTE ÉLÉGIAQUE.

Cela peut s'écrire en chiffres, voyez-vous, mesdames : — *Demain 25 juin 1657.*

Il rit. On rit.

LE CHEVALIER.

C'est une chose particulière que la poésie d'à présent.

LE GROS MONSIEUR.

Ah çà ! il ne sait pas versifier, cet homme-là ! Comment donc s'appelle-t-il, déjà ?

LE POÈTE ÉLÉGIAQUE.

Il a un nom aussi difficile à retenir qu'à prononcer. Il y a du goth, du visigoth, de l'ostrogoth dedans.

Il rit.

MADAME DE BLINVAL.

C'est un vilain homme.

LE GROS MONSIEUR.

Un abominable homme.

UNE FEMME.

Quelqu'un qui le connaît m'a dit...

LE GROS MONSIEUR.

Vous connaissez quelqu'un qui le connaît ?

LA JEUNE FEMME.

Oui, et qui dit que c'est un homme doux, simple, qui vit dans la retraite, et passe ses journées à jouer avec ses petits enfants.

LE POÈTE ÉLÉGIAQUE.

Et ses nuits à rêver des œuvres de ténèbres. — C'est singulier ; voilà un vers que j'ai fait tout naturellement. Mais c'est qu'il y est, le vers :

Et ses nuits à rêver des œuvres de ténèbres.

Avec une bonne césure. Il n'y a plus que l'autre rime à trouver. Pardieu ! *funèbres.*

MADAME DE BLINVAL.

Quidquid tentabat dicere, versus erat.

LE GROS MONSIEUR.

Vous disiez donc que l'auteur en question a de petits enfants. Impossible, madame. Quand on a fait cet ouvrage-là ! un roman atroce !...

QUELQU'UN.

Mais, ce roman, dans quel but l'a-t-il fait ?

LE POÈTE ÉLÉGIAQUE.

Est-ce que je sais, moi ?

LE PHILOSOPHE.

A ce qu'il paraît, dans le but de concourir à l'abolition de la peine de mort.

LE GROS MONSIEUR.

Une horreur, vous dis-je !

LE CHEVALIER.

Ah çà ! c'est donc un duel avec le bourreau ?

LE POÈTE ÉLÉGIAQUE.

Il en veut terriblement à la guillotine.

UN MONSIEUR MAIGRE.

Je vois cela d'ici : des déclamations.

LE GROS MONSIEUR.

Point. Il y a à peine deux pages sur ce texte de la peine de mort. Tout le reste, ce sont des sensations.

LE PHILOSOPHE.

Voilà le tort. Le sujet méritait le raisonnement. Un drame, un roman, ne prouvent rien. Et puis, j'ai lu le livre, et il est mauvais.

LE POÈTE ÉLÉGIAQUE.

Détestable ! Est-ce que c'est là de l'art ? C'est passer les bornes, c'est casser les vitres. Encore, ce criminel, si je le connaissais ? mais point. Qu'a-t-il fait ? on n'en sait rien. C'est peut-être un fort mauvais drôle. On n'a pas le droit de m'intéresser à quelqu'un que je ne connais pas.

LE GROS MONSIEUR.

On n'a pas le droit de faire éprouver à son lecteur des souffrances physiques. Quand je vois des tragédies, on se tue ; eh bien ! cela ne me fait rien. Mais, ce roman, il vous fait dresser les cheveux sur la tête, il vous fait venir la chair de poule, il vous donne de mauvais rêves. J'ai été deux jours au lit pour l'avoir lu.

LE PHILOSOPHE.

Ajoutez à cela que c'est un livre froid et compassé.

LE POÈTE.

Un livre !... un livre !...

LE PHILOSOPHE.

Oui. — Et comme vous disiez tout à l'heure, monsieur, ce n'est point là de véritable esthétique. Je ne m'intéresse pas à une abstraction, à une entité pure. Je ne vois point là une personnalité qui s'adéquate avec la mienne. Et puis le style n'est ni simple ni clair. Il sent l'archaïsme. C'est bien là ce que vous disiez, n'est-ce pas ?

LE POÈTE.

Sans doute, sans doute. Il ne faut pas de personnalités.

LE PHILOSOPHE.

Le condamné n'est pas intéressant.

LE POÈTE.

Comment intéresserait-il ? il a un crime et pas de remords. J'eusse fait le contraire. J'eusse conté l'histoire de mon condamné. Né de parents honnêtes. Une bonne éducation. De l'amour. De la jalousie. Un crime qui n'en soit pas un. Et puis des remords, des remords, beaucoup de remords. Mais les lois humaines sont implacables. Il faut qu'il meure ; et là j'aurais traité ma question sur la peine de mort. A la bonne heure.

MADAME DE BLINVAL.

Ah, ah !

LE PHILOSOPHE.

Pardon. Le livre, comme l'entend monsieur, ne prouverait rien. La particularité ne régit pas la généralité.

LE POÈTE.

Eh bien, mieux encore : pourquoi n'avoir pas choisi pour héros, par exemple... Malesherbes, le vertueux Malesherbes ? son dernier jour, son supplice ? Oh ! alors, beau et noble spectacle ! J'eusse pleuré, j'eusse frémi, j'eusse voulu monter sur l'échafaud avec lui.

LE PHILOSOPHE.

Pas moi.

LE CHEVALIER.

Ni moi. C'était un révolutionnaire, au fond, que votre M. de Malesherbes.

LE PHILOSOPHE.

L'échafaud de Malesherbes ne prouve rien contre la peine de mort en général.

LE GROS MONSIEUR.

La peine de mort ! à quoi bon s'occuper de cela ? qu'est-ce que cela vous fait, la peine de mort ? Il faut que cet auteur soit bien mal né, de venir nous donner le cauchemar à ce sujet avec son livre !

MADAME DE BLINVAL.

Ah! oui, un bien mauvais cœur!

LE GROS MONSIEUR.

Il nous force à regarder dans les prisons, dans les bagnes, dans Bicêtre. C'est fort désagréable. On sait bien que ce sont des cloaques; mais qu'importe à la société?

MADAME DE BLINVAL.

Ceux qui ont fait les lois n'étaient pas des enfants.

LE PHILOSOPHE.

Ah, cependant! en présentant les choses avec vérité...

LE MONSIEUR MAIGRE.

Eh! c'est justement ce qui manque, la vérité. Que voulez-vous qu'un poète sache sur de pareilles matières? Il faudrait être au moins procureur du roi. Tenez : j'ai lu dans une citation qu'un journal fait de ce livre, que le condamné ne dit rien quand on lui lit son arrêt de mort; eh bien, moi, j'ai vu un condamné qui, dans ce moment-là, a poussé un grand cri. — Vous voyez.

LE PHILOSOPHE.

Permettez...

LE MONSIEUR MAIGRE.

Tenez, messieurs, la guillotine, la Grève, c'est de mauvais goût ; ... et la preuve, c'est qu'il paraît que c'est un livre qui corrompt le goût, et vous rend incapable d'émotions pures, fraîches, naïves. Quand donc se lèveront les défenseurs de la saine littérature ? Je voudrais être, et mes réquisitoires m'en donneraient peut-être le droit, membre de l'Académie française... — Voilà justement monsieur Ergaste, qui en est. Que pense-t-il du *Dernier Jour d'un condamné*?

ERGASTE.

Ma foi, monsieur, je ne l'ai lu ni ne le lirai. Je dînais hier chez madame de Sénange, et la marquise de Morival en a parlé au duc de Melcourt. On dit qu'il y a des personnalités contre la magistrature, et surtout contre le président d'Alimont. L'abbé de Floricour aussi était indigné. Il paraît qu'il y a un chapitre contre la religion, et un chapitre contre la monarchie. Si j'étais procureur du roi !...

LE CHEVALIER.

Ah bien oui, procureur du roi ! et la Charte ! et la liberté de la presse ! Cependant un poète qui veut supprimer la peine de mort, vous conviendrez que c'est odieux. Ah, ah ! dans l'ancien régime, quelqu'un qui se serait permis de publier un roman contre la torture !... — Mais depuis la prise de la Bastille on peut tout écrire... Les livres font un mal affreux.

LE GROS MONSIEUR.

Affreux. — On était tranquille, on ne pensait à rien. Il se coupait bien de temps en temps en France une tête par-ci par-là, deux tout au plus par semaine. Tout cela sans bruit, sans scandale. Ils ne disaient rien, personne n'y songeait... Pas du tout, voilà un livre... — Un livre qui vous donne un mal de tête horrible!

LE MONSIEUR MAIGRE.

Le moyen qu'un juré condamne après l'avoir lu!

ERGASTE.

Cela trouble les consciences.

MADAME DE BLINVAL.

Ah! les livres! les livres! Qui eût dit cela d'un roman?

LE POÈTE.

Il est certain que les livres sont bien souvent un poison subversif de l'ordre social.

LE MONSIEUR MAIGRE.

Sans compter la langue, que messieurs les romantiques révolutionnent aussi.

LE POÈTE.

Distinguons, monsieur, il y a romantiques et romantiques.

LE MONSIEUR MAIGRE.

Le mauvais goût, le mauvais goût.

ERGASTE.

Vous avez raison. Le mauvais goût.

LE MONSIEUR MAIGRE.

Il n'y a rien à répondre à cela.

LE PHILOSOPHE, appuyé au fauteuil d'une dame.

Ils disent là des choses qu'on ne dit même plus rue Mouffetard.

ERGASTE.

Ah, l'abominable livre!

MADAME DE BLINVAL.

Eh! ne le jetez pas au feu : il est à la loueuse.

LE CHEVALIER.

Parlez-moi de notre temps. Comme tout s'est dépravé depuis, le goût et les mœurs ! Vous souvient-il de notre temps, madame de Blinval ?

MADAME DE BLINVAL.

Non, monsieur, il ne m'en souvient pas.

LE CHEVALIER.

Nous étions le peuple le plus doux, le plus gai, le plus spirituel. Toujours de belles fêtes, de jolis vers ; c'était charmant. Y a-t-il rien de plus galant que le madrigal de M. de La Harpe sur le grand bal que madame la maréchale de Mailly donna en mil sept cent..., l'année de l'exécution de Damiens ?

LE GROS MONSIEUR, soupirant.

Heureux temps ! Maintenant les mœurs sont horribles, et les livres aussi. C'est le beau vers de Boileau :

Et la chute des arts suit la décadence des mœurs.

LE PHILOSOPHE, bas au poète.

Soupe-t-on dans cette maison ?

LE POÈTE ÉLÉGIAQUE.

Oui, tout à l'heure.

LE MONSIEUR MAIGRE.

Maintenant on veut abolir la peine de mort, et pour cela on fait des romans cruels, immoraux et de mauvais goût, *le Dernier Jour d'un condamné,* que sais-je ?

LE GROS MONSIEUR.

Tenez, mon cher, ne parlons plus de ce livre atroce ; et puisque je vous rencontre, dites-moi, que faites-vous de cet homme dont nous avons rejeté le pourvoi depuis trois semaines ?

LE MONSIEUR MAIGRE.

Ah ! un peu de patience ! je suis en congé ici ; laissez-moi respirer. A mon retour ! Si cela tarde trop pourtant, j'écrirai à mon substitut...

UN LAQUAIS, entrant.

Madame est servie.

I

Bicêtre.

ONDAMNÉ à mort!

Voilà cinq semaines que j'habite avec cette pensée, toujours seul avec elle, toujours glacé de sa présence, toujours courbé sous son poids! Autrefois, car il me semble qu'il y a plutôt des années que des semaines, j'étais un homme comme un autre homme. Chaque jour, chaque heure, chaque minute avait son idée. Mon esprit, jeune et riche, était plein de fantaisies. Il s'amusait à me les dérouler les unes après les autres, sans ordre et sans fin, brodant d'inépuisables arabesques cette rude et mince étoffe de la vie. C'étaient des jeunes filles, de splendides chapes d'évêques, des batailles gagnées, des théâtres pleins de bruit et de lumières, et puis encore des jeunes filles et de sombres promenades la nuit sous les larges bras des marronniers. C'était toujours fête dans mon imagination. Je pouvais penser à ce que je voulais, j'étais libre.

Maintenant je suis captif. Mon corps est aux fers dans un cachot, mon esprit est en prison dans une idée. Une horrible, une sanglante, une implacable idée! Je n'ai plus qu'une pensée, qu'une conviction, qu'une certitude : — condamné à mort!

Quoi que je fasse, elle est toujours là, cette pensée infernale, comme un spectre de plomb à mes côtés, seule et jalouse, chassant toute distraction, face à face avec moi misérable, et me secouant de ses deux mains de glace quand je veux détourner la tête ou fermer les yeux. Elle se glisse sous toutes les formes où mon esprit voudrait la fuir, se mêle comme un refrain horrible à toutes les paroles qu'on m'adresse, se colle avec moi aux grilles hideuses de mon cachot, m'obsède éveillé, épie mon sommeil convulsif, et reparaît dans mes rêves sous la forme d'un couteau.

Je viens de m'éveiller en sursaut, poursuivi par elle et me disant : — Ah! ce n'est qu'un rêve! — Eh bien! avant même que mes yeux lourds aient eu le temps de s'entrouvrir assez pour voir cette fatale pensée écrite dans l'horrible réalité qui m'entoure, sur la dalle mouillée et suante de ma cellule, dans les rayons pâles de ma lampe de nuit, dans la trame grossière de la toile de mes vêtements, sur la sombre figure du soldat de garde dont la giberne reluit à travers la grille du cachot, il me semble que déjà une voix a murmuré à mon oreille : — Condamné à mort!

II

'ÉTAIT par une belle matinée d'août.

Il y avait trois jours que mon procès était entamé; trois jours que mon nom et mon crime ralliaient chaque matin une nuée de spectateurs, qui venaient s'abattre sur les bancs de la salle d'audience comme des corbeaux autour d'un cadavre;

trois jours que toute cette fantasmagorie des juges, des témoins, des avocats, des procureurs du roi, passait et repassait devant moi, tantôt grotesque, tantôt sanglante, toujours sombre et fatale. Les deux premières nuits, d'inquiétude et de terreur, je n'en avais pu dormir; la troisième, j'en avais dormi d'ennui et de fatigue. A minuit, j'avais laissé les jurés délibérant. On m'avait ramené sur la paille de mon cachot, et j'étais tombé sur-le-champ dans un sommeil profond, dans un sommeil d'oubli. C'étaient les premières heures de repos depuis bien des jours.

J'étais encore au plus profond de ce profond sommeil lorsqu'on vint me réveiller. Cette fois il ne suffit point du pas lourd et des souliers ferrés du guichetier, du cliquetis de son nœud de clefs, du grincement rauque des verrous; il fallut pour me tirer de ma léthargie sa rude voix à mon oreille et sa main rude sur mon bras. — Levez-vous donc! — J'ouvris les yeux, je me dressai effaré sur mon séant. En ce moment, par l'étroite et haute fenêtre de ma cellule, je vis au plafond du corridor voisin, seul ciel qu'il me fût donné d'entrevoir, ce reflet jaune où des yeux habitués aux ténèbres d'une prison savent si bien reconnaître le soleil. J'aime le soleil.

— Il fait beau, dis-je au guichetier. Il resta un moment sans me répondre, comme ne sachant si cela valait la peine de dépenser une parole; puis avec quelque effort il murmura brusquement : — C'est possible.

Je demeurais immobile, l'esprit à demi endormi, la bouche souriante, l'œil fixé sur cette douce réverbération dorée qui diaprait le plafond. — Voilà une belle journée, répétai-je. — Oui, me répondit l'homme, on vous attend.

Ce peu de mots, comme le fil qui rompt le vol de l'insecte, me rejeta violemment dans la réalité. Je revis soudain, comme dans la lumière d'un éclair, la sombre salle des assises, le fer à cheval des juges chargé de haillons ensanglantés, les trois rangs de témoins aux faces stupides, les deux gendarmes aux deux bouts de mon banc, et les robes noires s'agiter, et les têtes de la foule fourmiller au fond dans l'ombre, et s'arrêter sur moi le regard fixe de ces douze jurés, qui avaient veillé pendant que je dormais !

Je me levai ; mes dents claquaient, mes mains tremblaient et ne savaient où trouver mes vêtements, mes jambes étaient faibles. Au premier pas que je fis, je trébuchai comme un portefaix trop chargé. Cependant je suivis le geôlier.

Les deux gendarmes m'attendaient au seuil de la cellule. On me remit les menottes. Cela avait une petite serrure compliquée qu'ils fermèrent avec soin. Je laissai faire : c'était une machine sur une machine.

Nous traversâmes une cour intérieure. L'air vif du matin me ranima. Je levai la tête. Le ciel était bleu, et les rayons chauds du soleil, découpés par les longues cheminées, traçaient de grands angles de lumière au faîte des murs hauts et sombres de la prison. Il faisait beau en effet.

Nous montâmes un escalier tournant en vis ; nous passâmes un corridor, puis un autre, puis un troisième ; puis une porte basse s'ouvrit. Un air chaud, mêlé de bruit, vint me frapper au visage ; c'était le souffle de la foule dans la salle des assises. J'entrai.

Il y eut à mon apparition une rumeur d'armes et de voix. Les banquettes se déplacèrent bruyamment, les cloisons craquèrent ; et, pendant que je traversais la longue salle, entre deux masses de peuple murées de soldats, il me semblait que j'étais le centre auquel se rattachaient les fils qui faisaient mouvoir toutes ces faces béantes et penchées.

En cet instant je m'aperçus que j'étais sans fers; mais je ne pus me rappeler où ni quand on me les avait ôtés.

Alors il se fit un grand silence. J'étais parvenu à ma place. Au moment où le tumulte cessa dans la foule, il cessa aussi dans mes idées. Je compris tout à coup clairement ce que je n'avais fait qu'entrevoir confusément jusqu'alors, que le moment décisif était venu, et que j'étais là pour entendre ma sentence.

L'explique qui pourra, de la manière dont cette idée me vint, elle ne me causa pas de terreur. Les fenêtres étaient ouvertes; l'air et le bruit de la ville arrivaient librement du dehors; la salle était claire comme pour une noce; les gais rayons du soleil traçaient çà et là la figure lumineuse des croisées, tantôt allongée sur le plancher, tantôt développée sur les tables, tantôt brisée à l'angle des murs; et de ces losanges éclatants aux fenêtres chaque rayon découpait dans l'air un grand prisme de poussière d'or.

Les juges, au fond de la salle, avaient l'air satisfait, probablement de la joie d'avoir bientôt fini. Le visage du président, doucement éclairé par le reflet d'une vitre, avait quelque chose de calme et de bon; et un jeune assesseur causait presque gaiement en chiffonnant son rabat avec une jolie dame en chapeau rose, placée par faveur derrière lui.

Les jurés seuls paraissaient blêmes et abattus, mais c'était apparemment de fatigue d'avoir veillé toute la nuit. Quelques-uns bâillaient. Rien, dans leur contenance, n'annonçait des hommes qui viennent de porter une sentence de mort, et sur les figures de ces bons bourgeois je ne devinais qu'une grande envie de dormir.

En face de moi une fenêtre était toute grande ouverte. J'entendais rire sur le quai des marchandes de fleurs; et, au bord de la croisée, une jolie petite plante jaune, toute pénétrée d'un rayon de soleil, jouait avec le vent dans une fente de la pierre.

Comment une idée sinistre aurait-elle pu poindre parmi tant de gracieuses sensations ? Inondé d'air et de soleil, il me fut impossible de penser à autre chose qu'à la liberté ; l'espérance vint rayonner en moi comme le jour autour de moi ; et, confiant, j'attendis ma sentence comme on attend la délivrance et la vie.

Cependant mon avocat arriva. On l'attendait. Il venait de déjeuner copieusement et de bon appétit. Parvenu à sa place, il se pencha vers moi avec un sourire. — J'espère, me dit-il. — N'est-ce pas ? répondis-je, léger et souriant aussi. — Oui, reprit-il ; je ne sais rien encore de leur déclaration, mais ils auront sans doute écarté la préméditation, et alors ce ne sera que les travaux forcés à perpétuité. — Que dites-vous là, monsieur ? répliquai-je indigné, plutôt cent fois la mort !

Oui, la mort ! — Et d'ailleurs, me répétait je ne sais quelle voix intérieure, qu'est-ce que je risque à dire cela ? A-t-on jamais prononcé sentence de mort autrement qu'à minuit, aux flambeaux, dans une salle sombre et noire, et par une froide nuit de pluie et d'hiver ? Mais au mois d'août, à huit heures du matin, un si beau jour, ces bons jurés, c'est impossible ! Et mes yeux revenaient se fixer sur la jolie fleur jaune au soleil.

Tout à coup le président, qui n'attendait que l'avocat, m'invita à me lever. La troupe porta les armes, comme par un mouvement électrique, toute l'assemblée fut debout au même instant. Une figure insignifiante et nulle, placée à une table au-dessous du tribunal, c'était, je pense, le greffier, prit la parole, et lut le verdict que les jurés avaient prononcé en mon absence. Une sueur froide sortit de tous mes membres; je m'appuyai au mur pour ne pas tomber.

— Avocat, avez-vous quelque chose à dire sur l'application de la peine? demanda le président.

J'aurais eu, moi, tout à dire; mais rien ne me vint. Ma langue resta collée à mon palais.

Le défenseur se leva.

Je compris qu'il cherchait à atténuer la déclaration du jury et à mettre dessous, au lieu de la peine qu'elle provoquait, l'autre peine, celle que j'avais été si blessé de lui voir espérer.

Il fallut que l'indignation fût bien forte pour se faire jour à travers les mille émotions qui se disputaient ma pensée. Je voulus répéter à haute voix ce que je lui avais déjà dit : *plutôt cent fois la mort!* mais l'haleine me manqua, et je ne pus que l'arrêter rudement par le bras, en criant avec une force convulsive : — Non!

Le procureur général combattit l'avocat, et je l'écoutai avec une satisfaction stupide. Puis les juges sortirent, puis ils rentrèrent, et le président me lut mon arrêt.

— Condamné à mort! dit la foule; et tandis qu'on m'emmenait, tout ce peuple se rua sur mes pas avec le fracas d'un édifice qui se démolit. Moi je marchais, ivre et stupéfait. Une révolution venait de se faire en moi. Jusqu'à l'arrêt de mort, je m'étais senti respirer, palpiter, vivre dans le même milieu que les autres hommes; maintenant je distinguais clairement comme une clôture entre le monde et moi. Rien ne m'apparaissait plus sous le même aspect qu'auparavant. Ces larges fenêtres lumineuses, ce beau soleil, ce ciel pur, cette jolie fleur, tout cela était blanc et pâle, de la couleur d'un linceul. Ces hommes, ces femmes, ces enfants qui se pressaient sur mon passage, je leur trouvais des airs de fantômes.

Au bas de l'escalier, une noire et sale voiture grillée m'attendait. Au moment d'y monter, je regardai au hasard dans la place. — Un condamné à mort! criaient les passants en courant vers la voiture. — A travers le nuage qui me semblait s'être interposé entre les choses et moi, je distinguai deux jeunes filles qui me suivaient avec des yeux avides. — Bon, dit la plus jeune en battant des mains, ce sera dans six semaines!

III

CONDAMNÉ à mort!

Eh bien, pourquoi non? *Les hommes,* je me rappelle l'avoir lu dans je ne sais quel livre où il n'y avait que cela de bon, *les hommes sont tous condamnés à mort avec des sursis indéfinis.* Qu'y a-t-il donc de si changé à ma situation?

Depuis l'heure où mon arrêt m'a été prononcé, combien sont morts qui s'arrangeaient pour une longue vie! Combien m'ont devancé, qui, jeunes, libres et sains, comptaient bien aller voir tel jour tomber ma tête en place de Grève! Combien d'ici là peut-être qui marchent et respirent au grand air, entrent et sortent à leur gré, et qui me devanceront encore!

Et puis, qu'est-ce que la vie a donc de si regrettable pour moi? En vérité, le jour sombre et le pain noir du cachot, la portion de bouillon maigre puisée au baquet des galériens, être rudoyé, moi qui suis raffiné par l'éducation, être brutalisé des guichetiers et des gardes-chiourme, ne pas voir un être humain qui me croie digne d'une parole et à qui je la rende, sans cesse tressaillir et de ce que j'ai fait et de ce qu'on me fera : voilà à peu près les seuls biens que puisse m'enlever le bourreau.

Ah ! n'importe, c'est horrible !

IV

LA VOITURE noire me transporta ici, dans ce hideux Bicêtre.

Vu de loin, cet édifice a quelque majesté. Il se déroule à l'horizon, au front d'une colline, et à distance garde quelque chose de son ancienne splendeur, un air de château de roi. Mais à mesure que vous approchez, le palais devient masure. Les pignons dégradés blessent l'œil. Je ne sais quoi de honteux et d'appauvri salit ces royales façades : on dirait que les murs ont une lèpre. Plus de vitres, plus de glaces aux fenêtres ; mais de massifs barreaux de fer entre-croisés, auxquels se colle çà et là quelque hâve figure d'un galérien ou d'un fou.

C'est la vie vue de près.

V

A PEINE arrivé, des mains de fer s'emparèrent de moi. On multiplia les précautions : point de couteau, point de fourchette pour mes repas ; la *camisole de force,* une espèce de sac de toile à voilure, emprisonna mes bras; on répondait de ma vie. Je m'étais pourvu en cassation. On pouvait avoir pour six ou sept semaines de cette affaire onéreuse, et il importait de me conserver sain et sauf à la place de Grève.

Les premiers jours on me traita avec une douceur qui m'était horrible. Les égards d'un guichetier sentent l'échafaud. Par bonheur, au bout de peu de jours, l'habitude reprit le dessus; ils me confondirent avec les autres prisonniers dans une commune brutalité, et n'eurent plus de ces distinctions inaccoutumées de politesse qui me remettaient sans cesse le bourreau sous les yeux. Ce ne fut pas la seule amélioration. Ma jeunesse, ma docilité, les soins de l'aumônier de la prison, et surtout quelques mots en latin que j'adressai au concierge, qui ne les comprit pas, m'ouvrirent la promenade une fois par semaine avec les autres détenus, et firent disparaître la camisole où j'étais paralysé. Après bien des hésitations, on m'a aussi donné de l'encre, du papier, des plumes et une lampe la nuit.

Tous les dimanches, après la messe, on me lâche dans le préau, à l'heure de la récréation. Là, je cause avec les détenus; il le faut bien. Ils sont bonnes gens, les misérables. Ils me content leurs tours, ce serait à faire horreur; mais je sais qu'ils se vantent. Ils m'apprennent à parler argot, à *rouscailler bigorne,* comme ils disent. C'est toute une langue entée sur la langue générale comme une espèce d'excroissance hideuse, comme une verrue. Quelquefois une énergie singulière, un pittoresque effrayant : *il y a du résiné sur le trimar* (du sang sur le chemin), *épouser la veuve* (être pendu), comme si la corde du gibet était veuve de tous les pendus. La tête d'un voleur a deux noms : *la sorbonne,* quand elle médite, raisonne et conseille le crime; *la tronche,* quand le bourreau la coupe. Quelquefois de l'esprit de vaudeville : un *cachemire d'osier* (une hotte de chiffonnier), *la menteuse* (la langue) ; et puis partout, à chaque instant, des mots bizarres, mystérieux, laids et sordides, venus on ne sait d'où : *le taule* (le bourreau), *la cône* (la mort), *la placarde* (la place des exécutions). On dirait des crapauds et des araignées. Quand on entend parler cette langue, cela fait l'effet de quelque chose de sale et de poudreux, d'une liasse de haillons que l'on secouerait devant vous.

Du moins ces hommes-là me plaignent, ils sont les seuls. Les geôliers, les guichetiers, les porte-clefs, — je ne leur en veux pas, — causent et rient, et parlent de moi, devant moi, comme d'une chose.

VI

JE ME suis dit :

— Puisque j'ai le moyen d'écrire, pourquoi ne le ferais-je pas ? Mais quoi écrire ? Pris entre quatre murailles de pierre nue et froide, sans liberté pour mes pas, sans horizon pour mes yeux, pour unique distraction, machinalement occupé tout le jour à suivre la marche lente de ce carré blanchâtre que le judas de ma porte découpe vis-à-vis sur le mur sombre, et, comme je le disais tout à l'heure, seul à seul avec une idée, une idée de crime et de châtiment, de meurtre et de mort ! Est-ce que je puis avoir quelque chose à dire, moi qui n'ai plus rien à faire dans ce monde ? Et que trouverai-je dans ce cerveau flétri et vide qui vaille la peine d'être écrit ?

Pourquoi non ? Si tout, autour de moi, est monotone et décoloré, n'y a-t-il pas en moi une tempête, une lutte, une tragédie ? Cette idée fixe qui me possède ne se présente-t-elle pas à moi à chaque heure, à chaque instant, sous une nouvelle forme, toujours plus hideuse et plus ensanglantée à mesure que le terme approche ? Pourquoi n'essaierais-je pas de me dire à moi-même tout ce que j'éprouve de violent et d'inconnu dans la situation abandonnée où me voilà ? Certes, la matière est riche ; et, si abrégée que soit ma vie, il y aura bien encore dans les angoisses, dans les terreurs, dans les tortures qui la rempliront de cette heure à la dernière, de quoi user cette plume et tarir cet encrier. — D'ailleurs ces angoisses, le seul moyen d'en moins souffrir, c'est de les observer, et les peindre m'en distraira.

Et puis, ce que j'écrirai ainsi ne sera peut-être pas inutile. Ce journal de mes souffrances, heure par heure, minute par minute, supplice par supplice, si j'ai la force de le mener jusqu'au moment où il me sera *physiquement* impossible de continuer ; cette histoire, nécessairement inachevée, mais aussi complète que possible, de mes sensations, ne portera-t-elle point avec elle un grand et profond enseignement ? N'y aurait-il pas dans ce procès-verbal de la pensée agonisante, dans cette progression toujours croissante de douleurs, dans cette espèce d'autopsie intellectuelle d'un condamné, plus d'une leçon pour ceux qui condamnent ? Peut-être cette lecture leur rendra-t-elle la main moins légère quand il s'agira quelque autre fois de jeter une tête qui pense, une tête d'homme, dans ce qu'ils appellent la balance de la justice ? Peut-être n'ont-ils jamais réfléchi, les malheureux, à cette lente succession de tortures que renferme la formule expéditive d'un arrêt de mort ! Se sont-ils jamais seulement arrêtés à cette idée poignante que dans l'homme qu'ils retranchent il y a une intelligence, une intelligence qui avait compté sur la vie, une âme qui ne s'est point disposée pour la mort ? Non. Ils ne voient dans tout cela que la chute verticale d'un couteau triangulaire, et pensent sans doute que pour le condamné il n'y a rien avant, rien après.

Ces feuilles les détromperont. Publiées peut-être un jour, elles arrêteront quelques moments leur esprit sur les souffrances de l'esprit ; car ce sont celles-là qu'ils ne soupçonnent pas. Ils sont triomphants de pouvoir tuer sans presque faire souffrir le corps. Hé, c'est bien de cela qu'il s'agit ! Qu'est-ce que la douleur physique près de la douleur morale ? Horreur et pitié, des lois faites ainsi ! Un jour viendra, et peut-être ces mémoires, derniers confidents d'un misérable, y auront-ils contribué...

A moins qu'après ma mort le vent ne joue dans le préau avec ces morceaux de papier souillés de boue, ou qu'ils n'aillent pourrir à la pluie, collés en étoiles à la vitre cassée d'un guichetier.

VII

UE CE que j'écris ici puisse être un jour utile à d'autres, que cela arrête le juge prêt à juger, que cela sauve des malheureux, innocents ou coupables, de l'agonie à laquelle je suis condamné, pourquoi ? à quoi bon ? qu'importe ? Quand ma tête aura été coupée, qu'est-ce que cela me fait qu'on en coupe d'autres ? Est-ce que vraiment j'ai pu penser ces folies ?

Jeter bas l'échafaud après que j'y aurai monté! je vous demande un peu ce qui m'en reviendra.

Quoi! le soleil, le printemps, les champs pleins de fleurs, les oiseaux qui s'éveillent le matin, les nuages, les arbres, la nature, la liberté, la vie, tout cela n'est plus à moi?

Ah! c'est moi qu'il faudrait sauver! — Est-il bien vrai que cela ne se peut, qu'il faudra mourir demain, aujourd'hui peut-être; que cela est ainsi? O Dieu! l'horrible idée à se briser la tête au mur de son cachot!

VIII

COMPTONS ce qui me reste :

Trois jours de délai après l'arrêt prononcé pour le pourvoi en cassation.

Huit jours d'oubli au parquet de la cour d'assises; après quoi les *pièces,* comme ils disent, sont envoyées au ministre.

Quinze jours d'attente chez le ministre, qui ne sait seulement pas qu'elles existent, et qui cependant est supposé les transmettre, après examen, à la cour de cassation.

Là, classement, numérotage, enregistrement; car la guillotine est encombrée, et chacun ne doit passer qu'à son tour.

Quinze jours pour veiller à ce qu'il ne vous soit pas fait de passe-droit.

Enfin la cour s'assemble d'ordinaire un jeudi, rejette vingt pourvois en masse, et renvoie le tout au ministre, qui renvoie au procureur général, qui renvoie au bourreau. Trois jours.

Le matin du quatrième jour le substitut du procureur général se dit, en mettant sa cravate : — Il faut pourtant que cette affaire finisse. Alors, si le substitut du greffier n'a pas quelque déjeuner d'amis qui l'en empêche, l'ordre d'exécution est minuté, rédigé, mis au net, expédié, et le lendemain dès l'aube on entend dans la place de Grève clouer une charpente, et dans les carrefours hurler à pleines voix des crieurs enroués.

En tout six semaines. La petite fille avait raison.

Or, voilà cinq semaines au moins, six peut-être, je n'ose compter, que je suis dans ce cabanon de Bicêtre, et il me semble qu'il y a trois jours, c'était jeudi.

IX

E VIENS de faire mon testament.

A quoi bon ? Je suis condamné aux frais, et tout ce que j'ai y suffira à peine. La guillotine, c'est fort cher.

Je laisse une mère, je laisse une femme, je laisse un enfant,

Une petite fille de trois ans, douce, rose, frêle, avec de grands yeux noirs et de longs cheveux châtains.

Elle avait deux ans et un mois quand je l'ai vue pour la dernière fois.

Ainsi, après ma mort, trois femmes sans fils, sans mari, sans père ; trois orphelines de différente espèce ; trois veuves du fait de la loi.

J'admets que je sois justement puni, ces innocentes, qu'ont-elles fait ? N'importe ; on les déshonore, on les ruine ; c'est la justice.

Ce n'est pas que ma pauvre vieille mère m'inquiète ; elle a soixante-quatre ans, elle mourra du coup. Ou, si elle va quelques jours encore, pourvu que, jusqu'au dernier moment, elle ait un peu de cendre chaude dans sa chaufferette, elle ne dira rien.

Ma femme ne m'inquiète pas non plus ; elle est déjà d'une mauvaise santé et d'un esprit faible, elle mourra aussi.

A moins qu'elle ne devienne folle. On dit que cela fait vivre ; mais du moins l'intelligence ne souffre pas ; elle dort, elle est comme morte.

Mais ma fille, mon enfant, ma pauvre petite Marie, qui rit, qui joue, qui chante à cette heure, et ne pense à rien, c'est celle-là qui me fait mal.

X

OICI ce que c'est que mon cachot :

Huit pieds carrés ; quatre murailles de pierre de taille qui s'appuient à angle droit sur un pavé de dalles exhaussé d'un degré au-dessus du corridor extérieur.

A droite de la porte, en entrant, une espèce d'enfoncement qui fait la dérision d'une alcôve. On y jette une botte de paille où le prisonnier est censé reposer et dormir, vêtu d'un pantalon de toile et d'une veste de coutil, hiver comme été.

Au-dessus de ma tête, en guise de ciel, une noire voûte en *ogive* — c'est ainsi que cela s'appelle — à laquelle d'épaisses toiles d'araignées pendent comme des haillons.

Du reste, pas de fenêtres, pas même de soupirail ; une porte où le fer cache le bois.

Je me trompe : au centre de la porte, vers le haut, une ouverture de neuf pouces carrés, coupée d'une grille en croix, et que le guichetier peut fermer la nuit.

Au-dehors, un assez long corridor, éclairé, aéré au moyen de soupiraux étroits au haut du mur, et divisé en compartiments de maçonnerie qui communiquent entre eux par une série de portes cintrées et basses ; chacun de ces compartiments sert en quelque sorte d'antichambre à un cachot pareil au mien. C'est dans ces cachots que l'on met les forçats condamnés par le directeur de la prison à des peines de discipline. Les trois premiers cabanons sont réservés aux condamnés à mort, parce qu'étant plus voisins de la geôle, ils sont plus commodes pour le geôlier.

Ces cachots sont tout ce qui reste de l'ancien château de Bicêtre, tel qu'il fut bâti dans le quinzième siècle par le cardinal de Winchester, le même qui fit brûler Jeanne d'Arc. J'ai entendu dire cela à des *curieux* qui sont venus me voir l'autre jour dans ma loge, et qui me regardaient à distance comme une bête de la Ménagerie. Le guichetier a eu cent sous.

J'oubliais de dire qu'il y a nuit et jour un factionnaire de garde à la porte de mon cachot, et que mes yeux ne peuvent se lever vers la lucarne carrée sans rencontrer ses deux yeux fixes toujours ouverts.

Du reste, on suppose qu'il y a de l'air et du jour dans cette boîte de pierre.

XI

UISQUE le jour ne paraît pas encore, que faire de la nuit ? Il m'est venu une idée. Je me suis levé et j'ai promené ma lampe sur les quatre murs de ma cellule. Ils sont couverts d'écritures, de dessins, de figures bizarres, de noms qui se mêlent et s'effacent les uns les autres. Il semble que chaque condamné ait voulu laisser trace, ici du moins. C'est du crayon, de la craie, du charbon, des lettres noires, blanches, grises, souvent de profondes entailles dans la pierre, çà et là des caractères rouillés qu'on dirait écrits avec du sang. Certes, si j'avais l'esprit plus libre, je prendrais intérêt à ce livre étrange qui se développe page à page à mes yeux sur chaque pierre de ce cachot. J'aimerais à recomposer un tout de ces fragments de pensée, épars sur la dalle ; à retrouver chaque homme sous chaque nom ; à rendre le sens et la vie à ces inscriptions mutilées, à ces phrases démembrées, à ces mots tronqués, corps sans tête, comme ceux qui les ont écrits.

A la hauteur de mon chevet, il y a deux cœurs enflammés, percés d'une flèche, et au-dessus : *Amour pour la vie.* Le malheureux ne prenait pas un long engagement.

A côté, une espèce de chapeau à trois cornes avec une petite figure grossièrement dessinée au-dessous, et ces mots : *Vive l'empereur !* 1824.

Encore des cœurs enflammés, avec cette inscription caractéristique dans une prison : *J'aime et j'adore Matthieu Danvin.* JACQUES.

Sur le mur opposé on lit ce nom : *Papavoine.* Le *P* majuscule est brodé d'arabesques et enjolivé avec soin.

Un couplet d'une chanson obscène.

Un bonnet de liberté sculpté assez profondément dans la pierre, avec ceci dessous : — *Bories.* — *La République.* C'était un des quatre sous-officiers de La Rochelle. Pauvre jeune homme! Que leurs prétendues nécessités politiques sont hideuses! pour une idée, pour une rêverie, pour une abstraction, cette horrible réalité qu'on appelle la guillotine! — Et moi, qui me plaignais, moi, misérable qui ai commis un véritable crime, qui ai versé du sang!

Je n'irai pas plus loin dans ma recherche. — Je viens de voir, crayonnée en blanc au coin du mur, une image épouvantable, la figure de cet échafaud qui, à l'heure qu'il est, se dresse peut-être pour moi. — La lampe a failli me tomber des mains.

XII

E SUIS revenu m'asseoir précipitamment sur ma paille, la tête dans les genoux. Puis mon effroi d'enfant s'est dissipé, et une étrange curiosité m'a repris de continuer la lecture de mon mur.

A côté du nom de Papavoine, j'ai arraché une énorme toile d'araignée, tout épaissie par la poussière et tendue à l'angle de la muraille. Sous cette toile, il y avait quatre ou cinq noms parfaitement lisibles, parmi d'autres dont il ne reste rien qu'une tache sur le mur. — DAUTUN, 1815. — POULAIN, 1818. — JEAN MARTIN, 1821. — CASTAING, 1823. J'ai lu ces noms, et de lugubres souvenirs me sont venus. Dautun, celui qui a coupé son frère en quartiers, et qui allait la nuit dans Paris jetant la tête dans une fontaine, et le tronc dans un égout; Poulain, celui qui a assassiné sa femme; Jean Martin, celui qui a tiré un coup de pistolet à son père, au moment où le vieillard ouvrait une fenêtre; Castaing, ce médecin qui a empoisonné son ami, et qui, le soignant dans cette dernière maladie qu'il lui avait faite, au lieu de remède lui redonnait du poison; et auprès de ceux-là Papavoine, l'horrible fou qui tuait les enfants à coups de couteau sur la tête!

Voilà, me disais-je, et un frisson de fièvre me montait dans les reins, voilà quels ont été avant moi les hôtes de cette cellule. C'est ici, sur la même dalle où je suis, qu'ils ont pensé leurs dernières pensées, ces hommes de meurtre et de sang! C'est autour de ce mur, dans ce carré étroit, que leurs derniers pas ont tourné comme ceux d'une bête fauve. Ils se sont succédé à de courts intervalles; il paraît que ce cachot ne désemplit pas. Ils ont laissé la place chaude, et c'est à moi qu'ils l'ont laissée. J'irai à mon tour les rejoindre au cimetière de Clamart, où l'herbe pousse si bien!

Je ne suis ni visionnaire, ni superstitieux. Il est probable que ces idées me donnaient un accès de fièvre; mais pendant que je rêvais ainsi, il m'a semblé tout à coup que ces noms fatals étaient écrits avec du feu sur le mur noir; un tintement de plus en plus précipité a éclaté dans mes oreilles; une lueur rousse a rempli mes yeux; et puis il m'a paru que le cachot était plein d'hommes, d'hommes étranges qui portaient leur tête dans leur main gauche, et la portaient par la bouche parce qu'il n'y avait pas de chevelure. Tous me montraient le poing, excepté le parricide.

J'ai fermé les yeux avec horreur, alors j'ai tout vu plus distinctement.

Rêve, vision ou réalité, je serais devenu fou, si une impression brusque ne m'eût réveillé à temps. J'étais prêt à tomber à la renverse lorsque j'ai senti se traîner sur mon pied nu un ventre froid et des pattes velues. C'était l'araignée que j'avais dérangée et qui s'enfuyait.

Cela m'a dépossédé. — Oh les épouvantables spectres! — Non, c'était une fumée, une imagination de mon cerveau vide et convulsif. Chimère à la Macbeth! les morts sont morts, ceux-là surtout. Ils sont bien cadenassés dans le sépulcre. Ce n'est pas là une prison dont on s'évade. Comment se fait-il donc que j'aie eu peur ainsi?

La porte du tombeau ne s'ouvre pas en dedans.

XIII

J'AI VU ces jours passés une chose hideuse.

Il était à peine jour, et la prison était pleine de bruit. On entendait ouvrir et fermer les lourdes portes, grincer les verrous et les cadenas de fer, carillonner les trousseaux de clefs entrechoqués à la ceinture des geôliers, trembler les escaliers du haut en bas sous des pas précipités, et des voix s'appeler et se répondre des deux bouts des longs corridors. Mes voisins de cachots, les forçats en punition, étaient plus gais qu'à l'ordinaire. Tout Bicêtre semblait rire, chanter, courir, danser.

Moi, seul muet dans ce vacarme, seul immobile dans ce tumulte, étonné et attentif, j'écoutais.

Un geôlier passa.

Je me hasardai à l'appeler et à lui demander si c'était fête dans la prison. — Fête si l'on veut! me répondit-il.

C'est aujourd'hui qu'on ferre les forçats qui doivent partir demain pour Toulon. Voulez-vous voir ? cela vous amusera.

C'était en effet pour un reclus solitaire une bonne fortune qu'un spectacle, si odieux qu'il fût. J'acceptai l'amusement.

Le guichetier prit les précautions d'usage pour s'assurer de moi, puis me conduisit dans une petite cellule vide, et absolument démeublée, qui avait une fenêtre grillée, mais une véritable fenêtre à hauteur d'appui, et à travers laquelle on apercevait réellement le ciel.

— Tenez, me dit-il, d'ici vous verrez et vous entendrez. Vous serez seul dans votre loge comme le roi.

Puis il sortit et referma sur moi serrures, cadenas et verrous.

La fenêtre donnait sur une cour carrée assez vaste, et autour de laquelle s'élevait des quatre côtés, comme une muraille, un grand bâtiment de pierre de taille à six étages. Rien de plus dégradé, de plus nu, de plus misérable à l'œil que cette quadruple façade percée d'une multitude de fenêtres grillées auxquelles se tenaient collés, du bas en haut, une foule de visages maigres et blêmes, pressés les uns au-dessus des autres, comme les pierres d'un mur, et tous pour ainsi dire encadrés dans les entrecroisements des barreaux de fer. C'étaient les prisonniers, spectateurs de la cérémonie en attendant leur jour d'être acteurs. On eût dit des âmes en peine aux soupiraux du purgatoire qui donnent sur l'enfer.

Tous regardaient en silence la cour vide encore. Ils attendaient. Parmi ces figures éteintes et mornes, çà et là brillaient quelques yeux perçants et vifs comme des points de feu.

Le carré de prisons qui enveloppe la cour ne se referme

pas sur lui-même. Un des quatre pans de l'édifice (celui qui regarde le levant) est coupé vers son milieu, et ne se rattache au pan voisin que par une grille de fer. Cette grille s'ouvre sur une seconde cour, plus petite que la première ; et, comme elle, bloquée de murs et de pignons noirâtres.

Tout autour de la cour principale, des bancs de pierre s'adossent à la muraille. Au milieu se dresse une tige de fer courbée, destinée à porter une lanterne.

Midi sonna. Une grande porte cochère, cachée sous un enfoncement, s'ouvrit brusquement. Une charrette, escortée d'espèces de soldats sales et honteux, en uniformes bleus, à épaulettes rouges et à bandoulières jaunes, entra lourdement dans la cour avec un bruit de ferraille. C'était la chiourme et les chaînes.

Au même instant, comme si ce bruit réveillait tout le bruit de la prison, les spectateurs des fenêtres, jusqu'alors silencieux et immobiles, éclatèrent en cris de joie, en chansons, en menaces, en imprécations mêlées d'éclats de rire poignants à entendre. On eût cru voir des masques de démons. Sur chaque visage parut une grimace, tous les poings sortirent des barreaux, toutes les voix hurlèrent, tous les yeux flamboyèrent, et je fus épouvanté de voir tant d'étincelles reparaître dans cette cendre.

Cependant les argousins, parmi lesquels on distinguait, à leurs vêtements propres et à leur effroi, quelques curieux venus de Paris, les argousins se mirent tranquillement à leur besogne. L'un d'eux monta sur la charrette, et jeta à ses camarades les chaînes, les colliers de voyage, et les liasses de pantalons de toile. Alors ils se dépecèrent le travail : les uns allèrent étendre dans un coin de la cour les longues chaînes qu'ils nommaient dans leur argot *les ficelles ;* les autres déployèrent sur le pavé *les taffetas,* les chemises et les pantalons; tandis que les plus sagaces examinaient un à un, sous l'œil de leur capitaine, petit vieillard trapu, les carcans de fer qu'ils éprouvaient ensuite, en les faisant étinceler sur le pavé. Le tout aux acclamations railleuses des prisonniers dont la voix n'était dominée que par les rires bruyants des forçats pour qui cela se préparait, et qu'on voyait relégués aux croisées de la vieille prison qui donne sur la petite cour.

Quand ces apprêts furent terminés, un monsieur brodé en argent, qu'on appelait *monsieur l'inspecteur,* donna un ordre au *directeur* de la prison; et un moment après voilà que deux ou trois portes basses vomirent presque en même temps, et comme par bouffées, dans la cour, des nuées d'hommes hideux, hurlants, et déguenillés. C'étaient les forçats.

A leur entrée, redoublement de joie aux fenêtres. Quelques-uns d'entre eux, les grands noms du bagne, furent salués d'acclamations et d'applaudissements qu'ils recevaient avec une sorte de modestie fière. La plupart avaient des espèces de chapeaux tressés de leurs propres mains, avec la paille du cachot, et toujours d'une forme étrange, afin que dans les villes où l'on passerait le chapeau fît remarquer la tête. Ceux-là étaient plus applaudis encore. Un, surtout, excita des transports d'enthousiasme : un jeune homme de dix-sept ans, qui avait un visage de jeune fille. Il sortait du cachot, où il était au secret depuis huit jours; de sa botte de paille il s'était fait un vêtement qui l'enveloppait de la tête aux pieds, et il entra dans la cour en faisant la roue sur lui-même avec l'agilité d'un serpent. C'était un baladin condamné pour vol. Il y eut une rage de battements de mains et de cris de joie. Les galériens y répondaient, et c'était une chose effrayante que cet échange de gaietés entre les forçats en titre et les forçats aspirants. La société avait beau être là, représentée par les geôliers et les curieux épouvantés, le crime la narguait en face, et de ce châtiment horrible faisait une fête de famille.

A mesure qu'ils arrivaient, on les poussait, entre deux haies de gardes-chiourme, dans la petite cour grillée, où la visite des médecins les attendait. C'est là que tous tentaient un dernier effort pour éviter le voyage, alléguant quelque excuse de santé : les yeux malades, la jambe boiteuse, la main mutilée. Mais presque toujours on les trouvait bons pour le bagne ; et alors chacun se résignait avec insouciance, oubliant en peu de minutes sa prétendue infirmité de toute la vie.

La grille de la petite cour se rouvrit. Un gardien fit l'appel par ordre alphabétique ; et alors ils sortirent un à un, et chaque forçat s'alla ranger debout dans un coin de la grande cour, près d'un compagnon donné par le hasard de sa lettre initiale. Ainsi chacun se voit réduit à lui-même ; chacun porte sa chaîne pour soi, côte à côte avec un inconnu ; et si par hasard un forçat a un ami, la chaîne l'en sépare. Dernière des misères.

Quand il y en eut à peu près une trentaine de sortis, on referma la grille. Un argousin les aligna avec son bâton, jeta devant chacun d'eux une chemise, une veste et un pantalon de grosse toile, puis fit un signe, et tous commencèrent à se déshabiller. Un incident inattendu vint, comme à point nommé, changer cette humiliation en torture.

Jusqu'alors le temps avait été assez beau ; et si la bise d'octobre refroidissait l'air, de temps en temps aussi elle ouvrait çà et là dans les brumes grises du ciel une crevasse par où tombait un rayon de soleil. Mais à peine les forçats se furent-ils dépouillés de leurs haillons de prison, au moment où ils s'offraient nus et debout à la visite soupçonneuse des gardiens, et aux regards curieux des étrangers qui tournaient autour d'eux pour examiner leurs épaules, le ciel devint noir, une froide averse d'automne éclata brusquement, et se déchargea à torrents dans la cour carrée, sur les têtes découvertes, sur les membres nus des galériens, sur leurs misérables sayons étalés sur le pavé.

En un clin d'œil le préau se vida de tout ce qui n'était pas argousin ou galérien. Les curieux de Paris allèrent s'abriter sous les auvents des portes.

Cependant la pluie tombait à flots. On ne voyait plus dans la cour que les forçats nus et ruisselants sur le pavé noyé. Un silence morne avait succédé à leurs bruyantes bravades. Ils grelottaient, leurs dents claquaient; leurs jambes maigries, leurs genoux noueux, s'entrechoquaient, et c'était pitié de les voir appliquer sur leurs membres bleus ces chemises trempées, ces vestes, ces pantalons dégouttants de pluie. La nudité eût été meilleure.

Un seul, un vieux, avait conservé quelque gaieté. Il s'écria en s'essuyant avec sa chemise mouillée, que *cela n'était pas dans le programme,* puis se prit à rire en montrant le poing au ciel.

Quand ils eurent revêtu les habits de route, on les mena par bande de vingt ou trente à l'autre coin du préau, où les cordons allongés à terre les attendaient. Ces cordons sont de longues et fortes chaînes coupées transversalement de deux en deux pieds par d'autres chaînes plus courtes, à l'extrémité desquelles se rattache un carcan carré, qui s'ouvre au moyen d'une charnière pratiquée à l'un des angles et se ferme à l'angle opposé par un boulon de fer, rivé pour tout le voyage sur le cou du galérien. Quand ces cordons sont développés à terre, ils figurent assez bien la grande arête d'un poisson.

On fit asseoir les galériens dans la boue, sur les pavés inondés ; on leur essaya les colliers ; puis deux forgerons de la chiourme, armés d'enclumes portatives, les leur rivèrent à froid à grands coups de masses de fer. C'est un moment affreux, où les plus hardis pâlissent. Chaque coup de marteau, assené sur l'enclume appuyée à leur dos, fait rebondir le menton du patient ; le moindre mouvement d'avant en arrière lui ferait sauter le crâne comme une coquille de noix.

Après cette opération, ils devinrent sombres. On n'entendait plus que le grelottement des chaînes, et par intervalles un cri et le bruit sourd du bâton des gardes-chiourme sur les membres des récalcitrants. Il y en eut qui pleurèrent, les vieux frissonnaient et se mordaient les lèvres. Je regardais avec terreur tous ces profils sinistres dans leurs cadres de fer.

Ainsi, après la visite des médecins, la visite des geôliers ; après la visite des geôliers, le ferrage. Trois actes à ce spectacle.

Un rayon de soleil reparut. On eût dit qu'il mettait le feu à tous ces cerveaux. Les forçats se levèrent à la fois, comme par un mouvement convulsif. Les cinq cordons se rattachèrent par les mains, et tout à coup se formèrent en ronde immense autour de la branche de la lanterne. Ils tournaient à fatiguer les yeux. Ils chantaient une chanson du bagne, une romance d'argot, sur un air tantôt plaintif, tantôt furieux et gai ; on entendait par intervalles des cris grêles, des éclats de rire déchirés et haletants se mêler aux mystérieuses paroles ; puis des acclamations furibondes, et les chaînes qui s'entrechoquaient en cadence servaient d'orchestre à ce chant plus rauque que leur bruit. Si je cherchais une image du sabbat, je ne la voudrais meilleure ni pire.

On apporta dans le préau un large baquet. Les garde-chiourme rompirent la danse des forçats à coups de bâton, et les conduisirent à ce baquet, dans lequel on voyait nager je ne sais quelles herbes dans je ne sais quel liquide fumant et sale. Ils mangèrent.

Puis ayant mangé, ils jetèrent sur le pavé ce qui restait de leur soupe et de leur pain bis, et se remirent à danser et à chanter. Il paraît qu'on leur laisse cette liberté le jour du ferrage et la nuit qui le suit.

J'observais ce spectacle étrange avec une curiosité si avide, si palpitante, si attentive, que je m'étais oublié moi-même. Un profond sentiment de pitié me remuait jusqu'aux entrailles, et leurs rires me faisaient pleurer.

Tout à coup, à travers la rêverie profonde où j'étais tombé, je vis la ronde hurlante s'arrêter et se taire. Puis tous les yeux se tournèrent vers la fenêtre que j'occupais. — Le condamné! le condamné! crièrent-ils tous en me montrant du doigt; et les explosions de joie redoublèrent.

Je restai pétrifié.

J'ignore d'où ils me connaissaient et comment ils m'avaient reconnu.

— Bonjour! bonsoir! me crièrent-ils avec leur ricanement atroce. Un des plus jeunes, condamné aux galères perpétuelles, face luisante et plombée, me regarda d'un air d'envie en disant : — Il est heureux! il sera *rogné!* Adieu, camarade!

Je ne puis dire ce qui se passait en moi. J'étais leur camarade en effet. La Grève est sœur de Toulon. J'étais même placé plus bas qu'eux : ils me faisaient honneur. Je frissonnai.

Oui, leur camarade! et quelques jours plus tard, j'aurais pu aussi, moi, être un spectacle pour eux.

J'étais demeuré à la fenêtre, immobile, perclus, paralysé. Mais quand je vis les cinq cordons s'avancer, se ruer vers moi avec des paroles d'une infernale cordialité ; quand j'entendis le tumultueux fracas de leurs chaînes, de leurs clameurs, de leurs pas, au pied du mur, il me sembla que cette nuée de démons escaladait ma misérable cellule ; je poussai un cri, je me jetai sur la porte d'une violence à la briser ; mais pas moyen de fuir : les verrous étaient tirés en dehors. Je heurtai, j'appelai avec rage. Puis il me sembla entendre de plus près encore les effrayantes voix des forçats. Je crus voir leurs têtes hideuses paraître déjà au bord de ma fenêtre, je poussai un second cri d'angoisse, et je tombai évanoui.

XIV

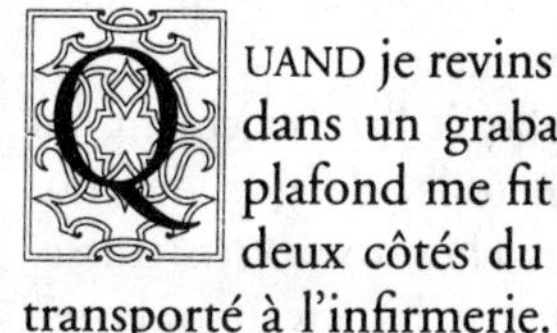

UAND je revins à moi il était nuit. J'étais couché dans un grabat ; une lanterne qui vacillait au plafond me fit voir d'autres grabats alignés des deux côtés du mien. Je compris qu'on m'avait transporté à l'infirmerie.

Je restai quelques instants éveillé, mais sans pensée et sans souvenir, tout entier au bonheur d'être dans un lit. Certes, en d'autres temps, ce lit d'hôpital et de prison m'eût fait reculer de dégoût et de pitié ; mais je n'étais plus le même homme. Les draps étaient gris et rudes au toucher, la couverture maigre et trouée ; on sentait la paillasse à travers le matelas ; qu'importe ! mes membres pouvaient se déraidir à l'aise entre ces draps grossiers ; sous cette couverture, si mince qu'elle fût, je sentais se dissiper peu à peu cet horrible froid de la moelle des os, dont j'avais pris l'habitude. — Je me rendormis.

Un grand bruit me réveilla ; il faisait petit jour. Ce bruit venait du dehors : mon lit était à côté de la fenêtre, je me levai sur mon séant pour voir ce que c'était.

La fenêtre donnait sur la grande cour de Bicêtre. Cette cour était pleine de monde ; deux haies de vétérans avaient peine à maintenir libre, au milieu de cette foule, un étroit chemin qui traversait la cour. Entre ce double rang de soldats cheminaient lentement, cahotées à chaque pavé, cinq longues charrettes chargées d'hommes : c'étaient les forçats qui partaient.

Ces charrettes étaient découvertes. Chaque cordon en occupait une. Les forçats étaient assis de côté sur chacun des bords, adossés les uns aux autres, séparés par la chaîne commune, qui se développait dans la longueur du chariot, et sur l'extrémité de laquelle un argousin debout, fusil chargé, tenait le pied. On entendait bruire leurs fers, et, à chaque secousse de la voiture, on voyait sauter leurs têtes et ballotter leurs jambes pendantes.

Une pluie fine et pénétrante glaçait l'air, et collait sur leurs genoux leurs pantalons de toile, de gris devenus noirs. Leurs longues barbes, leurs cheveux courts ruisselaient ; leurs visages étaient violets ; on les voyait grelotter, et leurs dents grinçaient de rage et de froid. Du reste, pas de mouvements possibles. Une fois rivé à cette chaîne, on n'est plus qu'une fraction de ce tout hideux qu'on appelle le cordon, et qui se meut comme un seul homme. L'intelligence doit abdiquer ; le carcan du bagne la condamne à mort ; et quant à l'animal lui-même, il ne doit plus avoir de besoins et d'appétits qu'à heures fixes. Ainsi, immobiles, la plupart demi-nus, têtes découvertes et pieds pendants, ils commençaient leur voyage de vingt-cinq jours, chargés sur les mêmes charrettes, vêtus des mêmes vêtements pour le soleil à plomb de juillet et pour les froides pluies de novembre. On dirait que les hommes veulent mettre le ciel de moitié dans leur office de bourreaux.

Il s'était établi entre la foule et les charrettes je ne sais quel horrible dialogue : injures d'un côté, bravades de l'autre, imprécations des deux parts; mais, à un signe du capitaine, je vis les coups de bâton pleuvoir au hasard dans les charrettes, sur les épaules ou sur les têtes, et tout rentra dans cette espèce de calme extérieur qu'on appelle l'*ordre.* Mais les yeux étaient pleins de vengeance, et les poings des misérables se crispaient sur leurs genoux.

Les cinq charrettes, escortées de gendarmes à cheval et d'argousins à pied, disparurent successivement sous la haute porte cintrée de Bicêtre; une sixième les suivit, dans laquelle ballottaient pêle-mêle les chaudières, les gamelles de cuivre et les chaînes de rechange. Quelques gardes-chiourme qui s'étaient attardés à la cantine, sortirent en courant, pour rejoindre leur escouade. La foule s'écoula. Tout ce spectacle s'évanouit comme une fantasmagorie. On entendit s'affaiblir par degrés dans l'air le bruit lourd des roues et des pieds de chevaux sur la route pavée de Fontainebleau, le claquement des fouets, le cliquetis des chaînes, et les hurlements du peuple, qui souhaitait malheur au voyage des galériens.

Et c'est là pour eux le commencement!

— Que me disait-il donc, l'avocat? Les galères! Ah! oui, plutôt mille fois la mort, plutôt l'échafaud que le bagne, plutôt le néant que l'enfer; plutôt livrer mon cou au couteau de Guillotin qu'au carcan de la chiourme! Les galères, juste ciel!

XV

MALHEUREUSEMENT je n'étais pas malade. Le lendemain il fallut sortir de l'infirmerie. Le cachot me reprit.

Pas malade! en effet, je suis jeune, sain et fort. Le sang coule librement dans mes veines; tous mes membres obéissent à tous mes caprices; je suis robuste de corps et d'esprit, constitué pour une longue vie; oui, tout cela est vrai; et cependant j'ai une maladie, une maladie mortelle, une maladie faite de la main des hommes.

Depuis que je suis sorti de l'infirmerie, il m'est venu une idée poignante, une idée à me rendre fou, c'est que j'aurais peut-être pu m'évader si l'on m'y avait laissé. Ces médecins, ces sœurs de charité, semblaient prendre intérêt à moi. Mourir si jeune et d'une telle mort! On eût dit qu'ils me plaignaient, tant ils étaient empressés autour de mon chevet. Bah! curiosité! Et puis, ces gens qui guérissent vous guérissent bien d'une fièvre, mais non d'une sentence de mort. Et pourtant cela leur serait si facile! une porte ouverte! Qu'est-ce que cela leur ferait?

Plus de chances maintenant! mon pourvoi sera rejeté, parce que tout est en règle; les témoins ont bien témoigné, les plaideurs ont bien plaidé, les juges ont bien jugé. Je n'y compte pas, à moins que... Non, folie! plus d'espérance! Le pourvoi, c'est une corde qui vous tient suspendu au-dessus de l'abîme, et qu'on entend craquer à chaque instant jusqu'à ce qu'elle se casse. C'est comme si le couteau de la guillotine mettait six semaines à tomber.

Si j'avais ma grâce ? — Avoir ma grâce ? Et par qui ? et pour quoi ? et comment ? Il est impossible qu'on me fasse grâce. L'exemple ! comme ils disent.

Je n'ai plus que trois pas à faire : Bicêtre, la Conciergerie, la Grève.

XVI

PENDANT le peu d'heures que j'ai passées à l'infirmerie, je m'étais assis près d'une fenêtre, au soleil — il avait reparu —, ou du moins recevant du soleil tout ce que les grilles de la croisée m'en laissaient.

J'étais là, ma tête pesante et embrasée dans mes deux mains, qui en avaient plus qu'elles n'en pouvaient porter, mes coudes sur mes genoux, les pieds sur les barreaux de ma chaise ; car l'abattement fait que je me courbe et me replie sur moi-même comme si je n'avais plus ni os dans les membres ni muscles dans la chair.

L'odeur étouffée de la prison me suffoquait plus que jamais, j'avais encore dans l'oreille tout ce bruit de chaînes des galériens, j'éprouvais une grande lassitude de Bicêtre. Il me semblait que le bon Dieu devrait bien avoir pitié de moi et m'envoyer au moins un petit oiseau pour chanter là, en face, au bord du toit.

Je ne sais si ce fut le bon Dieu ou le démon qui m'exauça ; mais presque au même moment j'entendis s'élever sous ma fenêtre une voix, non celle d'un oiseau, mais bien mieux : la voix pure, fraîche, veloutée d'une jeune fille de quinze ans. Je levai la tête comme en sursaut, j'écoutai avidement la chanson qu'elle chantait. C'était un air lent et langoureux, une espèce de roucoulement triste et lamentable ; voici les paroles :

C'est dans la rue du Mail
Où j'ai été coltigé,
Maluré,
Par trois coquins de railles,
Lirlonfa malurette,
Sur mes sique' ont foncé,
Lirlonfa maluré.

Je ne saurais dire combien fut amer mon désappointement. La voix continua :

Sur mes sique' ont foncé,
Maluré.
Ils m'ont mis la tartouve,
Lirlonfa malurette,
Grand Meudon est aboulé,
Lirlonfa maluré.
Dans mon trimin rencontre,
Lirlonfa malurette,
Un peigre du quartier,
Lirlonfa maluré.

Un peigre du quartier,
Maluré.
Va-t'en dire à ma largue,
Lirlonfa malurette,
Que je suis enfourraillé,
Lirlonfa maluré.
Ma largue tout en colère,

Lirlonfa malurette,
M'dit : Qu'as-tu donc morfillé ?
Lirlonfa maluré.

M'dit : Qu'as-tu donc morfillé ?
Maluré.
J'ai fait suer un chêne,
Lirlonfa malurette,
Son auberg j'ai enganté,
Lirlonfa maluré.
Son auberg et sa toquante,
Lirlonfa malurette,
Et ses attach's de cés,
Lirlonfa maluré.

Et ses attach's de cés,
Maluré.
Ma largu' part pour Versailles,
Lirlonfa malurette,
Aux pieds d'Sa Majesté,
Lirlonfa maluré.
Elle lu fonce un babillard,
Lirlonfa malurette,
Pour m' fair' défourrailler,
Lirlonfa maluré.

Pour m' fair' défourrailler,
Maluré.
Ah ! si j'en défourraille,
Lirlonfa malurette,
Ma largue j'entiferai,
Lirlonfa maluré.
J'li ferai porter fontange,

Lirlonfa malurette,
Et souliers galuchés,
Lirlonfa maluré.

Et souliers galuchés,
Maluré.
Mais grand dabe qui s'fâche,
Lirlonfa malurette,
Dit : Par mon caloquet,
Lirlonfa maluré,
J'li ferai danser une danse,
Lirlonfa malurette,
Où il n'y a pas de plancher,
Lirlonfa maluré.

Je n'en ai pas entendu et n'aurais pu en entendre davantage. Le sens à demi compris et à demi caché de cette horrible complainte, cette lutte du brigand avec le guet, ce voleur qu'il rencontre et qu'il dépêche à sa femme, cet épouvantable message : J'ai assassiné un homme et je suis arrêté, *j'ai fait suer un chêne, et je suis enfourraillé;* cette femme qui court à Versailles avec un placet, et cette *Majesté* qui s'indigne et menace le coupable de lui faire danser *la danse où il n'y a pas de plancher;* et tout cela chanté sur l'air le plus doux et par la plus douce voix qui ait jamais endormi l'oreille humaine!... J'en suis resté navré, glacé, anéanti. C'était une chose repoussante que toutes ces monstrueuses paroles sortant de cette bouche vermeille et fraîche. On eût dit la bave d'une limace sur une rose.

Je ne saurais rendre ce que j'éprouvais; j'étais à la fois blessé et caressé. Le patois de la caverne et du bagne, cette langue ensanglantée et grotesque, ce hideux argot, marié à une voix de jeune fille, gracieuse transition de la voix d'enfant à la voix de femme! tous ces mots difformes et mal faits, chantés, cadencés, perlés!

Ah! qu'une prison est quelque chose d'infâme! Il y a un venin qui y salit tout. Tout s'y flétrit, même la chanson d'une fille de quinze ans! Vous y trouvez un oiseau, il a de la boue sur son aile; vous y cueillez une jolie fleur, vous la respirez, elle pue.

XVII

OH! SI je m'évadais, comme je courrais à travers champs!

Non, il ne faudrait pas courir. Cela fait regarder et soupçonner. Au contraire, marcher lentement, tête levée, en chantant. Tâcher d'avoir quelque vieux sarrau bleu à dessins rouges, cela déguise bien. Tous les maraîchers des environs en portent.

Je sais auprès d'Arcueil un fourré d'arbres à côté d'un marais, où, étant au collège, je venais avec mes camarades pêcher des grenouilles tous les jeudis. C'est là que je me cacherais jusqu'au soir.

La nuit tombée, je reprendrais ma course. J'irais à Vincennes. Non, la rivière m'empêcherait. J'irais à Arpajon. — Il aurait mieux valu prendre du côté de Saint-Germain, et aller au Havre, et m'embarquer pour l'Angleterre. — N'importe! j'arrive à Longjumeau, un gendarme passe; il me demande mon passeport... je suis perdu!

— Ah! malheureux rêveur, brise donc d'abord le mur épais de trois pieds qui t'emprisonne! la mort! la mort!

Quand je pense que je suis venu tout enfant ici, à Bicêtre, voir le grand puits et les fous !

XVIII

PENDANT que j'écrivais tout ceci, ma lampe a pâli, le jour est venu, l'horloge de la chapelle a sonné six heures.

Qu'est-ce que cela veut dire ? le guichetier de garde vient d'entrer dans mon cachot ; il a ôté sa casquette, m'a salué, s'est excusé de me déranger, et m'a demandé, en adoucissant de son mieux sa rude voix, ce que je désirais à déjeuner...

Il m'a pris un frisson. — Est-ce que ce serait pour aujourd'hui ?

XIX

C'EST pour aujourd'hui !

Le directeur de la prison lui-même vient de me rendre visite. Il m'a demandé en quoi il pourrait m'être agréable ou utile, a exprimé le désir que je n'eusse pas à me plaindre de lui ou de ses subordonnés, s'est informé avec intérêt de ma santé et de la façon dont j'avais passé la nuit ; en me quittant, il m'a appelé *monsieur*.

C'est pour aujourd'hui !

XX

L NE croit pas, ce geôlier, que j'aie à me plaindre de lui et de ses sous-geôliers. Il a raison, ce serait mal à moi de me plaindre ; ils ont fait leur métier, ils m'ont bien gardé ; et puis ils ont été polis à l'arrivée et au départ. Ne dois-je pas être content ?

Ce bon geôlier, avec son sourire bénin, ses paroles caressantes, son œil qui flatte et qui espionne, ses grosses et larges mains, c'est la prison incarnée, c'est Bicêtre qui s'est fait homme. Tout est prison autour de moi ; je retrouve la prison sous toutes les formes, sous la forme humaine comme sous la forme de grille ou de verrou. Ce mur, c'est de la prison en pierre ; cette porte, c'est de la prison en bois ; ces guichetiers, c'est de la prison en chair et en os. La prison est une espèce d'être horrible, complet, indivisible, moitié maison, moitié homme. Je suis sa proie ; elle me couve, elle m'enlace de tous ses replis ; elle m'enferme dans ses murailles de granit, me cadenasse sous ses serrures de fer, et me surveille avec ses yeux de geôlier.

Ah ! misérable ! que vais-je devenir ? qu'est-ce qu'ils vont faire de moi ?

XXI

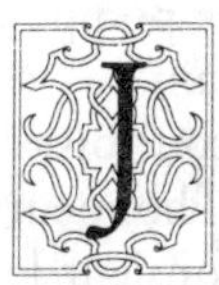

E SUIS calme maintenant, tout est fini, bien fini. Je suis sorti de l'horrible anxiété où m'avait jeté la visite du directeur. Car, je l'avoue, j'espérais encore... Maintenant, Dieu merci, je n'espère plus.

Voici ce qui vient de se passer :

Au moment où six heures et demie sonnaient, — non, c'était l'avant-quart, — la porte de mon cachot s'est rouverte. Un vieillard à tête blanche, vêtu d'une redingote brune, est entré. Il a entr'ouvert sa redingote, j'ai vu une soutane, un rabat. C'était un prêtre.

Ce prêtre n'était pas l'aumônier de la prison, cela était sinistre.

Il s'est assis en face de moi avec un sourire bienveillant, puis a secoué la tête et levé les yeux au ciel, c'est-à-dire à la voûte du cachot. Je l'ai compris. — Mon fils, m'a-t-il dit, êtes-vous préparé ?

Je lui ai répondu d'une voix faible : — Je ne suis pas préparé, mais je suis prêt.

Cependant ma vue s'est troublée, une sueur glacée est sortie à la fois de tous mes membres, j'ai senti mes tempes se gonfler, et j'avais les oreilles pleines de bourdonnements.

Pendant que je vacillais sur ma chaise comme endormi, le bon vieillard parlait. C'est du moins ce qui m'a semblé, et je crois me souvenir que j'ai vu ses lèvres remuer, ses mains s'agiter, ses yeux reluire.

La porte s'est rouverte une seconde fois. Le bruit des verrous nous a arrachés, moi à ma stupeur, lui à son discours. Une espèce de monsieur, en habit noir, accompagné du directeur de la prison, s'est présenté, et m'a salué profondément. Cet homme avait sur le visage quelque chose de la tristesse officielle des employés des pompes funèbres. Il tenait un rouleau de papier à la main.

— Monsieur, m'a-t-il dit avec un sourire de courtoisie, je suis huissier près la Cour royale de Paris. J'ai l'honneur de vous apporter un message de la part de monsieur le procureur général.

La première secousse était passée. Toute ma présence d'esprit m'était revenue.

— C'est monsieur le procureur général, lui ai-je répondu, qui a demandé si instamment ma tête? Bien de l'honneur pour moi qu'il m'écrive. J'espère que ma mort lui va faire grand plaisir; car il me serait dur de penser qu'il l'a sollicitée avec tant d'ardeur, et qu'elle lui était indifférente.

J'ai dit tout cela, et j'ai repris d'une voix ferme : — Lisez, monsieur!

Il s'est mis à me lire un long texte, en chantant à la fin de chaque ligne, et en hésitant au milieu de chaque mot. C'était le rejet de mon pourvoi.

— L'arrêt sera exécuté aujourd'hui en place de Grève, a-t-il ajouté quand il a eu terminé, sans lever les yeux de dessus son papier timbré. Nous partons à sept heures et demie précises pour la Conciergerie. Mon cher monsieur, aurez-vous l'extrême bonté de me suivre?

Depuis quelques instants je ne l'écoutais plus. Le directeur causait avec le prêtre; lui, avait l'œil fixé sur son papier; je regardais la porte, qui était restée entr'ouverte.... — Ah! misérable! quatre fusiliers dans le corridor!

L'huissier a répété sa question, en me regardant cette fois. — Quand vous voudrez, lui ai-je répondu. A votre aise!

Il m'a salué en disant : — J'aurai l'honneur de venir vous chercher dans une demi-heure.

Alors ils m'ont laissé seul.

— Un moyen de fuir, mon Dieu! un moyen quelconque! Il faut que je m'évade! il le faut! sur-le-champ! par les portes, par les fenêtres, par la charpente du toit!

quand même je devrais laisser de ma chair après les poutres!

O rage! démons! malédiction! Il faudrait des mois pour percer ce mur avec de bons outils, et je n'ai ni un clou, ni une heure!

XXII

De la Conciergerie.

E VOICI *transféré,* comme dit le procès-verbal. Mais le voyage vaut la peine d'être conté.

Sept heures et demie sonnaient lorsque l'huissier s'est présenté de nouveau au seuil de mon cachot. — Monsieur, m'a-t-il dit, je vous attends. — Hélas! lui et d'autres!

Je me suis levé, j'ai fait un pas; il m'a semblé que je n'en pourrais faire un second, tant ma tête était lourde et mes jambes faibles. Cependant je me suis remis et j'ai continué d'une allure assez ferme. Avant de sortir du cabanon, j'y ai promené un dernier coup d'œil. — Je l'aimais, mon cachot. — Et puis, je l'ai laissé vide et ouvert : ce qui donne à un cachot un air singulier.

Au reste, il ne le sera pas longtemps. Ce soir on y attend quelqu'un, disaient les porte-clefs, un condamné que la cour d'assises est en train de faire à l'heure qu'il est.

Au détour du corridor, l'aumônier nous a rejoints. Il venait de déjeuner.

Au sortir de la geôle, le directeur m'a pris affectueusement la main, et a renforcé mon escorte de quatre vétérans.

Devant la porte de l'infirmerie, un vieillard moribond m'a crié : Au revoir!

Nous sommes arrivés dans la cour. J'ai respiré : cela m'a fait du bien.

Nous n'avons pas marché longtemps à l'air. Une voiture attelée de chevaux de poste stationnait dans la première cour : c'est la même voiture qui m'avait amené; une espèce de cabriolet oblong, divisé en deux sections par une grille transversale de fil de fer si épaisse qu'on la dirait tricotée. Les deux sections ont chacune une porte, l'une devant, l'autre derrière la carriole. Le tout si sale, si noir, si poudreux, que le corbillard des pauvres est un carrosse du sacre en comparaison.

Avant de m'ensevelir dans cette tombe à deux roues, j'ai jeté un regard dans la cour, un de ces regards désespérés devant lesquels il semble que les murs devraient crouler. La cour, espèce de petite place plantée d'arbres, était plus encombrée encore de spectateurs que pour les galériens. Déjà la foule!

Comme le jour du départ de la chaîne, il tombait une pluie de la saison, une pluie fine et glacée qui tombe encore à l'heure où j'écris, qui tombera sans doute toute la journée, qui durera plus que moi.

Les chemins étaient effondrés, la cour pleine de fange et d'eau. J'ai eu plaisir à voir cette foule dans cette boue.

Nous avons monté, l'huissier et un gendarme dans le compartiment de devant; le prêtre, moi et un gendarme dans l'autre. Quatre gendarmes à cheval autour de la voiture. Ainsi, sans le postillon, huit hommes pour un homme.

Pendant que je montais, il y avait une vieille aux

yeux gris qui disait : « J'aime encore mieux cela que la chaîne. »

Je conçois. C'est un spectacle qu'on embrasse plus aisément d'un coup d'œil : c'est plus tôt vu. C'est tout aussi beau et plus commode. Rien ne vous distrait. Il n'y a qu'un homme, et sur cet homme seul autant de misère que sur tous les forçats à la fois. Seulement cela est moins éparpillé : c'est une liqueur concentrée, bien plus savoureuse.

La voiture s'est ébranlée. Elle a fait un bruit sourd en passant sous la voûte de la grande porte, puis a débouché dans l'avenue ; et les lourds battants de Bicêtre se sont refermés derrière elle. Je me sentais emporter avec stupeur, comme un homme tombé en léthargie, qui ne peut ni remuer ni crier, et qui entend qu'on l'enterre. J'écoutais vaguement les paquets de sonnettes pendus au cou des chevaux de poste sonner en cadence et comme par hoquets, les roues ferrées bruire sur le pavé ou cogner la caisse en changeant d'ornières, le galop sonore des gendarmes autour de la carriole, le fouet claquant du postillon. Tout cela me semblait comme un tourbillon qui m'emportait.

A travers le grillage d'un judas percé en face de moi, mes yeux s'étaient fixés machinalement sur l'inscription gravée en grosses lettres au-dessus de la grande porte de Bicêtre : HOSPICE DE LA VIEILLESSE.

— Tiens, me disais-je, il paraît qu'il y a des gens qui vieillissent là.

Et, comme on fait entre la veille et le sommeil, je retournais cette idée en tous sens dans mon esprit engourdi de douleur. Tout à coup la carriole, en passant de l'avenue dans la grande route, a changé le point de vue de la lucarne. Les tours de Notre-Dame sont venues s'y encadrer, bleues et à demi effacées dans la brume de Paris. Sur-le-champ le point de vue de mon esprit a changé aussi; j'étais devenu machine comme la voiture. A l'idée de Bicêtre a succédé l'idée des tours de Notre-Dame. — Ceux qui seront sur la tour où est le drapeau verront bien, me suis-je dit en souriant stupidement.

Je crois que c'est à ce moment-là que le prêtre s'est remis à me parler; je l'ai laissé dire patiemment. J'avais déjà dans l'oreille le bruit des roues, le galop des chevaux, le fouet du postillon. C'était un bruit de plus.

J'écoutais en silence cette chute de paroles monotones qui assoupissaient ma pensée comme le murmure d'une fontaine, et qui passaient devant moi, toujours diverses et toujours les mêmes, comme les ormeaux tortus de la grande route, lorsque la voix brève et saccadée de l'huissier, placé sur le devant, est venue subitement me secouer. — Eh bien! monsieur l'abbé! disait-il avec un accent presque gai, qu'est-ce que vous savez de nouveau?

C'est vers le prêtre qu'il se retournait en parlant ainsi.

L'aumônier, qui me parlait sans relâche, et que la voiture assourdissait, n'a pas répondu.

— Hé! hé! a repris l'huissier en haussant la voix pour avoir le dessus sur le bruit des roues : infernale voiture!

Infernale! En effet.

Il a continué :

— Sans doute, c'est le cahot; on ne s'entend pas. Qu'est-ce que je voulais donc dire? faites-moi le plaisir de m'apprendre ce que je voulais dire, monsieur l'abbé? — Ah! savez-vous la grande nouvelle de Paris, aujourd'hui?

J'ai tressailli, comme s'il parlait de moi.

— Non, a dit le prêtre, qui avait enfin entendu, je n'ai pas eu le temps de lire les journaux ce matin; je verrai cela ce soir. Quand je suis occupé comme cela toute la journée, je recommande au portier de me garder mes journaux, et je les lis en rentrant.

— Bah ! a repris l'huissier, il est impossible que vous ne sachiez pas cela. La nouvelle de Paris ! la nouvelle de ce matin !

J'ai pris la parole : — Je crois la savoir.

L'huissier m'a regardé : — Vous ! vraiment ! — En ce cas, qu'en dites-vous ?

— Vous êtes curieux ! lui ai-je dit.

— Pourquoi, monsieur ? a répliqué l'huissier. Chacun a son opinion politique. Je vous estime trop pour croire que vous n'avez pas la vôtre. Quant à moi, je suis tout à fait d'avis du rétablissement de la garde nationale. J'étais sergent de ma compagnie, et, ma foi, c'était fort agréable...

Je l'ai interrompu. — Je ne croyais pas que ce fût de cela qu'il s'agissait.

— Et de quoi donc ? vous disiez savoir la nouvelle...

— Je parlais d'une autre, dont Paris s'occupe aussi aujourd'hui.

L'imbécile n'a pas compris ; sa curiosité s'est éveillée. — Une autre nouvelle ? Où diable avez-vous pu apprendre des nouvelles ? laquelle, de grâce, mon cher monsieur ? Savez-vous ce que c'est, monsieur l'abbé ? êtes-vous plus au courant que moi ? Mettez-moi au fait, je vous prie. De quoi s'agit-il ? Voyez-vous, j'aime les nouvelles ; je les conte à monsieur le président, et cela l'amuse.

Et mille billevesées ! Il se tournait tour à tour vers le prêtre et vers moi, et je ne répondais qu'en haussant les épaules.

— Eh bien ! m'a-t-il dit, à quoi pensez-vous donc ?

— Je pense, ai-je répondu, que je ne penserai plus ce soir.

— Ah ! c'est cela ? a-t-il répliqué. Allons, vous êtes trop triste. Monsieur Castaing causait.

Puis, après un silence : — J'ai conduit monsieur Papavoine ; il avait sa casquette de loutre et fumait son cigare. Quant aux jeunes gens de La Rochelle, ils ne parlaient qu'entre eux, mais ils parlaient.

Il a fait encore une pause, et a poursuivi :

— Des fous, des enthousiastes ! ils avaient l'air de mépriser tout le monde. Pour ce qui est de vous, je vous trouve vraiment bien pensif, jeune homme.

— Jeune homme, lui ai-je dit, je suis plus vieux que vous ; chaque quart d'heure qui s'écoule me vieillit d'une année.

Il s'est retourné, m'a regardé quelques minutes avec un étonnement inepte, puis s'est mis à ricaner lourdement.

— Allons, vous voulez rire, plus vieux que moi ! je serais votre grand-père.

— Je ne veux pas rire, lui ai-je répondu gravement.

Il a ouvert sa tabatière.

— Tenez, cher monsieur, ne vous fâchez pas ; une prise de tabac, et ne me gardez pas rancune.

— N'ayez pas peur ; je n'aurai pas longtemps à vous la garder.

En ce moment sa tabatière, qu'il me tendait, a rencontré le grillage qui nous séparait. Un cahot a fait qu'elle l'a heurté assez violemment, et est tombée tout ouverte sous les pieds du gendarme.

— Maudit grillage ! s'est écrié l'huissier.

Il s'est tourné vers moi.

— Eh bien ! ne suis-je pas malheureux ? tout mon tabac est perdu !

— Je perds plus que vous, ai-je répondu en souriant.

Il a essayé de ramasser son tabac, en grommelant entre ses dents : — Plus que moi! cela est facile à dire. Pas de tabac jusqu'à Paris! c'est terrible!

L'aumônier alors lui a adressé quelques paroles de consolation, et je ne sais si j'étais préoccupé, mais il m'a semblé que c'était la suite de l'exhortation dont j'avais eu le commencement. Peu à peu la conversation s'est engagée entre le prêtre et l'huissier; je les ai laissés parler de leur côté, et je me suis mis à penser du mien.

En abordant la barrière, j'étais toujours préoccupé sans doute, mais Paris m'a paru faire un plus grand bruit qu'à l'ordinaire.

La voiture s'est arrêtée un moment devant l'octroi. Les douaniers de ville l'ont inspectée. Si c'eût été un mouton ou un bœuf qu'on eût mené à la boucherie, il aurait fallu leur jeter une bourse d'argent; mais une tête humaine ne paie pas de droit. Nous avons passé.

Le boulevard franchi, la carriole s'est enfoncée au grand trot dans ces vieilles rues tortueuses du faubourg Saint-Marceau et de la Cité, qui serpentent et s'entrecoupent comme les mille chemins d'une fourmilière. Sur le pavé de ces rues étroites le roulement de la voiture est devenu si bruyant et si rapide, que je n'entendais plus rien du bruit extérieur. Quand je jetais les yeux par la petite lucarne carrée, il me semblait que le flot des passants s'arrêtait pour regarder la voiture, et que des bandes d'enfants couraient sur sa trace. Il m'a semblé aussi voir de temps en temps dans les carrefours çà et là un homme ou une vieille en haillons, quelquefois les deux ensemble, tenant en main une liasse de feuilles imprimées que les passants se disputaient, en ouvrant la bouche comme pour un grand cri.

Huit heures et demie sonnaient à l'horloge du Palais au moment où nous sommes arrivés dans la cour de la Conciergerie. La vue de ce grand escalier, de cette noire chapelle, de ces guichets sinistres, m'a glacé. Quand la voiture s'est arrêtée, j'ai cru que les battements de mon cœur allaient s'arrêter aussi.

J'ai recueilli mes forces ; la porte s'est ouverte avec la rapidité de l'éclair ; je suis sauté à bas du cachot roulant, et je me suis enfoncé à grands pas sous la voûte entre deux haies de soldats. Il s'était déjà formé une foule sur mon passage !

XXIII

TANT que j'ai marché dans les galeries publiques du Palais-de-Justice, je me suis senti presque libre et à l'aise ; mais toute ma résolution m'a abandonné quand on a ouvert devant moi des portes basses, des escaliers secrets, des couloirs intérieurs, de longs corridors étouffés et sourds, où il n'entre que ceux qui condamnent ou ceux qui sont condamnés.

L'huissier m'accompagnait toujours. Le prêtre m'avait quitté pour revenir dans deux heures : il avait ses affaires.

On m'a conduit au cabinet du directeur, entre les mains duquel l'huissier m'a remis. C'était un échange. Le directeur l'a prié d'attendre un instant, lui annonçant qu'il allait avoir du *gibier* à lui remettre, afin qu'il le conduisît sur-le-champ à Bicêtre par le retour de la carriole. Sans doute le condamné d'aujourd'hui, celui qui doit coucher ce soir sur la botte de paille que je n'ai pas eu le temps d'user. — C'est bon, a dit l'huissier au directeur, je vais attendre un moment ; nous ferons les deux procès-verbaux à la fois, cela s'arrange bien.

En attendant, on m'a déposé dans un petit cabinet attenant à celui du directeur. Là on m'a laissé seul, bien verrouillé.

Je ne sais à quoi je pensais, ni depuis combien de temps j'étais là, quand un brusque et violent éclat de rire à mon oreille m'a réveillé de ma rêverie.

J'ai levé les yeux en tressaillant. Je n'étais plus seul dans la cellule : un homme s'y trouvait avec moi, un homme d'environ cinquante-cinq ans, de moyenne taille ; ridé, voûté, grisonnant ; à membres trapus ; avec un regard louche dans des yeux gris ; un rire amer sur le visage ; sale, en guenilles, demi-nu, repoussant à voir.

Il paraît que la porte s'était ouverte, l'avait vomi, puis s'était refermée sans que je m'en fusse aperçu. Si la mort pouvait venir ainsi !

Nous nous sommes regardés quelques secondes fixement, l'homme et moi : lui, prolongeant son rire, qui ressemblait à un râle ; moi, demi-étonné, demi-effrayé.

— Qui êtes-vous ? lui ai-je dit enfin.

— Drôle de demande ! a-t-il répondu. Un friauche.

— Un friauche ! Qu'est-ce que cela veut dire ?

Cette question a redoublé sa gaieté.

— Cela veut dire, s'est-il écrié au milieu d'un éclat de rire, que le taule jouera au panier avec ma sorbonne dans six semaines, comme il va faire avec ta tronche dans six heures. Ha ! ha ! il paraît que tu comprends maintenant.

En effet, j'étais pâle, et mes cheveux se dressaient : c'était l'autre condamné, le condamné du jour, celui qu'on attendait à Bicêtre, mon héritier.

Il a continué :

— Que veux-tu? voilà mon histoire à moi : je suis fils d'un bon peigre; c'est dommage que Charlot[1] ait pris la peine un jour de lui attacher sa cravate. C'était quand régnait la potence, par la grâce de Dieu. A six ans, je n'avais plus ni père ni mère; l'été, je faisais la roue dans la poussière au bord des routes, pour qu'on me jetât un sou par la portière des chaises de poste; l'hiver, j'allais pieds nus dans la boue en soufflant dans mes doigts tout rouges; on voyait mes cuisses à travers mon pantalon. A neuf ans, j'ai commencé à me servir de mes louches[2] : de temps en temps je vidais une fouillousse[3], je filais une pelure[4]; à dix ans, j'étais un marlou[5]. Puis j'ai fait des connaissances; à dix-sept, j'étais un grinche[6]. Je forçais une boutanche, je faussais une tournante[7]. On m'a pris. J'avais l'âge; on m'a envoyé ramer dans la petite marine[8]. Le bagne, c'est dur : coucher sur une planche, boire de l'eau claire, manger du pain noir, traîner un imbécile de boulet qui ne sert à rien; des coups de bâton et des coups de soleil. Avec cela on est tondu, et moi qui avais de beaux cheveux châtains!... N'importe! j'ai fait mon temps; quinze ans, cela s'arrache! J'avais trente-deux ans; un beau matin on me donna une feuille de route et soixante-six francs que je m'étais amassés dans mes quinze ans de galères, en travaillant seize heures par jour, trente jours par

1. Le bourreau.
2. Mes mains.
3. Une poche.
4. Je volais un manteau.
5. Un filou.
6. Un voleur.
7. Je forçais une boutique. Je faussais une clef.
8. Aux galères.

mois, et douze mois par année. C'est égal, je voulais être honnête homme avec mes soixante-six francs, et j'avais de plus beaux sentiments sous mes guenilles qu'il n'y en a sous une serpillière de ratichon[1]. Mais que les diables soient avec le passeport ! il était jaune, et on avait écrit dessus *forçat libéré :* il fallait montrer cela partout où je passais et le présenter tous les huit jours au maire du village où l'on me forçait de tapiquer[2]. La belle recommandation ! un galérien ! Je faisais peur, et les petits enfants se sauvaient, et l'on fermait les portes. Personne ne voulait me donner d'ouvrage. Je mangeai mes soixante-six francs ; et puis il fallut vivre. Je montrai mes bras bons au travail, on ferma les portes. J'offris ma journée pour quinze sous, pour dix sous, pour cinq sous. Point. Que faire ? Un jour, j'avais faim, je donnai un coup de coude dans le carreau d'un boulanger ; j'empoignai un pain, et le boulanger m'empoigna : je ne mangeai pas le pain, et j'eus les galères à perpétuité, avec trois lettres de feu sur l'épaule ; — je te montrerai, si tu veux. — On appelle cette justice-là *la récidive.* Me voilà donc cheval de retour[3]. On me remit à Toulon ; cette fois avec les bonnets verts[4]. Il fallait m'évader. Pour cela je n'avais que trois murs à percer, deux chaînes à couper, et j'avais un clou. Je m'évadai. On tira le canon d'alerte ; car, nous autres, nous sommes, comme les cardinaux de Rome, habillés de rouge, et on tire le canon quand nous partons. Leur poudre alla aux moineaux. Cette fois, pas de passeport jaune, mais pas d'argent non plus. Je rencontrai des camarades qui avaient aussi fait leur temps ou cassé leur ficelle. Leur

1. Une soutane d'abbé.
2. Habiter.
3. Ramené au bagne.
4. Les condamnés à perpétuité.

coire[1] me proposa d'être des leurs; on faisait la grande soulasse sur le trimar[2]. J'acceptai, et je me mis à tuer pour vivre. C'était tantôt une diligence, tantôt une chaise de poste, tantôt un marchand de bœufs à cheval. On prenait l'argent; on laissait aller au hasard la bête ou la voiture, et l'on enterrait l'homme sous un arbre, en ayant soin que les pieds ne sortissent pas; et puis on dansait sur la fosse, pour que la terre ne parût pas fraîchement remuée. J'ai vieilli comme cela, gîtant dans les broussailles, dormant aux belles étoiles, traqué de bois en bois, mais du moins libre et à moi. Tout a une fin, et autant celle-là qu'une autre. Les marchands de lacets[3], une belle nuit, nous ont pris au collet. Mes fanandels[4] se sont sauvés; mais moi, le plus vieux, je suis resté sous la griffe de ces chats à chapeaux galonnés. On m'a amené ici. J'avais déjà passé par tous les échelons de l'échelle, excepté un. Avoir volé un mouchoir ou tué un homme, c'était tout un pour moi désormais : il y avait encore une récidive à m'appliquer; je n'avais plus qu'à passer par le faucheur[5]. Mon affaire a été courte. Ma foi, je commençais à vieillir et à n'être plus bon à rien. Mon père a épousé la veuve[6], moi je me retire à l'abbaye de Mont'-à-Regret[7]. — Voilà, camarade.

J'étais resté stupide en l'écoutant. Il s'est remis à rire plus haut encore qu'en commençant, et a voulu me prendre la main. J'ai reculé avec horreur.

1. Leur chef.
2. On assassinait sur les grands chemins.
3. Les gendarmes.
4. Camarades.
5. Le bourreau.
6. A été pendu.
7. La guillotine.

— L'ami, m'a-t-il dit, tu n'as pas l'air brave. Ne va pas faire le sinvre[1] devant la carline : vois-tu ? il y a un mauvais moment à passer sur la placarde[2] ; mais cela est si tôt fait ? Je voudrais être là pour te montrer la culbute. Mille dieux ! j'ai envie de ne pas me pourvoir, si l'on veut me faucher aujourd'hui avec toi. Le même prêtre nous servira à tous deux ; ça m'est égal d'avoir tes restes. Tu vois que je suis un bon garçon. Hein ? dis, veux-tu ? d'amitié !

Il a encore fait un pas pour s'approcher de moi.

— Monsieur, lui ai-je répondu en le repoussant, je vous remercie.

Nouveaux éclats de rire à ma réponse.

— Ha ! ha ! monsieur, vousailles[3] êtes un marquis ! c'est un marquis !

Je l'ai interrompu : — Mon ami, j'ai besoin de me recueillir, laissez-moi.

La gravité de ma parole l'a rendu pensif tout à coup. Il a remué sa tête grise et presque chauve ; puis, creusant avec ses ongles sa poitrine velue, qui s'offrait nue sous sa chemise ouverte : — Je comprends, a-t-il murmuré entre ses dents ; au fait, le sanglier[4]...

Puis, après quelques minutes de silence :

— Tenez, m'a-t-il dit presque timidement, vous êtes un marquis, c'est fort bien ; mais vous avez là une belle redingote qui ne vous servira plus à grand'chose ! le taule la prendra. Donnez-la-moi, je la vendrai pour avoir du tabac.

1. Le poltron devant la mort.
2. Place de Grève.
3. Vous.
4. Le prêtre.

J'ai ôté ma redingote et je la lui ai donnée. Il s'est mis à battre des mains avec une joie d'enfant. Puis, voyant que j'étais en chemise et que je grelottais : — Vous avez froid, monsieur, mettez ceci ; il pleut, et vous seriez mouillé ; et puis il faut être décemment sur la charrette.

En parlant ainsi, il ôtait sa grosse veste de laine grise et la passait dans mes bras ; je le laissais faire.

Alors j'ai été m'appuyer contre le mur, et je ne saurais dire quel effet me faisait cet homme. Il s'était mis à examiner la redingote que je lui avais donnée, et poussait à chaque instant des cris de joie. — Les poches sont toutes neuves !... le collet n'est pas usé !... j'en aurai au moins quinze francs. Quel bonheur ! du tabac pour mes six semaines !

La porte s'est rouverte. On venait nous chercher tous deux, moi, pour me conduire à la chambre où les condamnés attendent l'heure ; lui, pour le mener à Bicêtre. Il s'est placé en riant au milieu du piquet qui devait l'emmener, et il disait aux gendarmes : — Ah çà ! ne vous trompez pas ; nous avons changé de pelure, monsieur et moi ; mais ne me prenez pas à sa place. Diable ! cela ne m'arrangerait pas, maintenant que j'ai de quoi avoir du tabac !

XXIV

E VIEUX scélérat, il m'a pris ma redingote, car je ne la lui ai pas donnée, et puis il m'a laissé cette guenille, sa veste infâme. De qui vais-je avoir l'air ?

Je ne lui ai pas laissé prendre ma redingote par insouciance ou par charité. Non ; mais parce qu'il était plus fort que moi. Si j'avais refusé, il m'aurait battu avec ses gros poings.

Ah bien oui, charité ! j'étais plein de mauvais sentiments. J'aurais voulu pouvoir l'étrangler de mes mains, le vieux voleur ! pouvoir le piler sous mes pieds.

Je me sens le cœur plein de rage et d'amertume. Je crois que la poche au fiel a crevé. La mort rend méchant.

XXV

ILS M'ONT amené dans une cellule où il n'y a que les quatre murs, avec beaucoup de barreaux à la fenêtre et beaucoup de verrous à la porte ; cela va sans dire.

J'ai demandé une table, une chaise, et ce qu'il faut pour écrire. On m'a apporté tout cela.

Puis j'ai demandé un lit. Le guichetier m'a regardé de ce regard étonné qui semble dire : — A quoi bon ?

Cependant ils ont dressé un lit de sangle dans le coin. Mais en même temps un gendarme est venu s'installer dans ce qu'ils appellent *ma chambre.* Est-ce qu'ils ont peur que je ne m'étrangle avec le matelas ?

XXVI

L EST dix heures.

O ma pauvre petite fille! encore six heures, et je serai mort! je serai quelque chose d'immonde qui traînera sur la table froide des amphithéâtres; une tête qu'on moulera d'un côté, un tronc qu'on disséquera de l'autre; puis de ce qui restera on en mettra plein une bière, et le tout ira à Clamart!

Voilà ce qu'ils vont faire de ton père, ces hommes dont aucun ne me hait, qui tous me plaignent et tous pourraient me sauver. Ils vont me tuer. Comprends-tu cela, Marie! me tuer de sang-froid, en cérémonie, pour le bien de la chose! Ah! grand Dieu!

Pauvre petite! ton père, qui t'aimait tant, ton père qui baisait ton petit cou blanc et parfumé, qui passait la main sans cesse dans les boucles de tes cheveux comme sur de la soie, qui prenait ton joli visage rond dans sa main, qui te faisait sauter sur ses genoux, et le soir joignait tes deux petites mains pour prier Dieu!

Qui est-ce qui te fera tout cela maintenant? Qui est-ce qui t'aimera? Tous les enfants de ton âge auront des pères, excepté toi. Comment te déshabitueras-tu, mon enfant, du jour de l'an, des étrennes, des beaux joujoux, des bonbons et des baisers? — Comment te déshabitueras-tu, malheureuse orpheline, de boire et de manger?

Oh! si ces jurés l'avaient vue, au moins, ma jolie petite Marie, ils auraient compris qu'il ne faut pas tuer le père d'un enfant de trois ans.

Et quand elle sera grande, si elle va jusque-là, que deviendra-t-elle? Son père sera un des souvenirs du peuple de Paris. Elle rougira de moi et de mon nom; elle sera méprisée, repoussée, vile à cause de moi, de moi qui l'aime de toutes les tendresses de mon cœur. O ma petite Marie bien aimée ! est-il bien vrai que tu auras honte et horreur de moi ?

Misérable ! quel crime j'ai commis et quel crime je fais commettre à la société !

Oh ! est-il bien vrai que je vais mourir avant la fin du jour ? Est-il bien vrai que c'est moi ? Ce bruit sourd de cris que j'entends au-dehors, ce flot de peuple joyeux qui déjà se hâte sur les quais, ces gendarmes qui s'apprêtent dans leurs casernes, ce prêtre en robe noire, cet autre homme aux mains rouges, c'est pour moi ! c'est moi qui vais mourir ! moi, le même qui est ici, qui vit, qui se meut, qui respire, qui est assis à cette table, laquelle ressemble à une autre table, et pourrait bien être ailleurs ; moi, enfin, ce moi que je touche et que je sens, et dont le vêtement fait les plis que voilà !

XXVII

ENCORE si je savais comment cela est fait et de quelle façon on meurt là-dessus ; mais c'est horrible, je ne le sais pas.

Le nom de la chose est effroyable, et je ne comprends point comment j'ai pu jusqu'à présent l'écrire et le prononcer.

La combinaison de ces dix lettres, leur aspect, leur physionomie est bien faite pour réveiller une idée épouvantable, et le médecin de malheur qui a inventé la chose avait un nom prédestiné.

L'image que j'y attache, à ce mot hideux, est vague, indéterminée, et d'autant plus sinistre. Chaque syllabe est comme une pièce de la machine. J'en construis et j'en démolis sans cesse dans mon esprit la monstrueuse charpente.

Je n'ose faire une question là-dessus, mais il est affreux de ne savoir ce que c'est, ni comment s'y prendre. Il paraît qu'il y a une bascule et qu'on vous couche sur le ventre.... — Ah! mes cheveux blanchiront avant que ma tête ne tombe!

XXVIII

E L'AI cependant entrevue une fois.

Je passais sur la place de Grève, en voiture, un jour, vers onze heures du matin. Tout à coup la voiture s'arrêta.

Il y avait foule sur la place. Je mis la tête à la portière. Une populace encombrait la Grève et le quai, et des femmes, des hommes, des enfants étaient debout sur le parapet. Au-dessus des têtes, on voyait une espèce d'estrade en bois rouge que trois hommes échafaudaient.

Un condamné devait être exécuté le jour même, et l'on bâtissait la machine.

Je détournai la tête avant d'avoir vu. A côté de la voiture, il y avait une femme qui disait à un enfant : — Tiens, regarde! le couteau coule mal, ils vont graisser la rainure avec un bout de chandelle.

C'est probablement là qu'ils sont aujourd'hui. Onze

heures viennent de sonner. Ils graissent sans doute la rainure.

Ah ! cette fois, malheureux, je ne détournerai pas la tête.

XXIX

O MA grâce ! ma grâce ! on me fera peut-être grâce. Le roi ne m'en veut pas. Qu'on aille chercher mon avocat ! vite l'avocat ! je veux bien des galères. Cinq ans de galères, et que tout soit dit, — ou vingt ans, — ou à perpétuité avec le fer rouge. Mais grâce de la vie !

Un forçat, cela marche encore, cela va et vient, cela voit le soleil.

XXX

LE PRÊTRE est revenu.

Il a des cheveux blancs, l'air très-doux, une bonne et respectable figure : c'est en effet un homme excellent et charitable. Ce matin, je l'ai vu vider sa bourse dans les mains des prisonniers. D'où vient que sa voix n'a rien qui émeuve et qui soit ému ? D'où vient qu'il ne m'a rien dit encore qui m'ait pris par l'intelligence ou par le cœur ?

Ce matin, j'étais égaré. J'ai à peine entendu ce qu'il m'a dit. Cependant ses paroles m'ont semblé inutiles, et je suis resté indifférent : elles ont glissé comme cette pluie froide sur cette vitre glacée.

Cependant, quand il est rentré tout à l'heure près de moi, sa vue m'a fait du bien. C'est parmi tous ces hommes le seul qui soit encore homme pour moi, me suis-je dit. Et il m'a pris une ardente soif de bonnes et consolantes paroles.

Nous nous sommes assis, lui sur la chaise, moi sur le lit. Il m'a dit : Mon fils... — Ce mot m'a ouvert le cœur. Il a continué :

— Mon fils, croyez-vous en Dieu ?

— Oui, mon père, lui ai-je répondu.

— Croyez-vous en la sainte Église catholique, apostolique et romaine ?

— Volontiers, lui ai-je dit.

— Mon fils, a-t-il repris, vous avez l'air de douter. Alors il s'est mis à parler. Il a parlé longtemps ; il a dit beaucoup de paroles, puis, quand il a cru avoir fini, il s'est levé et m'a regardé pour la première fois depuis le commencement de son discours, en m'interrogeant : — Eh bien !

Je proteste que je l'avais écouté avec avidité d'abord, puis avec dévouement.

Je me suis levé aussi. — Monsieur, lui ai-je répondu, laissez-moi seul, je vous prie.

Il m'a demandé : — Quand reviendrai-je ?

— Je vous le ferai savoir.

Alors il est sorti sans rien dire, mais en hochant la tête, comme se disant à lui-même : — Un impie !

Non, si bas que je sois tombé, je ne suis pas un impie ; et Dieu m'est témoin que je crois en lui. Mais que m'a-t-il dit, ce vieillard ? rien de senti, rien d'attendri, rien de pleuré, rien d'arraché de l'âme, rien qui vînt de son cœur pour aller au mien, rien qui fût de lui à moi. Au contraire, je ne sais quoi de vague, d'inaccentué, d'applicable à tout et à tous ; emphatique où il eût été besoin de profondeur, plat où il eût fallu être simple ; une espèce de sermon sentimental et d'élégie théologique. Çà et là, une citation latine en latin. Saint Augustin, saint Grégoire, que sais-je ? Et puis, il avait l'air de réciter une leçon déjà vingt fois récitée, de repasser un thème oblitéré dans sa mémoire à force d'être su. Pas un regard dans l'œil, pas un accent dans la voix, pas un geste dans les mains.

Et comment en serait-il autrement ? Ce prêtre est l'aumônier en titre de la prison. Son état est de consoler et d'exhorter, et il vit de cela. Les forçats, les patients sont du ressort de son éloquence. Il les confesse et les assiste, parce qu'il a sa place à faire. Il a vieilli à mener des hommes mourir. Depuis longtemps il est habitué à ce qui fait frissonner les autres ; ses cheveux, bien poudrés à blanc, ne se dressent plus ; le bagne et l'échafaud sont de tous les jours pour lui. Il est blasé. Probablement il a son cahier : telle page les galériens ; telle page les condamnés à mort. On l'avertit la veille qu'il y aura quelqu'un à consoler le lendemain à telle heure ; il demande ce que c'est, galérien ou supplicié ? et relit la page ; et puis il vient. De cette façon, il advient que ceux qui vont à Toulon et ceux qui vont à la Grève sont un lieu commun pour lui, et qu'il est un lieu commun pour eux.

Oh ! qu'on m'aille donc, au lieu de cela, chercher quelque jeune vicaire, quelque vieux curé, au hasard, dans la première paroisse venue ; qu'on le prenne au coin de son feu, lisant son livre et ne s'attendant à rien, et qu'on lui dise : — Il y a un homme qui va mourir, et il faut que ce soit vous qui le consoliez. Il faut que vous soyez là quand on lui liera les mains, là quand on lui coupera les cheveux; que vous montiez dans sa charrette avec votre crucifix pour lui cacher le bourreau; que vous soyez cahoté avec lui par le pavé jusqu'à la Grève; que vous traversiez avec lui l'horrible foule buveuse de sang; que vous l'embrassiez au pied de l'échafaud, et que vous restiez jusqu'à ce que la tête soit ici et le corps là. — Alors, qu'on me l'amène, tout palpitant, tout frissonnant de la tête aux pieds; qu'on me jette entre ses bras, à ses genoux, et il pleurera, et nous pleurerons, et il sera éloquent, et je serai consolé, et mon cœur se dégonflera dans le sien, et il prendra mon âme, et je prendrai son Dieu.

Mais, ce bon vieillard, qu'est-il pour moi? que suis-je pour lui? un individu de l'espèce malheureuse, une ombre comme il en a déjà tant vu, une unité à ajouter au chiffre des exécutions.

J'ai peut-être tort de le repousser ainsi; c'est lui qui est bon et moi qui suis mauvais. Hélas! ce n'est pas ma faute. C'est mon souffle de condamné qui gâte et flétrit tout.

On vient de m'apporter de la nourriture; ils ont cru que je devais avoir besoin. Une table délicate et recherchée, un poulet, il me semble, et autre chose encore. Eh bien! j'ai essayé de manger; mais, à la première bouchée, tout est tombé de ma bouche, tant cela m'a paru amer et fétide!

XXXI

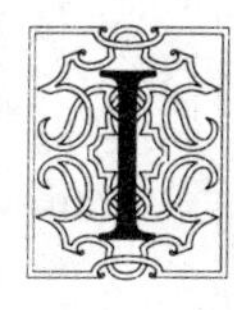

IL VIENT d'entrer un monsieur, le chapeau sur la tête, qui m'a à peine regardé, puis a ouvert un pied-de-roi et s'est mis à mesurer de bas en haut les pierres du mur, parlant d'une voix très haute pour dire tantôt : *C'est cela*; tantôt : *Ce n'est pas cela.*

J'ai demandé au gendarme qui c'était. Il paraît que c'est une espèce de sous-architecte employé à la prison.

De son côté, sa curiosité s'est éveillée sur mon compte. Il a échangé quelques demi-mots avec le porte-clefs qui l'accompagnait; puis a fixé un instant les yeux sur moi, a secoué la tête d'un air insouciant, et s'est remis à parler à haute voix et à prendre des mesures.

Sa besogne finie, il s'est approché de moi en me disant avec sa voix éclatante : — Mon bon ami, dans six mois cette prison sera beaucoup mieux.

Et son geste semblait ajouter : Vous n'en jouirez pas, c'est dommage.

Il souriait presque. J'ai cru voir le moment où il allait me railler doucement, comme on plaisante une jeune mariée le soir de ses noces.

Mon gendarme, vieux soldat à chevrons, s'est chargé de la réponse. — Monsieur, lui a-t-il dit, on ne parle pas si haut dans la chambre d'un mort.

L'architecte s'en est allé. — Moi, j'étais là, comme une des pierres qu'il mesurait.

XXXII

ET PUIS, il m'est arrivé une chose ridicule!

On est venu relever mon bon vieux gendarme, auquel, ingrat égoïste que je suis, je n'ai seulement pas serré la main. Un autre l'a remplacé : homme à front déprimé, des yeux de bœuf, une figure inepte.

Au reste, je n'y avais fait aucune attention. Je tournais le dos à la porte, assis devant la table; je tâchais de rafraîchir mon front avec ma main, et mes pensées troublaient mon esprit.

Un léger coup, frappé sur mon épaule, m'a fait tourner la tête. C'était le nouveau gendarme, avec qui j'étais seul.

Voici à peu près de quelle façon il m'a adressé la parole :

— Criminel, avez-vous bon cœur?

— Non, lui ai-je dit.

La brusquerie de ma réponse a paru le déconcerter. Cependant il a repris en hésitant :

— On n'est pas méchant pour le plaisir de l'être.

— Pourquoi non? ai-je répliqué. Si vous n'avez que cela à me dire, laissez-moi. Où voulez-vous en venir?

— Pardon, mon criminel, a-t-il répondu. Deux mots seulement. Voici : si vous pouviez faire le bonheur d'un pauvre homme, et que cela ne vous coûtât rien, est-ce que vous ne le feriez pas?

J'ai haussé les épaules. — Est-ce que vous arrivez de Charenton? Vous choisissez un singulier vase pour y puiser du bonheur. Moi, faire le bonheur de quelqu'un?

Il a baissé la voix et pris un air mystérieux, qui n'allait pas à sa figure idiote.

— Oui, criminel, oui, bonheur! oui, fortune! Tout cela me sera venu de vous. Voici : je suis un pauvre gendarme. Le service est lourd, la paye est légère; mon cheval est à moi et me ruine. Or, je mets à la loterie pour contre-balancer. Il faut bien avoir une industrie. Jusqu'ici il ne m'a manqué pour gagner que d'avoir de bons numéros. J'en cherche partout de sûrs; je tombe toujours à côté. Je mets le 76; il sort le 77. J'ai beau les nourrir, ils ne viennent pas... — Un peu de patience, s'il vous plaît; je suis à la fin. — Or, voici une belle occasion pour moi. Il paraît, pardon, criminel, que vous passez aujourd'hui. Il est certain que les morts qu'on fait périr comme cela voient la loterie d'avance. Promettez-moi de venir demain soir, qu'est-ce que cela vous fait ? me donner trois numéros, trois bons. Hein ? — Je n'ai pas peur des revenants, soyez tranquille. — Voici mon adresse : Caserne Popincourt ; escalier A, nº 26, au fond du corridor. Vous me reconnaîtrez bien, n'est-ce pas ? — Venez même ce soir, si cela vous est plus commode.

J'aurais dédaigné de lui répondre, à cet imbécile, si une espérance folle ne m'avait traversé l'esprit. Dans la position désespérée où je suis, on croit par moments qu'on briserait une chaîne avec un cheveu.

— Écoute, lui ai-je dit en faisant le comédien autant que le peut faire celui qui va mourir, je puis en effet te rendre plus riche que le roi, te faire gagner des millions, à une condition.

Il ouvrait des yeux stupides.

— Laquelle ? laquelle ? tout pour vous plaire, mon criminel.

— Au lieu de trois numéros, je t'en promets quatre. Change d'habits avec moi.

— Si ce n'est que cela ! s'est-il écrié en défaisant les premières agrafes de son uniforme.

Je m'étais levé de ma chaise. J'observais tous ses mouvements, mon cœur palpitait ; je voyais déjà les portes s'ouvrir devant l'uniforme de gendarme, et la place, et la rue, et le Palais-de-Justice derrière moi !

Mais il s'est retourné d'un air indécis : — Ah çà ! ce n'est pas pour sortir d'ici ?

J'ai compris que tout était perdu. Cependant j'ai tenté un dernier effort, bien inutile et bien insensé !

— Si fait, lui ai-je dit ! mais ta fortune est faite...

Il m'a interrompu.

— Ah bien non ! tiens ! et mes numéros ! pour qu'ils soient bons il faut que vous soyez mort.

Je me suis rassis, muet et plus désespéré de toute l'espérance que j'avais eue.

XXXIII

'AI FERMÉ les yeux, et j'ai mis les mains dessus, et j'ai tâché d'oublier le présent dans le passé. Tandis que je rêve, les souvenirs de mon enfance et de ma jeunesse me reviennent un à un, doux, calmes, riants, comme des îles de fleurs sur ce gouffre de pensées noires et confuses qui tourbillonnent dans mon cerveau.

Je me revois enfant, écolier rieur et frais, jouant, courant, criant avec mes frères dans la grande allée verte de ce jardin sauvage où ont coulé mes premières années, ancien enclos de religieuses que domine de sa tête de plomb le sombre dôme du Val-de-Grâce.

Et puis, quatre ans plus tard, m'y voilà encore, toujours enfant, mais déjà rêveur et passionné. Il y a une jeune fille dans le solitaire jardin.

La petite Espagnole, avec ses grands yeux et ses grands cheveux, sa peau brune et dorée, ses lèvres rouges et ses joues roses, l'Andalouse de quatorze ans, Pepa.

Nos mères nous ont dit d'aller courir ensemble : nous sommes venus nous promener.

On nous a dit de jouer et nous causons, enfants du même âge, non du même sexe.

Pourtant il n'y a encore qu'un an, nous courions, nous luttions ensemble. Je disputais à Pepita la plus belle pomme du pommier; je la frappais pour un nid d'oiseau. Elle pleurait; je disais : C'est bien fait! et nous allions tous deux nous plaindre ensemble l'un de l'autre à nos mères, qui nous donnaient tort tout haut et raison tout bas.

Maintenant elle s'appuie sur mon bras, et je suis tout fier et tout ému. Nous marchons lentement, nous parlons bas. Elle laisse tomber son mouchoir; je le lui ramasse. Nos mains tremblent en se touchant. Elle me parle des petits oiseaux, de l'étoile qu'on voit là-bas, du couchant vermeil derrière les arbres, ou bien de ses amies de pension, de sa robe et de ses rubans. Nous disons des choses innocentes, et nous rougissons tous deux. La petite fille est devenue jeune fille.

Ce soir-là, c'était un soir d'été. Nous étions sous les marronniers, au fond du jardin. Après un de ces longs silences qui remplissaient nos promenades, elle quitta tout à coup mon bras et me dit : Courons!

Je la vois encore; elle était tout en noir, en deuil de sa grand'mère. Il lui passa par la tête une idée d'enfant; Pepa redevint Pepita, elle me dit : Courons!

Et elle se mit à courir devant moi avec sa taille fine comme le corset d'une abeille, et ses petits pieds qui relevaient sa robe jusqu'à mi-jambe. Je la poursuivis, elle fuyait; le vent de sa course soulevait par moments sa pèlerine noire, et me laissait voir son dos brun et frais.

J'étais hors de moi. Je l'atteignis près du vieux puisard en ruine; je la pris par la ceinture, du droit de victoire, et je la fis asseoir sur un banc de gazon; elle ne résista pas. Elle était essoufflée et riait. Moi, j'étais sérieux, et je regardais ses prunelles noires à travers ses cils noirs.

— Asseyez-vous là, me dit-elle. Il fait encore grand jour, lisons quelque chose. Avez-vous un livre ?

J'avais sur moi le tome second des Voyages de Spallanzani. J'ouvris au hasard, je me rapprochai d'elle, elle appuya son épaule à mon épaule, et nous nous mîmes à lire chacun de notre côté, tout bas, la même page. Avant de tourner le feuillet, elle était toujours obligée de m'attendre. Mon esprit allait moins vite que le sien. — Avez-vous fini ? me disait-elle, que j'avais à peine commencé.

Cependant nos têtes se touchaient, nos cheveux se mêlaient ; nos haleines peu à peu se rapprochèrent, et nos bouches tout à coup.

Quand nous voulûmes continuer notre lecture, le ciel était étoilé.

— Oh, maman, maman, dit-elle en rentrant, si tu savais comme nous avons couru !

Moi, je gardais le silence. — Tu ne dis rien, me dit ma mère, tu as l'air triste. J'avais le paradis dans le cœur.

C'est une soirée que je me rappellerai toute ma vie. Toute ma vie !

XXXIV

UNE HEURE vient de sonner, je ne sais laquelle : j'entends mal le marteau de l'horloge. Il me semble que j'ai un bruit d'orgue dans les oreilles ; ce sont mes dernières pensées qui bourdonnent.

A ce moment suprême où je me recueille dans mes souvenirs, j'y retrouve mon crime avec horreur ; mais je voudrais me repentir davantage encore. J'avais plus de remords avant ma condamnation ; depuis, il semble qu'il n'y ait plus de place que pour les pensées de mort. Pourtant, je voudrais bien me repentir beaucoup.

Quand j'ai rêvé une minute à ce qu'il y a de passé dans ma vie, et que j'en reviens au coup de hache qui doit la terminer tout à l'heure, je frissonne comme d'une chose nouvelle. Ma belle enfance ! ma belle jeunesse ! étoffe dorée, dont l'extrémité est sanglante. Entre alors et à présent il y a une rivière de sang : le sang de l'autre et le mien.

Si on lit un jour mon histoire, après tant d'années d'innocence et de bonheur, on ne voudra pas croire à cette année exécrable, qui s'ouvre par un crime et se clôt par un supplice : elle aura l'air dépareillée.

Et pourtant, misérables lois et misérables hommes, je n'étais pas un méchant !

Oh ! mourir dans quelques heures, et penser qu'il y a un an, à pareil jour, j'étais libre et pur, que je faisais mes promenades d'automne, que j'errais sous les arbres, et que je marchais dans les feuilles !

XXXV

N CE moment même, il y a tout auprès de moi, dans ces maisons qui font cercle autour du Palais et de la Grève, et partout dans Paris, des hommes qui vont et viennent, causent et rient, lisent le journal, pensent à leurs affaires; des marchands qui vendent; des jeunes filles qui préparent leurs robes de bal pour ce soir; des mères qui jouent avec leurs enfants!

XXXVI

E ME souviens qu'un jour, étant enfant, j'allai voir le bourdon de Notre-Dame.

J'étais déjà étourdi d'avoir monté le sombre escalier en colimaçon, d'avoir parcouru la frêle galerie qui lie les deux tours, d'avoir eu Paris sous les pieds, quand j'entrai dans la cage de pierre et de charpente où pend le bourdon avec son battant, qui pèse un millier.

J'avançai en tremblant sur les planches mal jointes, regardant à distance cette cloche si fameuse parmi les enfants et le peuple de Paris; et, ne remarquant pas sans effroi que les auvents couverts d'ardoises qui entourent le clocher de leurs plans inclinés étaient au niveau de mes pieds. Dans les intervalles, je voyais, en quelque sorte à vol d'oiseau, la place du Parvis-Notre-Dame, et les passants comme des fourmis.

Tout à coup l'énorme cloche tinta; une vibration profonde remua l'air, fit osciller la lourde tour. Le plancher sautait sur les poutres. Le bruit faillit me renverser; je chancelai, prêt à tomber, prêt à glisser sur ces auvents d'ardoises en pente. De terreur, je me couchai sur les planches, les serrant étroitement de mes deux bras, sans parole, sans haleine, avec ce formidable tintement dans les oreilles, et sous les yeux ce précipice, cette place profonde, où se croisaient tant de passants paisibles et enviés.

Eh bien! il me semble que je suis encore dans la tour du bourdon. C'est tout ensemble un étourdissement et un éblouissement. Il y a comme un bruit de cloche qui ébranle les cavités de mon cerveau, et autour de moi je n'aperçois plus cette vie plane et tranquille que j'ai quittée, et où les autres hommes cheminent encore, que de loin et à travers les crevasses d'un abîme.

XXXVII

'HÔTEL-DE-VILLE est un édifice sinistre.

Avec son toit aigu et raide, son clocheton bizarre, son grand cadran blanc, ses étages à petites colonnes, ses mille croisées, ses escaliers usés par les pas, ses deux arches à droite et à gauche, il est là, de plain-pied avec la Grève, sombre, lugubre, la face toute rongée de vieillesse, et si noir, qu'il est noir au soleil.

Les jours d'exécution, il vomit des gendarmes de toutes ses portes, et regarde le condamné avec toutes ses fenêtres.

Et le soir, son cadran, qui a marqué l'heure, reste lumineux sur sa façade ténébreuse.

XXXVIII

IL EST une heure et quart.

Voici ce que j'éprouve maintenant :

Une violente douleur de tête, les reins froids, le front brûlant. Chaque fois que je me lève ou que je me penche, il me semble qu'il y a un liquide qui flotte dans mon cerveau, et qui fait battre ma cervelle contre les parois du crâne.

J'ai des tressaillements convulsifs, et de temps en temps la plume tombe de mes mains comme par une secousse galvanique.

Les yeux me cuisent comme si j'étais dans la fumée.

J'ai mal dans les coudes.

Encore deux heures et quarante-cinq minutes, et je serai guéri.

XXXIX

ILS DISENT que ce n'est rien, qu'on ne souffre pas, que c'est une fin douce, que la mort de cette façon est bien simplifiée.

Eh ! qu'est-ce donc que cette agonie de six semaines et ce râle de tout un jour ? Qu'est-ce que les angoisses de cette journée irréparable, qui s'écoule si lentement et si vite ? Qu'est-ce que cette échelle de tortures qui aboutit à l'échafaud ?

Apparemment ce n'est pas là souffrir.

Ne sont-ce pas les mêmes convulsions, que le sang

s'épuise goutte à goutte, ou que l'intelligence s'éteigne pensée à pensée ?

Et puis, on ne souffre pas, en sont-ils sûrs ? Qui le leur a dit ? Conte-t-on que jamais une tête coupée se soit dressée sanglante au bord du panier, et qu'elle ait crié au peuple : Cela ne fait pas de mal !

Y a-t-il des morts de leur façon qui soient venus les remercier et leur dire : C'est bien inventé. Tenez-vous-en là. La mécanique est bonne.

Non, rien ! Moins qu'une minute, moins qu'une seconde, et la chose est faite. — Se sont-ils jamais mis, seulement en pensée, à la place de celui qui est là, au moment où le lourd tranchant qui tombe mord la chair, rompt les nerfs, brise les vertèbres... Mais quoi ! une demi-seconde ! la douleur est escamotée... Horreur !

XL

IL EST singulier que je pense sans cesse au roi. J'ai beau faire, beau secouer la tête, j'ai une voix dans l'oreille qui me dit toujours :

— Il y a dans cette même ville, à cette même heure, et pas bien loin d'ici, dans un autre palais, un homme qui a aussi des gardes à toutes ses portes, un homme unique comme toi dans le peuple, avec cette différence qu'il est aussi haut que tu es bas. Sa vie entière, minute par minute, n'est que gloire, grandeur, délices, enivrement. Tout est autour de lui amour, respect, vénération. Les voix les plus hautes deviennent basses en lui parlant, et les fronts les plus fiers ploient. Il n'a que de la soie et de l'or sous les yeux. A cette heure, il tient quelque conseil de ministres où tous sont de son avis; ou bien songe à la chasse de demain, au bal de ce soir, sûr que la fête viendra à l'heure, et laissant à d'autres le travail de ses plaisirs. Eh bien! cet homme est de chair et d'os comme toi! — Et pour qu'à l'instant même l'horrible échafaud s'écroulât, pour que tout te fût rendu, vie, liberté, fortune, famille, il suffirait qu'il écrivît avec cette plume les sept lettres de son nom au bas d'un morceau de papier, ou même que son carrosse rencontrât ta charrette! — Et il est bon, et il ne demanderait pas mieux peut-être, et il n'en sera rien!

XLI

EH BIEN donc! ayons courage avec la mort, prenons cette horrible idée à deux mains, et considérons-la en face. Demandons-lui compte de ce qu'elle est, sachons ce qu'elle nous veut, retournons-la en tous sens, épelons l'énigme, et regardons d'avance dans le tombeau.

Il me semble que dès que mes yeux seront fermés, je verrai une grande clarté et des abîmes de lumière où mon esprit roulera sans fin. Il me semble que le ciel sera lumineux de sa propre essence, que les astres y feront des taches obscures, et qu'au lieu d'être comme pour les yeux vivants des paillettes d'or sur du velours noir, ils sembleront des points noirs sur du drap d'or.

Ou bien, misérable que je suis, ce sera peut-être un

gouffre hideux, profond, dont les parois seront tapissées de ténèbres, et où je tomberai sans cesse en voyant des formes remuer dans l'ombre.

Ou bien, en m'éveillant après le coup, je me trouverai peut-être sur quelque surface plane et humide, rampant dans l'obscurité et tournant sur moi-même comme une tête qui roule. Il me semble qu'il y aura un grand vent qui me poussera, et que je serai heurté çà et là par d'autres têtes roulantes. Il y aura par places des mares et des ruisseaux d'un liquide inconnu et tiède; tout sera noir. Quand mes yeux, dans leur rotation, seront tournés en haut, ils ne verront qu'un ciel d'ombre, dont les couches épaisses pèseront sur eux, et au loin dans le fond de grandes arches de fumée plus noires que les ténèbres. Ils verront aussi voltiger dans la nuit de petites étincelles rouges, qui, en s'approchant, deviendront des oiseaux de feu; — et ce sera ainsi toute l'éternité.

Il se peut bien aussi qu'à certaines dates les morts de la Grève se rassemblent par de noires nuits d'hiver sur la place qui est à eux. Ce sera une foule pâle et sanglante, et je n'y manquerai pas. Il n'y aura pas de lune, et l'on parlera à voix basse. L'Hôtel-de-Ville sera là, avec sa façade vermoulue, son toit déchiqueté, et son cadran qui aura été sans pitié pour tous. Il y aura sur la place une guillotine de l'enfer, où un démon exécutera un bourreau : ce sera à quatre heures du matin. A notre tour nous ferons foule autour.

Il est probable que cela est ainsi. Mais si ces morts-là reviennent, sous quelle forme reviennent-ils? Que gardent-ils de leur corps incomplet et mutilé? Que choisissent-ils? Est-ce la tête ou le tronc qui est spectre?

Hélas! qu'est-ce que la mort fait avec notre âme? quelle nature lui laisse-t-elle? qu'a-t-elle à lui prendre ou à lui donner? où la met-elle? lui prête-t-elle quelquefois des yeux de chair pour regarder sur la terre et pleurer?

Ah! un prêtre! un prêtre qui sache cela! Je veux un prêtre et un crucifix à baiser!

Mon Dieu, toujours le même!

XLII

JE L'AI prié de me laisser dormir, et je me suis jeté sur le lit.

En effet, j'avais un flot de sang dans la tête, qui m'a fait dormir. C'est mon dernier sommeil, de cette espèce.

J'ai fait un rêve.

J'ai rêvé que c'était la nuit. Il me semblait que j'étais dans mon cabinet avec deux ou trois de mes amis, je ne sais plus lesquels.

Ma femme était couchée dans la chambre à coucher, à côté, et dormait avec son enfant.

Nous parlions à voix basse, mes amis et moi, et ce que nous disions nous effrayait.

Tout à coup il me sembla entendre un bruit quelque part dans les autres pièces de l'appartement : un bruit faible, étrange, indéterminé.

Mes amis avaient entendu comme moi. Nous écoutâmes : c'était comme une serrure qu'on ouvre sourdement, comme un verrou qu'on scie à petit bruit.

Il y avait quelque chose qui nous glaçait : nous avions peur. Nous pensâmes que peut-être c'étaient des voleurs qui s'étaient introduits chez moi, à cette heure si avancée de la nuit.

Nous résolûmes d'aller voir. Je me levai, je pris la bougie; mes amis me suivaient, un à un.

Nous traversâmes la chambre à coucher, à côté; ma femme dormait avec son enfant.

Puis nous arrivâmes dans le salon. Rien. Les portraits étaient immobiles dans leur cadre d'or sur la tenture rouge. Il me sembla que la porte du salon à la salle à manger n'était point à sa place ordinaire.

Nous entrâmes dans la salle à manger; nous en fîmes le tour. Je marchais le premier. La porte sur l'escalier était bien fermée, les fenêtres aussi. Arrivé près du poêle, je vis que l'armoire au linge était ouverte, et que la porte de cette armoire était tirée sur l'angle du mur, comme pour le cacher.

Cela me surprit. Nous pensâmes qu'il y avait quelqu'un derrière la porte.

Je portai la main à cette porte pour refermer l'armoire, elle résista. Étonné, je tirai plus fort, elle céda brusquement, et nous découvrit une petite vieille, les mains pendantes, les yeux fermés, immobile, debout, et comme collée dans l'angle du mur.

Cela avait quelque chose de hideux, et mes cheveux se dressent d'y penser.

Je demandai à la vieille : Que faites-vous là?

Elle ne répondit pas.

Je lui demandai : Qui êtes-vous?

Elle ne répondit pas, ne bougea pas et resta les yeux fermés.

Mes amis dirent : — C'est sans doute la complice de ceux qui sont entrés avec de mauvaises pensées; ils se sont échappés en nous entendant venir; elle n'aura pu fuir, et s'est cachée là.

Je l'ai interrogée de nouveau ; elle est demeurée sans voix, sans mouvement, sans regard.

Un de nous l'a poussée à terre, elle est tombée.

Elle est tombée tout d'une pièce, comme un morceau de bois, comme une chose morte.

Nous l'avons remuée du pied, puis deux de nous l'ont relevée et de nouveau appuyée au mur. Elle n'a donné aucun signe de vie. On lui a crié dans l'oreille, et elle est restée muette comme si elle était sourde.

Cependant, nous perdions patience, et il y avait de la colère dans notre terreur. Un de nous m'a dit : Mettez-lui la bougie sous le menton. Je lui ai mis la mèche enflammée sous le menton. Alors elle a ouvert un œil à demi, un œil vide, terne, affreux, et qui ne regardait pas.

J'ai ôté la flamme et j'ai dit : — Ah ! enfin ! répondras-tu, vieille sorcière ? Qui es-tu ?

L'œil s'est refermé comme de lui-même.

— Pour le coup, c'est trop fort, ont dit les autres. Encore la bougie ! encore ! il faudra bien qu'elle parle.

J'ai replacé la lumière sous le menton de la vieille.

Alors, elle a ouvert ses deux yeux lentement, nous a regardés tous les uns après les autres, puis, se baissant brusquement, a soufflé la bougie avec un souffle glacé. Au même moment j'ai senti trois dents aiguës s'imprimer sur ma main, dans les ténèbres.

Je me suis réveillé, frissonnant et baigné d'une sueur froide.

Le bon aumônier était assis au pied de mon lit, et lisait des prières.

— Ai-je dormi longtemps ? lui ai-je demandé.

— Mon fils, m'a-t-il dit, vous avez dormi une heure. On vous a amené votre enfant ; elle est là dans la pièce voisine qui vous attend. Je n'ai pas voulu qu'on vous éveillât.

— Oh! ai-je crié. Ma fille! qu'on m'amène ma fille!

XLIII

ELLE est fraîche, elle est rose, elle a de grands yeux, elle est belle!

On lui a mis une petite robe qui lui va bien.

Je l'ai prise, je l'ai enlevée dans mes bras, je l'ai assise sur mes genoux, je l'ai baisée sur ses cheveux. Pourquoi pas avec sa mère? — Sa mère est malade, sa grand'mère aussi. C'est bien.

Elle me regardait d'un air étonné. Caressée, embrassée, dévorée de baisers et se laissant faire, mais jetant de temps en temps un coup d'œil inquiet sur sa bonne, qui pleurait dans le coin.

Enfin j'ai pu parler.

— Marie! ai-je dit, ma petite Marie!

Je la serrais violemment contre ma poitrine enflée de sanglots. Elle a poussé un petit cri.

— Oh! vous me faites du mal, monsieur, m'a-t-elle dit.

Monsieur! Il y a bientôt un an qu'elle ne m'a vu, la pauvre enfant. Elle m'a oublié, visage, parole, accent; et puis, qui me reconnaîtrait avec cette barbe, ces habits et cette pâleur? Quoi! déjà effacé de cette mémoire, la seule où j'eusse voulu vivre! Quoi! déjà plus père! être condamné à ne plus entendre ce mot, ce mot de la langue des enfants, si doux qu'il ne peut rester dans celle des hommes : *papa!*

Et pourtant l'entendre de cette bouche, encore une fois, une seule fois, voilà tout ce que j'eusse demandé pour les quarante ans de vie qu'on me prend.

— Écoute, Marie, lui ai-je dit en joignant ses deux petites mains dans les miennes, est-ce que tu ne me connais point?

Elle m'a regardé avec ses beaux yeux, et a répondu : — Ah bien non!

— Regarde bien, ai-je répété. Comment, tu ne sais pas qui je suis?

— Si, a-t-elle dit. Un monsieur.

Hélas! n'aimer ardemment qu'un seul être au monde, l'aimer avec tout son amour, et l'avoir devant soi, qui vous voit et vous regarde, vous parle et vous répond, et ne vous connaît pas! Ne vouloir de consolation que de lui, et qu'il soit le seul qui ne sache pas qu'il vous en faut parce que vous allez mourir!

— Marie, ai-je repris, as-tu un papa?

— Oui, monsieur, a dit l'enfant.

— Eh bien, où est-il?

Elle a levé ses grands yeux étonnés : — Ah! vous ne savez donc pas? il est mort.

Puis elle a crié : j'avais failli la laisser tomber.

— Mort! disais-je. Marie, sais-tu ce que c'est qu'être mort?

— Oui, monsieur, a-t-elle répondu. Il est dans la terre et dans le ciel.

Elle a continué d'elle-même.

— Je prie le bon Dieu pour lui matin et soir sur les genoux de maman.

Je l'ai baisée au front. — Marie, dis-moi ta prière.

— Je ne peux pas, monsieur. Une prière, cela ne se dit pas dans le jour. Venez ce soir dans ma maison ; je la dirai.

C'était assez de cela. Je l'ai interrompue :

— Marie, c'est moi qui suis ton papa.

— Ah ! m'a-t-elle dit.

J'ai ajouté : — Veux-tu que je sois ton papa ?

L'enfant s'est détournée. — Non, mon papa était bien plus beau.

Je l'ai couverte de baisers et de larmes. Elle a cherché à se dégager de mes bras en criant : Vous me faites mal avec votre barbe.

Alors, je l'ai replacée sur mes genoux, en la couvant des yeux, et puis je l'ai questionnée :

— Marie, sais-tu lire ?

— Oui, a-t-elle répondu. Je sais bien lire. Maman me fait lire mes lettres.

— Voyons, lis un peu, lui ai-je dit en lui montrant un papier qu'elle tenait chiffonné dans une de ses petites mains.

Elle a hoché sa jolie tête. — Ah bien ! je ne sais lire que des fables.

— Essaie toujours. Voyons, lis.

Elle a déployé le papier, et s'est mise à épeler avec son doigt : — A, R, *ar,* R, Ê, T, *rêt,* ARRÊT...

Je lui ai arraché cela des mains. C'est ma sentence de mort qu'elle me lisait. Sa bonne avait eu le papier pour un sou. Il me coûtait plus cher, à moi.

Il n'y a pas de paroles pour ce que j'éprouvais. Ma violence l'avait effrayée ; elle pleurait presque.

Tout à coup elle m'a dit : — Rendez-moi donc mon papier ; tiens ! c'est pour jouer.

Je l'ai remise à sa bonne. — Emportez-la.

Et je suis retombé sur ma chaise, sombre, désert, désespéré. A présent ils devraient venir ; je ne tiens plus à rien ; la dernière fibre de mon cœur est brisée. Je suis bon pour ce qu'ils vont faire.

XLIV

LE PRÊTRE est bon, le geôlier aussi. Je crois qu'ils ont versé une larme quand j'ai dit qu'on m'emportât mon enfant.

C'est fait. Maintenant il faut que je me raidisse en moi-même, et que je pense fermement au bourreau, à la charrette, aux gendarmes, à la foule sur le pont, à la foule sur le quai, à la foule aux fenêtres, et à ce qu'il y aura exprès pour moi sur cette lugubre place de Grève, qui pourrait être pavée des têtes qu'elle a vues tomber.

Je crois que j'ai encore une heure pour m'habituer à tout cela.

XLV

TOUT ce peuple rira, battra des mains, applaudira, et parmi tous ces hommes libres et inconnus des geôliers, qui courent pleins de joie à une exécution, dans cette foule de têtes qui couvrira la place, il y aura plus d'une tête prédestinée qui suivra la mienne tôt ou tard dans le panier rouge.

Plus d'un qui y vient pour moi y viendra pour soi.

Pour ces êtres fatals il y a sur un certain point de la place de Grève un lieu fatal, un centre d'attraction, un piège. Ils tournent autour jusqu'à ce qu'ils y soient.

XLVI

A PETITE Marie! — On l'a remmenée jouer; elle regarde la foule par la portière du fiacre, et ne pense déjà plus à ce *monsieur.*

Peut-être aurai-je encore le temps d'écrire quelques pages pour elle, afin qu'elle les lise un jour, et qu'elle pleure dans quinze ans pour aujourd'hui.

Oui, il faut qu'elle sache par moi mon histoire, et pourquoi le nom que je lui laisse est sanglant.

XLVII

MON HISTOIRE.

Note de l'Éditeur. — On n'a pu encore retrouver les feuillets qui se rattachaient à celui-ci. Peut-être, comme ceux qui suivent semblent l'indiquer, le condamné n'a-t-il pas eu le temps de les écrire. Il était tard quand cette pensée lui est venue.

XLVIII

D'une chambre de l'Hôtel-de-Ville.

E L'HÔTEL-DE-VILLE!... — Ainsi j'y suis. Le trajet exécrable est fait. La place est là, et au-dessous de la fenêtre l'horrible peuple qui aboie, et m'attend, et rit.

J'ai eu beau me raidir, beau me crisper, le cœur m'a failli. Quand j'ai vu au-dessus des têtes ces deux bras rouges avec leur triangle noir au bout, dressés entre les deux lanternes du quai, le cœur m'a failli. J'ai demandé à faire une dernière déclaration. On m'a déposé ici, et l'on est allé chercher quelque procureur du roi. Je l'attends, c'est toujours cela de gagné.

Voici :

Trois heures sonnaient, on est venu m'avertir qu'il était temps. J'ai tremblé, comme si j'eusse pensé à autre chose depuis six heures, depuis six semaines, depuis six mois. Cela m'a fait l'effet de quelque chose d'inattendu.

Ils m'ont fait traverser leurs corridors et descendre leurs escaliers. Ils m'ont poussé entre deux guichets du rez-de-chaussée, salle sombre, étroite, voûtée, à peine éclairée d'un jour de pluie et de brouillard. Une chaise était au milieu. Ils m'ont dit de m'asseoir; je me suis assis.

Il y avait près de la porte et le long des murs quelques personnes debout, outre le prêtre et les gendarmes, et il y avait aussi trois hommes.

Le premier, le plus grand, le plus vieux, était gras et avait la face rouge. Il portait une redingote et un chapeau à trois cornes déformé. C'était lui.

C'était le bourreau, le valet de la guillotine. Les deux autres étaient ses valets, à lui.

A peine assis, les deux autres se sont approchés de moi, par-derrière, comme des chats ; puis tout à coup j'ai senti un froid d'acier dans mes cheveux, et les ciseaux ont grincé à mes oreilles.

Mes cheveux, coupés au hasard, tombaient par mèches sur mes épaules, et l'homme en chapeau à trois cornes les époussetait doucement avec sa grosse main.

Autour, on parlait à voix basse.

Il y avait un grand bruit au-dehors, comme un frémissement qui ondulait dans l'air. J'ai cru d'abord que c'était la rivière, mais, à des rires qui éclataient, j'ai reconnu que c'était la foule.

Un jeune homme, près de la fenêtre, qui écrivait, avec un crayon, sur un portefeuille, a demandé à un des guichetiers comment s'appelait ce qu'on faisait là. — La toilette du condamné, a répondu l'autre.

J'ai compris que cela serait demain dans le journal.

Tout à coup l'un des valets m'a enlevé ma veste, et l'autre a pris mes deux mains qui pendaient, les a ramenées derrière mon dos, et j'ai senti les nœuds d'une corde se rouler lentement autour de mes poignets rapprochés. En même temps, l'autre détachait ma cravate. Ma chemise de batiste, seul lambeau qui me restât d'autrefois, l'a fait en quelque sorte hésiter un moment, puis il s'est mis à en couper le col.

A cette précaution horrible, au saisissement de l'acier qui touchait mon cou, mes coudes ont tressailli, et j'ai laissé échapper un rugissement étouffé ; la main de l'exécuteur a tremblé. — Monsieur, m'a-t-il dit, pardon ! Est-ce que je vous ai fait mal ! — Ces bourreaux sont des hommes très-doux.

La foule hurlait plus haut au-dehors.

Le gros homme au visage bourgeonné m'a offert à

respirer un mouchoir imbibé de vinaigre. — Merci, lui ai-je dit de la voix la plus forte que j'ai pu, c'est inutile ; je me trouve bien.

Alors l'un d'eux s'est baissé et m'a lié les deux pieds, au moyen d'une corde fine et lâche, qui ne me laissait à faire que de petits pas. Cette corde est venue se rattacher à celle de mes mains.

Puis le gros homme a jeté la veste sur mon dos, et a noué les manches ensemble sous mon menton. Ce qu'il y avait à faire là était fait.

Alors le prêtre s'est approché avec son crucifix. — Allons, mon fils ! m'a-t-il dit.

Les valets m'ont pris sous les aisselles ; je me suis levé, j'ai marché ; mes pas étaient mous et fléchissaient comme si j'avais eu deux genoux à chaque jambe.

En ce moment la porte extérieure s'est ouverte à deux battants. Une clameur furieuse, et l'air froid, et la lumière blanche, ont fait irruption jusqu'à moi dans l'ombre. Du fond du sombre guichet, j'ai vu brusquement tout à la fois, à travers la pluie, les mille têtes hurlantes du peuple entassées pêle-mêle sur la rampe du grand escalier du Palais ; à droite, de plain-pied avec le seuil, un rang de chevaux de gendarmes, dont la porte basse ne me découvrait que les pieds de devant et les poitrails ; en face, un détachement de soldats en bataille ; à gauche, l'arrière d'une charrette, auquel s'appuyait une raide échelle. Tableau hideux, bien encadré dans une porte de prison.

C'est pour ce moment redouté que j'avais gardé mon courage. J'ai fait trois pas, et j'ai paru sur le seuil du guichet.

— Le voilà ! le voilà ! a crié la foule. Il sort, enfin ! Et les plus près de moi battaient des mains. Si fort qu'on aime un roi, ce serait moins de fête.

C'était une charrette ordinaire, avec un cheval étique, et un charretier en sarrau bleu à dessins rouges, comme ceux des maraîchers des environs de Bicêtre.

Le gros homme en chapeau à trois cornes est monté le premier. — Bonjour, monsieur Samson ! criaient des enfants pendus à des grilles. Un valet l'a suivi. — Bravo, Mardi ! ont crié de nouveau les enfants. Ils se sont assis tous deux sur la banquette de devant.

C'était mon tour : j'ai monté d'une allure assez ferme. — Il va bien ! a dit une femme à côté des gendarmes. Cet atroce éloge m'a donné du courage. Le prêtre est venu se placer auprès de moi. On m'avait assis sur la banquette de derrière, le dos tourné au cheval. J'ai frémi de cette dernière attention.

Ils mettent de l'humanité là-dedans.

J'ai voulu regarder autour de moi : gendarmes devant, gendarmes derrière ; puis de la foule, de la foule et de la foule : une mer de têtes sur la place.

Un piquet de gendarmerie à cheval m'attendait à la porte de la grille du Palais.

L'officier a donné l'ordre. La charrette et son cortège se sont mis en mouvement, comme poussés en avant par un hurlement de la populace.

On a franchi la grille. Au moment où la charrette a tourné vers le Pont-au-Change, la place a éclaté en bruit, du pavé aux toits, et les ponts et les quais ont répondu à faire un tremblement de terre.

C'est là que le piquet qui attendait s'est rallié à l'escorte.

— Chapeaux bas ! chapeaux bas ! criaient mille bouches ensemble. — Comme pour le roi.

Alors j'ai ri horriblement aussi, moi, et j'ai dit au prêtre : — Eux les chapeaux, moi la tête.

On allait au pas.

Le quai aux Fleurs embaumait ; c'est jour de marché. Les marchandes ont quitté leurs bouquets pour moi.

Vis-à-vis, un peu avant la tour carrée qui fait le coin du Palais, il y a des cabarets dont les entresols étaient pleins de spectateurs heureux de leurs belles places, surtout des femmes. La journée doit être bonne pour les cabaretiers.

On louait des tables, des chaises, des échafaudages, des charrettes. Tout pliait de spectateurs. Des marchands de sang humain criaient à tue-tête : — Qui veut des places ? Une rage m'a pris contre ce peuple. J'ai eu envie de leur crier : Qui veut la mienne ?

Cependant la charrette avançait. A chaque pas qu'elle faisait, la foule se démolissait derrière elle, et je la voyais de mes yeux égarés qui s'allait reformer plus loin sur d'autres points de mon passage.

En entrant sur le Pont-au-Change, j'ai par hasard jeté les yeux à ma droite en arrière. Mon regard s'est arrêté sur l'autre quai, au-dessus des maisons, à une tour noire, isolée, hérissée de sculptures, au sommet de laquelle je voyais deux monstres de pierre assis de profil. Je ne sais pourquoi j'ai demandé au prêtre ce que c'était que cette tour — Saint-Jacques-la-Boucherie, a répondu le bourreau.

J'ignore comment cela se faisait dans la brume, et malgré la pluie fine et blanche qui rayait l'air comme un réseau de fils d'araignée, rien de ce qui se passait autour de moi ne m'a échappé. Chacun de ces détails m'apportait sa torture. Les mots manquent aux émotions.

Vers le milieu de ce Pont-au-Change, si large et si encombré que nous cheminions à grand'peine, l'horreur m'a pris violemment. J'ai craint de défaillir : dernière vanité! Alors je me suis étourdi moi-même pour être aveugle et pour être sourd à tout, excepté au prêtre, dont j'entendais à peine les paroles, entrecoupées de rumeurs.

J'ai pris le crucifix et je l'ai baisé. — Ayez pitié de moi, ai-je dit, ô mon Dieu! et j'ai tâché de m'abîmer dans cette pensée.

Mais chaque cahot de la dure charrette me secouait. Puis tout à coup je me suis senti un grand froid. La pluie avait traversé mes vêtements, et mouillait la peau de ma tête à travers mes cheveux coupés et courts. — Vous tremblez de froid, mon fils, m'a demandé le prêtre. — Oui, ai-je répondu. Hélas! pas seulement de froid.

Au détour du pont, des femmes m'ont plaint d'être si jeune.

Nous avons pris le fatal quai. Je commençais à ne plus voir, à ne plus entendre. Toutes ces voix, toutes ces têtes aux fenêtres, aux portes, aux grilles des boutiques, aux branches des lanternes; ces spectateurs avides et cruels; cette foule où tous me connaissent et où je ne connais personne; cette route pavée et murée de visages humains... J'étais ivre, stupide, insensé. C'est une chose insupportable que le poids de tant de regards appuyés sur vous.

Je vacillais donc sur le banc, ne prêtant même plus d'attention au prêtre et au crucifix.

Dans le tumulte qui m'enveloppait, je ne distinguais plus les cris de pitié des cris de joie, les rires des plaintes, les voix du bruit; tout cela était une rumeur qui résonnait dans ma tête comme dans un écho de cuivre.

Mes yeux lisaient machinalement les enseignes des boutiques.

Une fois l'étrange curiosité me prit de tourner la tête et de regarder vers quoi j'avançais. C'était une dernière bravade de l'intelligence ; mais le corps ne voulut pas, ma nuque resta paralysée, et d'avance comme morte.

J'entrevis seulement de côté, à ma gauche, au-delà de la rivière, la tour de Notre-Dame, qui, vue de là, cache l'autre. C'est celle où est le drapeau. Il y avait beaucoup de monde, et qui devait bien voir.

Et la charrette allait, allait, et les boutiques passaient, et les enseignes se succédaient, écrites, peintes, dorées, et la populace riait et trépignait dans la boue, et je me laissais aller, comme à leurs rêves ceux qui sont endormis.

Tout à coup la série des boutiques qui occupait mes yeux s'est coupée à l'angle d'une place ; la voix de la foule est devenue plus vaste, plus glapissante, plus joyeuse encore ; la charrette s'est arrêtée subitement, et j'ai failli tomber la face sur les planches. Le prêtre m'a soutenu. — Courage ! a-t-il murmuré. Alors on a apporté une échelle à l'arrière de la charrette ; il m'a donné le bras, je suis descendu, puis j'ai fait un pas, puis je me suis retourné pour en faire un autre, et je n'ai pu. Entre les deux lanternes du quai j'avais vu une chose sinistre.

Oh ! c'était la réalité !

Je me suis arrêté, comme chancelant déjà d'un coup.

— J'ai une dernière déclaration à faire ! ai-je crié faiblement.

On m'a monté ici.

J'ai demandé qu'on me laissât écrire mes dernières volontés. Ils m'ont délié les mains, mais la corde est ici, toute prête, et le reste est en bas.

XLIX

N JUGE, un commissaire, un magistrat, je ne sais de quelle espèce, vient de venir. Je lui ai demandé ma grâce en joignant les deux mains et en me traînant sur les deux genoux. Il m'a répondu, en souriant fatalement, si c'est là tout ce que j'avais à lui dire.

— Ma grâce ! ma grâce ! ai-je répété, ou, par pitié, cinq minutes encore !

Qui sait ? elle viendra peut-être ! cela est si horrible, à mon âge, de mourir ainsi ! Des grâces qui arrivent au dernier moment, on l'a vu souvent. Et à qui fera-t-on grâce, monsieur, si ce n'est à moi ?

Cet exécrable bourreau ! il s'est approché du juge pour lui dire que l'exécution devait être faite à une certaine heure, que cette heure approchait, qu'il était responsable ; que d'ailleurs il pleut, et que cela risque de se rouiller.

— Eh, par pitié ! une minute pour attendre ma grâce ! ou je me défends, je mords !

Le juge et le bourreau sont sortis. Je suis seul. — Seul avec deux gendarmes.

Oh ! l'horrible peuple avec ses cris d'hyène.

— Qui sait si je ne lui échapperai pas ? si je ne serai pas sauvé ? si ma grâce... ? Il est impossible qu'on ne me fasse pas grâce.

Ah ! les misérables ! il me semble qu'on monte l'escalier...

QUATRE HEURES.

CLAUDE GUEUX

Il y a sept ou huit ans, un homme nommé Claude Gueux, pauvre ouvrier, vivait à Paris. Il avait avec lui une fille qui était sa maîtresse, et un enfant de cette fille. Je dis les choses comme elles sont, laissant le lecteur ramasser les moralités à mesure que les faits les sèment sur leur chemin. L'ouvrier était capable, habile, intelligent, fort mal traité par l'éducation, fort bien traité par la nature, ne sachant pas lire et sachant penser. Un hiver, l'ouvrage manqua. Pas de feu ni de pain dans le galetas. L'homme, la fille et l'enfant eurent froid et faim. L'homme vola. Je ne sais ce qu'il vola, je ne sais où il vola. Ce que je sais, c'est que de ce vol il résulta trois jours de pain et de feu pour la femme et pour l'enfant, et cinq ans de prison pour l'homme.

L'homme fut envoyé faire son temps à la maison centrale de Clairvaux. Clairvaux, abbaye dont on a fait une bastille, cellule dont on a fait un cabanon, autel dont on a fait un pilori. Quand nous parlons de progrès, c'est ainsi que certaines gens le comprennent et l'exécutent. Voilà la chose qu'ils mettent sous notre mot.

Poursuivons.

Arrivé là, on le mit dans un cachot pour la nuit, et dans un atelier pour le jour. Ce n'est pas l'atelier que je blâme.

Claude Gueux, honnête ouvrier naguère, voleur désormais, était une figure digne et grave. Il avait le front haut, déjà ridé, quoique jeune encore, quelques cheveux gris perdus dans les touffes noires, l'œil doux et fort puissamment enfoncé sous une arcade sourcilière bien modelée, les narines ouvertes, le menton avancé, la lèvre dédaigneuse. C'était une belle tête. On va voir ce que la société en a fait.

Il avait la parole rare, le geste plus fréquent, quelque chose d'impérieux dans toute sa personne et qui se faisait obéir, l'air pensif, sérieux plutôt que souffrant. Il avait pourtant bien souffert.

Dans le dépôt où Claude Gueux était enfermé, il y avait un directeur des ateliers, espèce de fonctionnaire propre aux prisons, qui tient tout ensemble du guichetier et du marchand, qui fait en même temps une commande à l'ouvrier et une menace au prisonnier, qui vous met l'outil aux mains et les fers aux pieds. Celui-là était lui-même une variété dans l'espèce, un homme bref, tyrannique, obéissant à ses idées, toujours à courte bride sur son autorité; d'ailleurs, dans l'occasion, bon compagnon, bon prince, jovial même et raillant avec grâce; dur plutôt que ferme; ne raisonnant avec personne, pas même avec lui; bon père, bon mari sans doute, ce qui est devoir et non vertu; en un mot, pas méchant, mauvais. C'était un de ces hommes qui n'ont rien de vibrant ni d'élastique, qui sont composés de molécules inertes, qui ne résonnent au choc d'aucune idée, au contact d'aucun sentiment, qui ont des colères glacées, des haines mornes, des emportemens sans émotion, qui prennent feu sans s'échauffer, dont la capacité de calorique est nulle, et qu'on dirait souvent faits de bois : ils flambent par un bout et sont froids par l'autre. La ligne principale, la ligne diagonale du caractère de cet homme, c'était la ténacité. Il était fier d'être tenace, et se comparait à Napoléon. Ceci n'est qu'une illusion d'optique. Il y a nombre de gens qui en sont dupes et qui, à certaine distance, prennent la ténacité pour de la volonté et une chandelle pour une étoile. Quand cet homme donc avait une fois ajusté ce qu'il appelait *sa volonté* à une chose absurde, il allait tête haute et à travers toute broussaille jusqu'au bout de la chose absurde. L'entêtement sans l'intelligence, c'est la sottise soudée au bout de la bêtise et lui servant de rallonge. Cela va loin. En général, quand une catastrophe privée ou publique s'est écroulée sur nous, si nous examinons, d'après les décombres qui en gisent à terre, de quelle façon elle s'est échafaudée, nous trouvons presque toujours qu'elle a été aveuglément construite par un homme médiocre et obstiné qui avait foi en lui et qui s'admirait. Il y a par le monde beaucoup de ces petites fatalités têtues qui se croient des providences.

Voilà donc ce que c'était que le directeur des ateliers de la prison centrale de Clairvaux. Voilà de quoi était fait le briquet avec lequel la société frappait chaque jour sur les prisonniers pour en tirer des étincelles.

L'étincelle que de pareils briquets arrachent à de pareils cailloux allume souvent des incendies.

Nous avons dit qu'une fois arrivé à Clairvaux, Claude Gueux fut numéroté dans un atelier et rivé à une besogne. Le directeur de l'atelier fit connaissance avec lui, le reconnut bon ouvrier, et le traita bien. Il paraît même qu'un jour, étant de bonne humeur, et voyant Claude Gueux fort triste, car cet homme pensait toujours à celle qu'il appelait *sa femme,* il lui conta, par manière de jovialité et de passe-temps, et aussi pour le consoler, que cette malheureuse s'était faite fille publique. Claude demanda froidement ce qu'était devenu l'enfant. On ne savait.

Au bout de quelques mois, Claude s'acclimata à l'air de la prison et parut ne plus songer à rien. Une certaine sérénité sévère, propre à son caractère, avait repris le dessus.

Au bout du même espace de temps à peu près, Claude avait acquis un ascendant singulier sur tous ses compagnons. Comme par une sorte de convention tacite, et sans que personne sût pourquoi, pas même lui, tous ces hommes le consultaient, l'écoutaient, l'admiraient et l'imitaient, ce qui est le dernier degré ascendant de l'admiration. Ce n'était pas une médiocre gloire d'être obéi par toutes ces natures désobéissantes. Cet empire lui était venu sans qu'il y songeât. Cela tenait au regard qu'il avait dans les yeux. L'œil d'un homme est une fenêtre par laquelle on voit les pensées qui vont et viennent dans sa tête.

Mettez un homme qui contient des idées parmi des hommes qui n'en contiennent pas, au bout d'un temps donné, et par une loi d'attraction irrésistible, tous les cerveaux ténébreux graviteront humblement et avec adoration autour du cerveau rayonnant. Il y a des hommes qui sont fer et des hommes qui sont aimant. Claude était aimant.

En moins de trois mois donc Claude était devenu l'âme, la loi et l'ordre de l'atelier. Toutes ces aiguilles tournaient sur son cadran. Il devait douter lui-même par moment s'il était roi ou prisonnier. C'était une sorte de pape captif avec ses cardinaux.

Et, par une réaction toute naturelle dont l'effet s'accomplit sur toutes les échelles, aimé des prisonniers, il était détesté des geôliers. Cela est toujours ainsi. La popularité ne va jamais sans la défaveur. L'amour des esclaves est toujours doublé de la haine des maîtres.

Claude Gueux était grand mangeur. C'était une particularité de son organisation. Il avait l'estomac fait de telle sorte que la nourriture de deux hommes ordinaires suffisait à peine à sa journée. M. de Cotadilla avait un de ces appétits-là, et en riait; mais ce qui est une occasion de gaieté pour un duc grand d'Espagne qui a cinq cent mille moutons, est une charge pour un ouvrier et un malheur pour un prisonnier.

Claude Gueux, libre dans son grenier, travaillait tout le jour, gagnait son pain de quatre livres et le mangeait. Claude Gueux, en prison, travaillait tout le jour et recevait invariablement pour sa peine une livre et demie de pain et quatre onces de viande. La ration est inexorable. Claude avait donc habituellement faim dans la prison de Clairvaux.

Il avait faim, et c'était tout. Il n'en parlait pas. C'était sa nature ainsi.

Un jour, Claude venait de dévorer sa maigre pitance, et s'était remis à son métier, croyant tromper la faim par le travail. Les autres prisonniers mangeaient joyeusement. Un jeune homme, pâle, blond, faible, vint se placer près de lui. Il tenait à la main sa ration, à laquelle il n'avait pas encore touché, et un couteau. Il restait là debout près de Claude, ayant l'air de vouloir parler et de ne pas oser. Cet homme, et son pain, et sa viande, importunaient Claude. — Que veux-tu ? dit-il enfin brusquement. — Que tu me rendes un service, dit timidement le jeune homme. — Quoi ? reprit Claude. — Que tu m'aides à manger cela. J'en ai trop. Une larme roula dans l'œil hautain de Claude. Il prit le couteau, partagea la ration du jeune homme en deux parts égales, en prit une, et se mit à manger. — Merci, dit le jeune homme. Si tu veux nous partagerons comme cela tous les jours. — Comment t'appelles-tu ? dit Claude Gueux. — Albin. — Pourquoi es-tu ici ? reprit Claude. — J'ai volé. — Et moi aussi, dit Claude.

Ils partagèrent en effet de la sorte tous les jours. Claude Gueux avait trente-six ans, et par moment, il en paraissait cinquante, tant sa pensée habituelle était sévère. Albin avait vingt ans, on lui en eût donné dix-sept, tant il y avait encore d'innocence dans le regard de ce voleur. Une étroite amitié se noua entre ces deux hommes, amitié de père à fils plutôt que de frère à frère. Albin était encore presque un enfant ; Claude était déjà presque un vieillard.

Ils travaillaient dans le même atelier, ils couchaient sous la même clef de voûte, ils se promenaient dans le même préau, ils mordaient au même pain. Chacun des deux amis était l'univers pour l'autre. Il paraît qu'ils étaient heureux.

Nous avons déjà parlé du directeur des ateliers. Cet homme, haï des prisonniers, était souvent obligé, pour se faire obéir d'eux, d'avoir recours à Claude Gueux qui en était aimé. Dans plus d'une occasion, lorsqu'il s'était agi d'empêcher une rébellion ou un tumulte, l'autorité sans titre de Claude Gueux avait prêté main-forte à l'autorité officielle du directeur. En effet, pour contenir les prisonniers, dix paroles de Claude valaient dix gendarmes. Claude avait maintes fois rendu ce service au directeur. Aussi le directeur le détestait-il cordialement. Il était jaloux de ce voleur. Il avait au fond du cœur une haine secrète, envieuse, implacable, contre Claude, une haine de souverain de droit à souverain de fait, de pouvoir temporel à pouvoir spirituel.

Ces haines-là sont les pires.

Claude aimait beaucoup Albin, et ne songeait pas au directeur.

Un jour, un matin, au moment où les porte-clefs transvasaient les prisonniers deux à deux du dortoir dans l'atelier, un guichetier appela Albin qui était à côté de

Claude, et le prévint que le directeur le demandait. — Que te veut-on? dit Claude. — Je ne sais pas, dit Albin. Le guichetier emmena Albin.

La matinée se passa, Albin ne revint pas à l'atelier. Quand arriva l'heure du repas, Claude pensa qu'il retrouverait Albin au préau. Albin n'était au préau. On rentra dans l'atelier, Albin ne reparut pas dans l'atelier. La journée s'écoula ainsi. Le soir quand on ramena les prisonniers dans leur dortoir, Claude y chercha des yeux Albin, et ne le vit pas. Il paraît qu'il souffrit beaucoup dans ce moment-là, car il adressa la parole à un guichetier, ce qu'il ne faisait jamais : — Est-ce qu'Albin est malade? dit-il. — Non, répondit le guichetier. — D'où vient donc, reprit Claude, qu'il n'a pas reparu aujourd'hui? — Ah! dit négligemment le porte-clefs, c'est qu'on l'a changé de quartier. Les témoins qui ont déposé de ces faits plus tard remarquèrent qu'à cette réponse du guichetier la main de Claude qui portait une chandelle allumée trembla légèrement. Il reprit avec calme : Qui a donné cet ordre-là? Le guichetier répondit : Monsieur D.

Le directeur des ateliers s'appelait M. D.

La journée du lendemain se passa comme la journée précédente, sans Albin.

Le soir, à l'heure de la clôture des travaux, le directeur, M. D., vint faire sa ronde habituelle dans l'atelier. Du plus loin que Claude le vit, il ôta son bonnet de grosse laine, il boutonna sa veste grise, triste livrée de Clairvaux, car il est de principe dans les prisons qu'une veste respectueusement boutonnée prévient favorablement les supérieurs, et il se tint debout et son bonnet à la main à l'entrée de son banc, attendant le passage du directeur. Le directeur passa. — Monsieur! dit Claude. Le directeur s'arrêta et se détourna à demi. Monsieur, reprit Claude, est-ce que c'est vrai qu'on a changé Albin de quartier? — Oui, répondit le directeur. — Monsieur, poursuivit Claude, j'ai besoin d'Albin pour vivre. Il ajouta : Vous savez que je n'ai pas assez de quoi manger avec la ration de la maison, et qu'Albin partageait son pain avec moi. — C'était son affaire, dit le directeur. — Monsieur, est-ce qu'il n'y aurait pas moyen de faire remettre Albin dans le même quartier que moi? — Impossible. Il y a décision prise. — Par qui? — Par moi. — Monsieur D., reprit Claude, c'est la vie ou la mort pour moi, et cela dépend de vous. — Je ne reviens jamais sur mes décisions. — Monsieur, est-ce que je vous ai fait quelque chose? — Rien. — En ce cas, dit Claude, pourquoi me séparez-vous d'Albin? — Parce que, dit le directeur.

Cette explication donnée, le directeur passa outre.

Claude baissa la tête et ne répliqua pas. Pauvre lion en cage à qui l'on ôtait son chien!

Nous sommes forcé de dire que le chagrin de cette séparation n'altéra en rien la voracité en quelque sorte maladive du prisonnier. Rien d'ailleurs ne parut sensiblement changé en lui. Il ne parlait d'Albin à aucun de ses camarades. Il se promenait seul dans le préau aux heures de récréation, et il avait faim. Rien de plus.

Cependant ceux qui le connaissaient bien remarquaient quelque chose de sinistre et de sombre qui s'épaississait chaque jour de plus en plus sur son visage. Du reste, il était plus doux que jamais.

Plusieurs voulurent partager leur ration avec lui, il refusa en souriant.

Tous les soirs, depuis l'explication que lui avait donnée le directeur, il faisait une espèce de chose folle qui étonnait de la part d'un homme aussi sérieux. Au moment où le directeur, ramené à heure fixe par sa tournée habituelle, passait devant le métier de Claude, Claude levait les yeux et le regardait fixement, puis il lui adressait d'un ton plein d'angoisse et de colère qui tenait à la fois de la prière et de la menace ces deux mots seulement : *Et Albin?* Le directeur faisait semblant de ne pas entendre ou s'éloignait en haussant les épaules.

Cet homme avait tort de hausser les épaules, car il était évident pour tous les spectateurs de ces scènes étranges que Claude Gueux était intérieurement déterminé à quelque chose. Toute la prison attendait avec anxiété quel serait le résultat de cette lutte entre une ténacité et une résolution.

Il a été constaté qu'une fois entre autres Claude dit au directeur : — Écoutez, monsieur, rendez-moi mon camarade. Vous ferez bien, je vous assure. Remarquez que je vous dis cela.

Une autre fois, un dimanche, comme il se tenait dans le préau, assis sur une pierre, les coudes sur les genoux et son front dans ses mains, immobile depuis plusieurs heures dans la même attitude, le condamné Faillette s'approcha de lui, et lui cria en riant : Que diable fais-tu donc là, Claude? Claude leva lentement sa tête sévère et dit : *Je juge quelqu'un.*

Un soir enfin, le 25 octobre 1831, au moment où le directeur faisait sa ronde, Claude brisa sous son pied avec bruit un verre de montre qu'il avait trouvé le matin dans un corridor. Le directeur demanda d'où venait ce bruit. — Ce n'est rien, dit Claude, c'est moi. Monsieur le directeur, rendez-moi mon camarade. — Impossible, dit le maître. — Il le faut pourtant, dit Claude d'une voix basse et ferme, et, regardant le directeur en face, il ajouta : Réfléchissez. Nous sommes aujourd'hui le 25 octobre. Je vous donne jusqu'au 4 novembre.

Un guichetier fit remarquer à M. D. que Claude le menaçait et que c'était un cas de cachot. — Non, point de cachot, dit le directeur avec un sourire dédaigneux, il faut être bon avec ces gens-là.

Le lendemain, le condamné Pernot aborda Claude qui se promenait seul et pensif, laissant les autres prisonniers s'ébattre dans un petit carré de soleil à l'autre bout de la cour. — Eh bien! Claude! A quoi songes-tu? tu parais triste. — *Je crains,* dit Claude, *qu'il n'arrive bientôt quelque malheur à ce bon monsieur D.*

Il y a neuf jours pleins du 25 octobre au 4 novembre. Claude n'en laissa pas passer un sans avertir gravement le directeur de l'état de plus en plus douloureux où le mettait la disparition d'Albin. Le directeur fatigué lui infligea une fois vingt-quatre heures de cachot parce que la prière ressemblait trop à une sommation. Voilà tout ce que Claude obtint.

Le 4 novembre arriva. Ce jour-là, Claude s'éveilla avec un visage serein qu'on ne lui avait pas encore vu depuis le jour où la *décision* de M. D. l'avait séparé de son ami. En se levant, il fouilla dans une espèce de caisse de bois blanc qui était au pied de son lit et qui contenait ses quelques guenilles. Il en tira une paire de ciseaux de couturière. C'était, avec un volume dépareillé de l'*Émile,* la seule chose qui lui restât de la femme qu'il avait aimée, de la mère de son enfant, de son heureux petit ménage d'autrefois. Deux meubles bien inutiles pour Claude : les ciseaux ne pouvaient servir qu'à une femme, le livre qu'à un lettré. Claude ne savait ni coudre ni lire.

Au moment où il traversait le vieux cloître déshonoré et blanchi à la chaux qui sert de promenoir d'hiver, il s'approcha du condamné Ferrari qui regardait avec attention les énormes barreaux d'une croisée. Claude tenait à la main la petite paire de ciseaux, il la montra à Ferrari en disant : Ce soir je couperai ces barreaux-ci avec ces ciseaux-là.

Ferrari incrédule se mit à rire, et Claude aussi.

Ce matin-là, il travailla avec plus d'ardeur qu'à l'ordinaire; jamais il n'avait fait si vite et si bien. Il parut attacher un certain prix à terminer dans la matinée un chapeau de paille que lui avait payé d'avance un honnête bourgeois de Troyes, M. Bressier.

Un peu avant midi, il descendit sous un prétexte à l'atelier des menuisiers, situé au rez-de-chaussée, au-dessous de l'étage où il travaillait. Claude était aimé là comme ailleurs, mais il y entrait rarement. Aussi : — Tiens! voilà Claude! — on l'entoura. Ce fut une fête. Claude jeta un coup d'œil rapide dans la salle. Pas un des surveillans n'y était. — Qui est-ce qui a une hache à me prêter, dit-il? — Pour quoi faire? lui demanda-t-on. Il répondit : — C'est pour tuer ce soir le directeur des ateliers. On lui présenta plusieurs haches à choisir. Il prit la plus petite qui était fort tranchante, la cacha dans son pantalon, et sortit. Il y avait là vingt-sept prisonniers. Il ne leur avait pas recommandé le secret. Tous le gardèrent.

Ils ne causèrent même pas de la chose entre eux.

Chacun attendit de son côté ce qui arriverait. L'affaire était terrible, droite et simple. Pas de complication possible. Claude ne pouvait être ni conseillé, ni dénoncé.

Une heure après, il aborda un jeune condamné de seize ans qui bâillait dans le promenoir, et lui conseilla d'apprendre à lire. En ce moment, le détenu Faillette accosta Claude, et lui demanda ce que diable il cachait là dans son pantalon. Claude dit : C'est une hache pour tuer monsieur D. ce soir. Il ajouta : Est-ce que cela se voit? — Un peu, dit Faillette.

Le reste de la journée fut à l'ordinaire. A sept heures du soir, on renferma les prisonniers, chaque section dans l'atelier qui lui était assigné, et les surveillans sortirent des salles de travail, comme il paraît que c'est l'habitude, pour ne rentrer qu'après la ronde du directeur.

Claude Gueux fut donc verrouillé comme les autres dans son atelier avec ses compagnons de métier.

Alors il se passa dans cet atelier une scène extraordinaire, une scène qui n'est ni sans majesté ni sans terreur, la seule de ce genre qu'aucune histoire puisse raconter.

Il y avait là, ainsi que l'a constaté l'instruction judiciaire qui a eu lieu depuis, quatre-vingt-deux voleurs, y compris Claude.

Une fois que les surveillants les eurent laissés seuls, Claude se leva debout sur son banc, et annonça à toute la chambrée qu'il avait quelque chose à dire. On fit silence.

Alors Claude haussa la voix et dit : Vous savez tous qu'Albin était mon frère. Je n'ai pas assez de ce qu'on me donne ici pour manger. Même en n'achetant que du pain avec le peu que je gagne, cela ne suffirait pas. Albin partageait sa ration avec moi ; je l'ai aimé d'abord parce qu'il m'a nourri, ensuite parce qu'il m'a aimé. Le directeur, monsieur D., nous a séparés, cela ne lui faisait rien que nous fussions ensemble ; mais c'est un méchant homme qui jouit de tourmenter. Je lui ai redemandé Albin. Vous l'avez vu ? Il n'a pas voulu. Je lui ai donné jusqu'au 4 novembre pour me rendre Albin. Il m'a fait mettre au cachot pour avoir dit cela. Moi, pendant ce temps-là, je l'ai jugé et je l'ai condamné à mort[1], nous sommes le 4 novembre. Il viendra dans deux heures faire sa tournée.

1. Textuel.

Je vous préviens que je vais le tuer. Avez-vous quelque chose à dire à cela?

Tous gardèrent le silence.

Claude reprit. Il parla, à ce qu'il paraît, avec une éloquence singulière qui d'ailleurs lui était naturelle. Il déclara qu'il savait bien qu'il allait faire une action violente, mais qu'il ne croyait pas avoir tort. Il attesta la conscience des quatre-vingt-un voleurs qui l'écoutaient. Qu'il était dans une rude extrémité. Que la nécessité de se faire justice soi-même était un cul-de-sac où l'on se trouvait engagé quelquefois. Qu'à la vérité il ne pouvait prendre la vie du directeur sans donner la sienne propre, mais qu'il trouvait bon de donner sa vie pour une chose juste. Qu'il avait mûrement réfléchi, et à cela seulement, depuis deux mois. Qu'il croyait bien ne pas se laisser entraîner par le ressentiment, mais que, dans le cas que cela serait, il suppliait qu'on l'en avertît. Qu'il soumettait honnêtement ses raisons aux hommes justes qui l'écoutaient. Qu'il allait donc tuer monsieur D., mais que si quelqu'un avait une objection à lui faire, il était prêt à l'écouter.

Une voix seulement s'éleva et dit qu'avant de tuer le directeur, Claude devait essayer une dernière fois de lui parler et de le fléchir.

— C'est juste! dit Claude, et je le ferai.

Huit heures sonnèrent à la grande horloge. Le directeur devait venir à neuf heures.

Une fois que cette étrange cour de cassation eut en quelque sorte ratifié la sentence qu'il avait portée, Claude reprit toute sa sérénité. Il mit sur une table tout ce qu'il possédait en linge et en vêtemens, la pauvre dépouille du prisonnier, et, appelant l'un après l'autre ceux de ses compagnons qu'il aimait le plus après Albin, il leur distribua tout. Il ne garda que la petite paire de ciseaux.

Puis il les embrassa tous. Quelques-uns pleuraient, il souriait à ceux-là.

Il y eut dans cette heure dernière des instants où il causa avec tant de tranquillité et même de gaieté que plusieurs de ses camarades espéraient intérieurement, comme ils l'ont déclaré depuis, qu'il abandonnerait peut-être sa résolution. Il s'amusa même une fois à éteindre une des rares chandelles qui éclairaient l'atelier avec le souffle de sa narine, car il avait de mauvaises habitudes d'éducation qui dérangeaient sa dignité naturelle plus souvent qu'il n'aurait fallu. Rien ne pouvait faire que cet ancien gamin des rues n'eût point par moment l'odeur du ruisseau de Paris.

Il aperçut un jeune condamné qui était pâle, qui le regardait avec des yeux fixes, et qui tremblait, sans doute de l'attente de ce qu'il allait voir. — Allons, du courage, jeune homme! lui dit Claude doucement, ce ne sera que l'affaire d'un instant.

Quand il eut distribué toutes ses hardes, fait tous ses adieux, serré toutes les mains, il interrompit quelques causeries inquiètes qui se faisaient çà et là dans les coins obscurs de l'atelier, et il commanda qu'on se remît au travail. Tous obéirent en silence.

L'atelier où ceci se passait était une salle oblongue, un long parallélogramme percé de fenêtres sur ses deux grands côtés, et de deux portes qui se regardaient à ses deux extrémités. Les métiers étaient rangés de chaque côté près des fenêtres, les bancs touchant le mur à angle droit, et l'espace resté libre entre les deux rangées de métiers formait une sorte de longue voie qui allait en ligne droite de l'une des deux portes à l'autre, et traversait ainsi toute la salle. C'était cette longue voie, assez étroite, que le directeur avait à parcourir en faisant son inspection ; il devait entrer par la porte sud et ressortir par la porte nord, après avoir regardé les travailleurs à droite et à gauche. D'ordinaire il faisait ce trajet assez rapidement et sans s'arrêter.

Claude s'était replacé lui-même à son banc et il s'était remis au travail, comme Jacques Clément se fût remis à la prière.

Tous attendaient. Le moment approchait. Tout à coup on entendit un coup de cloche. Claude dit : C'est l'avant-quart. Alors il se leva, traversa gravement une partie de la salle, et alla s'accouder sur l'angle du premier métier à gauche, tout à côté de la porte d'entrée. Son visage était parfaitement calme et bienveillant.

Neuf heures sonnèrent. La porte s'ouvrit. Le directeur entra.

En ce moment-là, il se fit dans l'atelier un silence de statues.

Le directeur était seul comme d'habitude.

Il entra avec sa figure joviale, satisfaite et inexorable, ne vit pas Claude qui était debout à gauche de la porte, la main droite cachée dans son pantalon, et passa rapidement devant les premiers métiers, hochant la tête, mâchant ses paroles, et jetant çà et là son regard banal, sans s'apercevoir que tous les yeux qui l'entouraient étaient fixés sur une idée terrible.

Tout-à-coup il se détourna brusquement, surpris d'entendre un pas derrière lui.

C'était Claude qui le suivait en silence depuis quelques instants.

— Que fais-tu là, toi, dit le directeur ? pourquoi n'es-tu pas à ta place ?

Car un homme n'est plus un homme là, c'est un chien, on le tutoie.

Claude Gueux répondit respectueusement : — C'est que j'ai à vous parler, monsieur le directeur.

— De quoi !

— D'Albin.

— Encore ! dit le directeur.

— Toujours ! dit Claude.

— Ah çà, reprit le directeur continuant de marcher, tu n'as donc pas eu assez de vingt-quatre heures de cachot ?

Claude répondit, en continuant de le suivre : — Monsieur le directeur, rendez-moi mon camarade.

— Impossible !

— Monsieur le directeur, dit Claude avec une voix qui eût attendri le démon, je vous en supplie, remettez Albin avec moi ; vous verrez comme je travaillerai bien. Vous qui êtes libre, cela vous est égal, vous ne savez pas ce que c'est qu'un ami ; mais moi, je n'ai que les quatre murs de la prison. Vous pouvez aller et venir, vous, moi, je n'ai qu'Albin. Rendez-le-moi. Albin me nourrissait, vous le savez bien. Cela ne vous coûterait que la peine de dire oui. Qu'est-ce que cela vous fait qu'il y ait dans la même salle un homme qui s'appelle Claude Gueux et un autre qui s'appelle Albin ? Car ce n'est pas plus compliqué que cela. Monsieur le directeur, mon bon monsieur D., je vous supplie vraiment, au nom du ciel !

Claude n'en avait peut-être jamais tant dit à la fois à un geôlier. Après cet effort, épuisé, il attendit. Le directeur répliqua avec un geste d'impatience : Impossible. C'est dit. Voyons, ne m'en reparle plus. Tu m'ennuies.

Et comme il était pressé, il doubla le pas. Claude aussi. En parlant ainsi, ils étaient arrivés tous deux près de la porte de sortie ; les quatre-vingts voleurs regardaient et écoutaient, haletants.

Claude toucha doucement le bras du directeur. — Mais

au moins que je sache pourquoi je suis condamné à mort. Dites-moi pourquoi vous l'avez séparé de moi.

— Je te l'ai déjà dit, répondit le directeur. Parce que.

Et tournant le dos à Claude, il avança la main vers le loquet de la porte de sortie.

A la réponse du directeur, Claude avait reculé d'un pas. Les quatre-vingts statues qui étaient là virent sortir de son pantalon sa main droite avec la hache. Cette main se leva, et avant que le directeur eût pu pousser un cri, trois coups de hache, chose affreuse à dire, assenés tous les trois dans la même entaille, lui avaient ouvert le crâne. Au moment où il tombait à la renverse, un quatrième coup lui balafra le visage ; puis, comme une fureur lancée ne s'arrête pas court, Claude Gueux lui fendit la cuisse droite d'un cinquième coup inutile. Le directeur était mort.

Alors Claude jeta la hache et cria : *A l'autre maintenant!* L'autre, c'était lui. On le vit tirer de sa veste les petits ciseaux de « sa femme » ; et, sans que personne songeât à l'en empêcher, il se les enfonça dans la poitrine. La lame était courte, la poitrine était profonde. Il y fouilla longtemps et à plus de vingt reprises, en criant : « Cœur de damné, je ne te trouverai donc pas ! » et enfin il tomba baigné dans son sang, évanoui sur le mort.

Lequel des deux était la victime de l'autre ?

Quand Claude reprit connaissance, il était dans un lit, couvert de linges et de bandages, entouré de soins. Il avait auprès de son chevet de bonnes sœurs de charité, et de plus un juge d'instruction qui instrumentait et qui lui demanda avec beaucoup d'intérêt : *Comment vous trouvez-vous ?*

Il avait perdu une grande quantité de sang ; mais les ciseaux avec lesquels il avait eu la superstition touchante de se frapper avaient mal fait leur devoir, aucun des coups qu'il s'était portés n'était dangereux. Il n'y avait de mortelles pour lui que les blessures qu'il avait faites à M. D.

Les interrogatoires commencèrent. On lui demanda si c'était lui qui avait tué le directeur des ateliers de la prison de Clairvaux. Il répondit : *Oui.* On lui demanda pourquoi. Il répondit : *Parce que.*

Cependant, à un certain moment, ses plaies s'envenimèrent ; il fut pris d'une fièvre mauvaise dont il faillit mourir.

Novembre, décembre, janvier et février se passèrent en soins et en préparatifs ; médecins et juges s'empressaient autour de Claude ; les uns guérissaient ses blessures, les autres dressaient son échafaud.

Abrégeons. Le 16 mars 1832, il parut, étant parfaitement guéri, devant la cour d'assises de Troyes. Tout ce que la ville peut donner de foule était là.

Claude eut une bonne attitude devant la cour ; il s'était fait raser avec soin, il avait la tête nue, il portait ce morne habit des prisonniers de Clairvaux, mi-parti de deux espèces de gris.

Le procureur du roi avait encombré la salle de toutes les baïonnettes de l'arrondissement, « afin, dit-il à l'audience, de contenir tous les scélérats qui devaient figurer comme témoins dans cette affaire. »

Lorsqu'il fallut entamer le débat, il se présenta une difficulté singulière. Aucun des témoins des événements du 4 novembre ne voulait déposer contre Claude. Le président les menaça de son pouvoir discrétionnaire. Ce fut en vain. Claude alors leur commanda de déposer. Toutes ces langues se délièrent. Ils dirent ce qu'ils avaient vu.

Claude les écoutait tous avec une profonde attention. Quand l'un d'eux, par oubli ou par affection pour

Claude, omettait des faits à la charge de l'accusé, Claude les rétablissait.

De témoignage en témoignage, la série des faits que nous venons de développer se déroula devant la cour.

Il y eut un moment où les femmes qui étaient là pleurèrent. L'huissier appela le condamné Albin. C'était son tour de déposer. Il entra en chancelant ; il sanglotait. Les gendarmes ne purent empêcher qu'il n'allât tomber dans les bras de Claude. Claude le soutint et dit en souriant au procureur du roi : « Voilà un scélérat qui partage son pain avec ceux qui ont faim. » Puis il baisa la main d'Albin.

La liste des témoins épuisée, M. le procureur du roi se leva et prit la parole en ces termes : « Messieurs les jurés, la société serait ébranlée jusque dans ses ſondements, si la vindicte publique n'atteignait pas les grands coupables comme celui qui, etc. »

Après ce discours mémorable, l'avocat de Claude parla. La plaidoirie contre et la plaidoirie pour firent, chacune à leur tour, les évolutions qu'elles ont coutume de faire dans cette espèce d'hippodrome qu'on appelle un procès criminel.

Claude jugea que tout n'était pas dit. Il se leva à son tour. Il parla de telle sorte qu'une personne intelligente qui assistait à cette audience s'en revint frappée d'étonnement. Il paraît que ce pauvre ouvrier contenait bien plutôt un orateur qu'un assassin. Il parla debout, avec une voix pénétrante et bien ménagée, avec un œil clair, honnête et résolu, avec un geste presque toujours le même, mais plein d'empire. Il dit les choses comme elles étaient, simplement, sérieusement, sans charger ni amoindrir, convint de tout, regarda l'article 296 en face, et posa sa tête dessous. Il eut des moments de véritable haute éloquence qui faisaient remuer la foule, et où l'on se répétait à l'oreille dans l'auditoire ce qu'il venait de dire. Cela faisait un murmure pendant lequel Claude reprenait haleine en jetant un regard fier sur les assistants. Dans d'autres instants, cet homme, qui ne savait pas lire, était doux, poli, choisi comme un lettré; puis, par moments encore, modeste, mesuré, attentif, marchant pas à pas dans la partie irritante de la discussion, bienveillant pour les juges. Une fois seulement, il se laissa aller à une secousse de colère. Le procureur du roi avait établi dans le discours que nous avons cité en entier, que Claude Gueux avait assassiné le directeur des ateliers sans voie de fait ni violence de la part du directeur, par conséquent *sans provocation.*

— Quoi! s'écria Claude, je n'ai pas été provoqué! Ah! oui, vraiment, c'est juste, je vous comprends. Un homme ivre me donne un coup de poing, je le tue, j'ai été provoqué, vous me faites grâce, vous m'envoyez aux galères. Mais un homme qui n'est pas ivre et qui a toute sa raison me comprime le cœur pendant quatre ans, m'humilie pendant quatre ans, me pique tous les jours, toutes les heures, toutes les minutes, d'un coup d'épingle à quelque place inattendue pendant quatre ans! J'avais une femme pour qui j'ai volé, il me torture avec cette femme; j'avais un enfant pour qui j'ai volé, il me torture avec cet enfant; je n'ai pas assez de pain, un ami m'en donne, il m'ôte mon ami et mon pain. Je redemande mon ami, il me met au cachot. Je lui dis *vous,* à lui mouchard, il me dit *tu.* Je lui dis que je souffre, il me dit que je l'ennuie. Alors que voulez-vous que je fasse? Je le tue. C'est bien, je suis un monstre, j'ai tué cet homme, je n'ai pas été provoqué, vous me coupez la tête. Faites! — Mouvement sublime, selon nous, qui faisait tout à coup surgir, au-dessus du système de la provocation matérielle, sur lequel s'appuie l'échelle mal proportionnée des circonstances atténuantes, toute une théorie de la provocation morale oubliée par la loi.

Les débats fermés, le président fit son résumé impartial et lumineux. Il en résulta ceci : une vilaine vie ; un monstre en effet ; Claude Gueux avait commencé par vivre en concubinage avec une fille publique ; puis il avait volé ; puis il avait tué. Tout cela était vrai.

Au moment d'envoyer les jurés dans leur chambre, le président demanda à l'accusé s'il avait quelque chose à dire sur la position des questions. — Peu de chose, dit Claude. Voici pourtant. Je suis un voleur et un assassin ; j'ai volé et j'ai tué. Mais pourquoi ai-je volé ? Pourquoi ai-je tué ? Posez-vous ces deux questions à côté des autres, messieurs les jurés.

Après un quart d'heure de délibération, sur la déclaration des douze champenois qu'on appelait *messieurs les jurés,* Claude Gueux fut condamné à mort.

Il est certain que dès l'ouverture des débats, plusieurs d'entre eux avaient remarqué que l'accusé s'appelait *Gueux,* ce qui leur avait fait une impression profonde.

On lut son arrêt à Claude, qui se contenta de dire : *C'est bien. Mais pourquoi cet homme a-t-il volé ? Pourquoi cet homme a-t-il tué ? Voilà deux questions auxquelles ils ne répondent pas.*

Rentré dans la prison, il soupa presque gaiement et dit : Trente-six ans de faits !

Il ne voulait pas se pourvoir en cassation. Une des sœurs qui l'avaient soigné vint l'en prier avec larmes. Il se pourvut par complaisance pour elle. Il paraît qu'il résista jusqu'au dernier instant, car au moment où il signa son pourvoi sur le registre du greffe, le délai légal des trois jours était expiré depuis quelques minutes. La pauvre fille reconnaissante lui donna cinq francs. Il prit l'argent et la remercia.

Pendant que son pourvoi pendait, des offres d'évasion lui furent faites par les prisonniers de Troyes qui s'y dévouaient tous. Il refusa. Les détenus jetèrent successivement dans son cachot par le soupirail un clou, un morceau de fil de fer et une anse de seau. Chacun de ces trois outils eût suffi à un homme aussi intelligent que l'était Claude pour limer ses fers. Il remit l'anse, le fil de fer et le clou au guichetier.

Le 8 juin 1832, sept mois et quatre jours après le fait, l'expiation arriva, *pede claudo,* comme on voit. Ce jour-là, à sept heures du matin, le greffier du tribunal entra dans le cachot de Claude, et lui annonça qu'il n'avait plus qu'une heure à vivre. Son pourvoi était rejeté.

— Allons, dit Claude froidement, j'ai bien dormi cette nuit sans me douter que je dormirais encore mieux la prochaine.

Il paraît que les paroles des hommes forts doivent toujours recevoir de l'approche de la mort une certaine grandeur.

Le prêtre arriva, puis le bourreau. Il fut humble avec le prêtre, doux avec l'autre. Il ne refusa ni son âme, ni son corps.

Il conserva une liberté d'esprit parfaite. Pendant qu'on lui coupait les cheveux, quelqu'un parla, dans un coin du cachot, du choléra qui menaçait Troyes en ce moment.

— Quant à moi, dit Claude avec un sourire, je n'ai pas peur du choléra.

Il écoutait d'ailleurs le prêtre avec une attention extrême, en s'accusant beaucoup et en regrettant de n'avoir pas été instruit dans la religion.

Sur sa demande on lui avait rendu les ciseaux avec lesquels il s'était frappé. Il y manquait une lame qui s'était brisée dans sa poitrine. Il pria le geôlier de faire porter de sa part ces ciseaux à Albin. Il dit aussi qu'il désirait qu'on ajoutât à ce legs la ration de pain qu'il aurait dû manger ce jour-là.

Il pria ceux qui lui lièrent les mains de mettre dans sa main droite la pièce de cinq francs que lui avait donnée la sœur, la seule chose qui lui restât désormais.

A huit heures moins un quart, il sortit de la prison, avec tout le lugubre cortège ordinaire des condamnés. Il était à pied, pâle, l'œil fixé sur le crucifix du prêtre, mais marchant d'un pas ferme.

On avait choisi ce jour-là pour l'exécution, parce que c'était jour de marché, afin qu'il y eût le plus de regards possible sur son passage, car il paraît qu'il y a encore en France des bourgades à demi sauvages où, quand la société tue un homme, elle s'en vante.

Il monta sur l'échafaud gravement, l'œil toujours fixé sur le gibet du Christ. Il voulut embrasser le prêtre, puis le bourreau, remerciant l'un, pardonnant à l'autre. Le bourreau *le repoussa doucement,* dit une relation. Au moment où l'aide le liait sur la hideuse mécanique, il fit signe au prêtre de prendre la pièce de cinq francs qu'il avait dans sa main droite, et lui dit : *Pour les pauvres.* Comme huit heures sonnaient en ce moment, le bruit du beffroi de l'horloge couvrit sa voix, et le confesseur lui répondit qu'il n'entendait pas. Claude attendit l'intervalle de deux coups et répéta avec douceur : *Pour les pauvres.*

Le huitième coup n'était pas encore sonné que cette noble et intelligente tête était tombée.

Admirable effet des exécutions publiques ! ce jour-là même, la machine étant encore debout au milieu d'eux et pas lavée, les gens du marché s'ameutèrent pour une question de tarif et faillirent massacrer un employé de l'octroi. Le doux peuple que vous font ces lois-là!

Nous avons cru devoir raconter en détail l'histoire de Claude Gueux, parce que, selon nous, tous les paragraphes de cette histoire pourraient servir de têtes de chapitre au livre où serait résolu le grand problème du peuple au dix-neuvième siècle. Dans cette vie importante il y a deux phases principales, avant la chute, après la chute; et sous ces deux phases, deux questions, question de l'éducation, question de la pénalité; et entre ces deux questions, la société tout entière.

Cet homme, certes, était bien né, bien organisé, bien doué. Que lui a-t-il donc manqué? Réfléchissez.

C'est là le grand problème de proportion dont la solution, encore à trouver, donnera l'équilibre universel : *Que la société fasse toujours pour l'individu autant que la nature.*

Voyez Claude Gueux. Cerveau bien fait, cœur bien fait, sans nul doute. Mais le sort le met dans une société si mal faite qu'il finit par voler. La société le met dans une prison si mal faite qu'il finit par tuer.

Qui est réellement coupable? Est-ce lui? Est-ce nous?

Questions sévères, questions poignantes, qui sollicitent à cette heure toutes les intelligences, qui nous tirent tous tant que nous sommes par le pan de notre habit, et qui nous barreront un jour si complètement le chemin qu'il faudra bien les regarder en face et savoir ce qu'elles nous veulent.

Celui qui écrit ces lignes essaiera de dire bientôt peut-être de quelle façon il les comprend.

Quand on est en présence de pareils faits, quand on songe à la manière dont ces questions nous pressent, on se demande à quoi pensent ceux qui gouvernent, s'ils ne pensent pas à cela?

Les chambres, tous les ans, sont gravement occupées. Il est sans doute très important de désenfler les sinécures et d'écheniller le budget; il est très-important de faire des lois pour que j'aille, déguisé en soldat, monter patriotiquement la garde à la porte de M. le comte de Lobau, que je ne connais pas et que je ne veux pas connaître, ou pour me contraindre à parader au carré Marigny, sous le bon plaisir de mon épicier, dont on a fait mon officier[1]!

Il est important, députés ou ministres, de fatiguer et de tirailler toutes les choses et toutes les idées de ce pays dans des discussions pleines d'avortements; il est essentiel, par exemple, de mettre sur la sellette et d'interroger et de questionner à grands cris, et sans savoir ce qu'on dit, l'art du dix-neuvième siècle, ce grand et sévère accusé qui ne daigne pas répondre et qui fait bien; il est expédient de passer son temps, gouvernants et législateurs, en conférences classiques qui font hausser les épaules aux maîtres d'école de la banlieue; il est utile de déclarer que c'est le drame moderne qui a inventé l'inceste, l'adultère, le parricide, l'infanticide et l'empoisonnement et de prouver par là qu'on ne connaît ni Phèdre, ni Jocaste, ni Œdipe, ni Médée, ni Rodogune; il est indispensable que les orateurs politiques de ce pays ferraillent, trois grands jours durant, à propos du budget, pour Corneille et Racine, contre on ne sait qui, et profitent de cette occasion littéraire pour s'enfoncer les uns les autres à qui

1. Il va sans dire que nous n'entendons pas attaquer ici la patrouille urbaine, chose utile, qui garde la rue, le seuil et le foyer, mais seulement la parade, le pompon, la gloriole et le tapage militaire, choses ridicules, qui ne servent qu'à faire du bourgeois une parodie du soldat.

mieux mieux dans la gorge de grandes fautes de français jusqu'à la garde.

Tout cela est important; nous croyons cependant qu'il pourrait y avoir des choses plus importantes encore.

Que dirait la chambre, au milieu des futiles démêlés qui font si souvent colleter le ministère par l'opposition et l'opposition par le ministère, si, tout à coup, des bancs de la chambre ou de la tribune publique, qu'importe? quelqu'un se levait et disait ces sérieuses paroles :

« Taisez-vous, monsieur Mauguin! taisez-vous, monsieur Thiers! vous croyez être dans la question, vous n'y êtes pas. La question, la voici : La justice vient, il y a un an à peine, de déchiqueter un homme à Pamiers avec un eustache; à Dijon, elle vient d'arracher la tête à une femme; à Paris, elle fait, barrière Saint-Jacques, des exécutions inédites. Ceci est la question. Occupez-vous de ceci. Vous vous querellerez après pour savoir si les boutons de la garde nationale doivent être blancs ou jaunes, et si *l'assurance* est une plus belle chose que *la certitude.*

« Messieurs des centres, messieurs des extrémités, le gros du peuple souffre. Que vous l'appeliez république ou que vous l'appeliez monarchie, le peuple souffre. Ceci est un fait.

» Le peuple a faim, le peuple a froid. La misère le pousse au crime ou au vice, selon le sexe. Ayez pitié du peuple, à qui le bagne prend ses fils, et le lupanar ses filles. Vous avez trop de forçats, vous avez trop de prostituées. Que prouvent ces deux ulcères? Que le corps social a un vice dans le sang. Vous voilà réunis en consultation au chevet du malade : occupez-vous de la maladie.

» Cette maladie, vous la traitez mal. Étudiez-la mieux. Les lois que vous faites, quand vous en faites, ne sont que des palliatifs et des expédients. Une moitié de vos codes est routine, l'autre moitié empirisme. La flétrissure était une cautérisation qui gangrénait la plaie ; peine insensée que celle qui pour la vie scellait et rivait le crime sur le criminel ! qui en faisait deux amis, deux compagnons, deux inséparables ! Le bagne est un vésicatoire absurde qui laisse résorber, non sans l'avoir rendu pire encore, presque tout le mauvais sang qu'il extrait. La peine de mort est une amputation barbare.

» Or flétrissure, bagne, peine de mort, trois choses qui se tiennent. Vous avez supprimé la flétrissure ; si vous êtes logiques, supprimez le reste. Le fer rouge, le boulet et le couperet, c'étaient les trois parties d'un syllogisme. Vous avez ôté le fer rouge ; le boulet et le couperet n'ont plus de sens. Farinace était atroce ; mais il n'était pas absurde.

» Démontez-moi cette vieille échelle boiteuse des crimes et des peines, et refaites-la. Refaites votre pénalité, refaites vos codes, refaites vos prisons, refaites vos juges. Remettez les lois au pas des mœurs.

» Messieurs, il se coupe trop de têtes par en France. Puisque vous êtes en train de faire des économies, faites-en là-dessus. Puisque vous êtes en verve de suppressions, supprimez le bourreau. Avec la solde de vos quatre-vingts bourreaux, vous paierez six cents maîtres d'école.

» Songez au gros du peuple. Des écoles pour les enfants, des ateliers pour les hommes. Savez-vous que la France est un des pays de l'Europe où il y a le moins de natifs qui sachent lire ? Quoi ! La Suisse sait lire, la Belgique sait lire, le Danemark sait lire, la Grèce sait lire, l'Irlande sait lire, et la France ne sait pas lire ! c'est une honte.

» Allez dans les bagnes. Appelez autour de vous toute la chiourme. Examinez un à un tous ces damnés de la loi humaine. Calculez l'inclinaison de tous ces profils, tâtez tous ces crânes. Chacun de ces hommes tombés a au-dessous de lui son type bestial ; il semble que chacun d'eux soit le point d'intersection de telle ou telle espèce animale avec l'humanité. Voici le loup-cervier, voici le chat, voici le singe, voici le vautour, voici l'hyène. Or, de ces pauvres têtes mal conformées, le premier tort est à la nature sans doute, le second à l'éducation. La nature a mal ébauché, l'éducation a mal retouché l'ébauche. Tournez vos soins de ce côté. Une bonne éducation au peuple. Développez de votre mieux ces malheureuses têtes afin que l'intelligence qui est dedans puisse grandir. Les nations ont le crâne bien ou mal fait, selon leurs institutions. Rome et la Grèce avaient le front haut. Ouvrez le plus que vous pourrez l'angle facial du peuple.

» Quand la France saura lire, ne laissez pas sans direction cette intelligence que vous aurez développée. Ce serait un autre désordre. L'ignorance vaut encore mieux que la mauvaise science. Non. Souvenez-vous qu'il y a un livre plus philosophique que *le Compère Mathieu,* plus populaire que le *Constitutionnel,* plus éternel que la Charte de 1830. C'est l'Écriture sainte. Et ici un mot d'explication. Quoi que vous fassiez, le sort de la grande foule, de la multitude, de la *majorité,* sera toujours relativement pauvre, et malheureux, et triste. A elle le dur travail, les fardeaux à pousser, les fardeaux à traîner, les fardeaux à porter. Examinez cette balance : toutes les jouissances dans le plateau du riche, toutes les misères dans le plateau du pauvre. Les deux parts ne sont-elles pas inégales ? La balance ne doit-elle pas nécessairement pencher, et l'état avec elle ? Et maintenant dans le lot du pauvre, dans le plateau des misères, jetez la certitude d'un avenir céleste, jetez l'aspiration au bonheur éternel, jetez le paradis, contrepoids magnifique ! Vous rétablissez l'équilibre. La part du pauvre est aussi riche que la part du riche. C'est ce que savait Jésus, qui en savait plus long que Voltaire.

» Donnez au peuple qui travaille et qui souffre, donnez au peuple pour qui ce monde-ci est mauvais, la croyance à un meilleur monde fait pour lui. Il sera tranquille, il sera patient. La patience est faite d'espérance.

» Donc ensemencez les villages d'évangiles. Une Bible par cabane. Que chaque livre et chaque champ produisent à eux deux un travailleur moral.

» La tête de l'homme du peuple, voilà la question. Cette tête est pleine de germes utiles. Employez pour la faire mûrir et venir à bien ce qu'il y a de plus lumineux et de mieux tempéré dans la vertu. Tel a assassiné sur les grandes routes qui, mieux dirigé, eût été le plus excellent serviteur de la cité. Cette tête de l'homme du peuple, cultivez-la, défrichez-la, arrosez-la, fécondez-la, éclairez-la, moralisez-la, utilisez-la ; vous n'aurez pas besoin de la couper. »

CHRONOLOGIE

1802

Le 26 février, naissance à Besançon de Victor Marie Hugo, fils de Léopold Hugo (« vieux soldat » de vingt-neuf ans) et de Sophie Trébuchet (« vendéenne » de trente ans). Son parrain civil est le général Lahorie, ami des Hugo. Victor a deux frères : Abel, né en 1798, et Eugène, né en 1800.

1803

Naissance d'Adèle Foucher, fille d'un autre ami des Hugo et future femme de Victor.
Sophie Hugo vit seule à Paris, loin de son mari, qui a été muté à l'île d'Elbe, et de ses fils, qu'il a gardés avec lui.

1804

Sophie, sans doute déjà maîtresse de Lahorie, décide de quitter Léopold, devenu l'amant de Catherine Thomas, et s'installe avec ses trois enfants à Paris.

1805

Un an après le sacre de Napoléon Ier, Léopold Hugo, militaire d'une grande bravoure, se distingue en Italie. Il y sera fait major, c'est-à-dire colonel, l'année suivante.

1806

Naissance à Fougères de Julienne Gauvain, future Juliette Drouet.

1808

Sophie accepte de retrouver, avec les enfants, Léopold Hugo à Naples.

1809

De retour à Paris, Sophie et ses enfants s'installent dans le Quartier latin, aux Feuillantines (lieu — maison et jardin — tant aimé et évoqué par le poète). Elle y cache Lahorie, recherché pour participation à un complot royaliste.
Léopold Hugo, qui a accompagné le roi Joseph en Espagne, est promu général.

1811

A la demande du roi Joseph, Sophie, accompagnée de ses trois fils, rejoint son mari à Madrid, le général Hugo souhaitant que leur aîné devienne officier. Mais le ménage ne se réconcilie pas. Plus tard, ces souvenirs espagnols inspireront Victor Hugo.

1812

Retour de Sophie et de ses deux cadets aux Feuillantines. Et c'est le coup d'État des généraux Malet et Lahorie ; arrêtés, ils sont traduits devant un conseil de guerre, condamnés à mort et fusillés. Sophie demande à ses fils de « ne jamais oublier » ce crime de Napoléon.

1813

➜ A l'adresse d'une amie de sa mère, premier poème conservé de Victor Hugo ; il a onze ans.

1814

De retour en France, Léopold Hugo demande le divorce.
Première abdication de Napoléon. Exil forcé à l'île d'Elbe.

1815

Léopold Hugo retire Eugène et Victor à leur mère et les envoie en pension, sous le contrôle de sa sœur Goton. La mésentente des parents ne cesse de chahuter l'enfance des deux garçons.
Retour de Napoléon en France. Défaite de Waterloo. Sainte-Hélène.
Retour définitif de Louis XVIII. La Restauration a gagné.

●◆ Victor Hugo commence à réunir ses poèmes dans des *Cahiers de vers français* personnels.

1816

Le jeune Victor aurait noté dans ses *Cahiers* : « Je veux être Chateaubriand ou rien. »
Le général Hugo, en demi-solde, s'installe à Blois avec Catherine Thomas.
●◆ Victor Hugo compose une tragédie en cinq actes *Irtamène.*

1817

●◆ Agé de quinze ans, Victor Hugo reçoit pour un poème une mention d'encouragement de l'Académie française.

1818

Séparation de corps et de biens des époux Hugo. Encouragés par leur mère, chez qui ils peuvent enfin habiter, Eugène et Victor s'adonnent de plus en plus aux belles-lettres. Mais Eugène, jaloux des succès de son frère, a une attitude qui inquiète Victor et ses amis.
●◆ A la suite d'un pari, Victor Hugo écrit en quinze jours la première version de *Bug-Jargal*, roman d'aventures déjà visionnaire.

1819

Idylle avec Adèle Foucher, camarade de jeux de Victor (et d'Eugène). Victor doit veiller sa mère, gravement malade. C'est maintenant un jeune homme posé, digne, réfléchi, qui « fait des vers courtisans ».
●◆ Victor Hugo fonde avec ses frères une revue, dont il est le principal rédacteur, *Le Conservateur littéraire.* Elle cessera de paraître, après le n° 30, en 1921.
●◆ Pour une ode, l'Académie des jeux Floraux de Toulouse attribue au jeune poète le Lys d'or.

1820

La correspondance secrète de Victor et d'Adèle est découverte par les deux familles. Mais Sophie s'oppose au mariage des jeunes gens.
Victor ne va pas tarder à renoncer aux études de droit pour se consacrer à la seule littérature. On le met déjà au premier rang des nouveaux poètes.
●◆ Publication de *Bug-Jargal* dans *Le Conservateur littéraire.*

1821

Mort de Sophie Hugo ; c'est la première des nombreuses disparitions familiales qui « enténébreront » la vie du poète.
Fiançailles secrètes avec Adèle Foucher.
Le général Hugo se remarie avec Catherine Thomas, sa maîtresse depuis 1803 (et sa cadette de onze ans).
Mort de Napoléon à Sainte-Hélène.
➺ Victor Hugo commence la rédaction de *Han d'Islande.*

1822

Le 12 octobre, mariage de Victor et d'Adèle à Paris, Léopold Hugo ayant envoyé une attestation (mensongère) qui prouve que son fils a été baptisé à l'étranger. L'un des témoins du marié est Alfred de Vigny.
➺ Publication des *Odes et Poésies diverses.*
➺ *Inez de Castro,* première pièce de Victor Hugo, est interdite à la scène.

1823

Eugène Hugo, qui a donné des signes de folie le jour du mariage de son frère, et dont l'état mental ne fait qu'empirer, doit être interné dans une maison de santé. Pour ne pas déclencher de crises, Victor évitera de rendre visite à son frère.
Naissance en juillet du premier enfant (un fils) de Victor et d'Adèle, qui meurt trois mois plus tard.
➺ Parution de *Han d'Islande* sans nom d'auteur. Un vrai roman « frénétique », à la mode anglaise.

1824

Naissance de Léopoldine, fille chérie de Victor Hugo.
Les relations entre Victor et son père se font plus affectueuses. Par ailleurs, il veut, lui qui a été un jeune homme pauvre et qui est en charge de famille, s'imposer au théâtre. Ses ressources l'exigent.
Mort de Louis XVIII.
➺ Publication des *Nouvelles Odes.*

1825

A vingt-trois ans, Victor Hugo est fait chevalier de la Légion d'honneur. Peu après, il quitte Paris avec Charles Nodier (bibliothécaire à l'Arsenal) pour assister au sacre de Charles X à Reims. Aux yeux de beaucoup, il est, comme l'écrit Stendhal, « le poète du parti ultra ».

1826

Naissance de Charles Hugo, fils de Victor et d'Adèle.
Naissance de Claire Pradier, fille reconnue du sculpteur James Pradier et de Juliette Drouet.
➻ Parution de la version définitive de *Bug-Jargal,* toujours sans nom d'auteur.
➻ Publication des *Odes et Ballades.*

1827

Victor Hugo, devenu le chef de l'école romantique, fait la connaissance de Gérard de Nerval. Déjà, l'orgueil et l'ambition « font rage » chez celui qui prendra pour devise : « Moi, Hugo ». D'ailleurs, il n'est plus pauvre. Il sent qu'il s'impose.
➻ Publication de la pièce *Cromwell* et de sa fameuse préface s'élevant contre les vertus du classicisme.

1828

Hugo perd son père, le général Léopold Hugo, décédé subitement à Paris.
Naissance d'un autre fils, Francois-Victor Hugo.
Sainte-Beuve vient habiter rue Notre-Dame-des-Champs, à proximité du domicile des Hugo.
➻ Victor Hugo tente de travailler à *Notre-Dame de Paris*; finalement, il préfère rédiger en cinq semaines *Le Dernier Jour d'un condamné.*

1829

Hugo fait la connaissance de Théophile Gautier, futur grand ami romantique avec Alexandre Dumas.
Brouille de Victor Hugo et d'Alfred de Vigny. *Le Dernier Jour d'un condamné* est loin de plaire aux sévères légitimistes : l'opposition de Hugo à la peine de mort serait en train de « le perdre ». Toutefois, la pension royale qui lui est attribuée est portée à 6000 F.
➻ Publication des *Orientales.*
➻ Parution du *Dernier Jour d'un condamné,* sans nom d'auteur.
➻ Pièce reçue au Théâtre-Français, *Marion Delorme* est interdite par le gouvernement.

1830

Retentissant (la mémorable « Bataille »), le succès d'*Hernani* ne dure pas. Il est vrai que le 27 juillet éclate la première journée des « Trois Glorieuses ». C'est la Révolution de 1830. Louis-Philippe Ier devient roi des Français.
Naissance d'Adèle (Sainte-Beuve est son parrain), qui sera le dernier enfant des époux Hugo. Ayant perdu la raison comme son oncle Eugène, internée en 1872, elle mourra en 1915, à l'âge de quatre-vingt-cinq ans.
➻ Première d'*Hernani,* et publication en volume de la pièce.
➻ Victor Hugo reprend enfin et termine en quelques mois la rédaction de *Notre-Dame de Paris.*

1831

Victor Hugo s'est rallié à la Monarchie de Juillet, qu'il espère libérale. Sainte-Beuve, amoureux d'Adèle Hugo, entame avec elle une liaison semi-platonique.
➻ Publication de *Notre-Dame de Paris,* sans nom d'auteur.
➻ Première de *Marion Delorme* et publication de la pièce.
➻ Parution du recueil poétique *Les Feuilles d'automne.*

1832

Victor Hugo s'installe place Royale (actuel musée Victor-Hugo, place des Vosges) ; il y demeurera jusqu'en 1848. La suspension de sa nouvelle pièce, qui l'exaspère, l'incite à s'interroger sur le libéralisme véritable du nouveau régime.
➻ Première représentation du *Roi s'amuse*; la pièce est immédiatement interdite. Publication de l'œuvre.

1833

La nuit du mardi gras voit le début de l'union quasi conjugale de Victor Hugo et de Juliette Drouet. Comédienne connue pour sa beauté, elle tient un rôle dans *Lucrèce Borgia.*
Victor Hugo rompt avec Sainte-Beuve; pourtant, leurs relations littéraires ne cesseront pas.
➻ Première représentation de *Lucrèce Borgia,* et publication de la pièce.

1834

Premier voyage en France de Victor et de Juliette.
Avec *Claude Gueux,* Hugo poursuit son combat contre la peine capitale. Il le mènera tout au long de sa vie.
➺ Écrit en quatre jours, le court roman *Claude Gueux* paraît d'abord dans la *Revue de Paris,* puis en volume.

1835

Une grave querelle est sur le point de séparer Victor et Juliette. En fait, jaloux à tour de rôle l'un de l'autre, ils ne se quitteront jamais, s'écrivant même chaque jour (les célèbres lettres d'amour de « Toto » et de « Juju ») pendant cinquante ans.
➺ Première représentation d'*Angelo, tyran de Padoue,* puis publication de la pièce.
➺ Parution du recueil *Les Chants du crépuscule.*

1836

Retrouvailles amicales de Victor Hugo et d'Alexandre Dumas. Cependant, les articles critiques se multiplient à l'encontre de l'écrivain récalcitrant qu'est Hugo.

1837

Mort à l'hospice de Charenton d'Eugène Hugo.
Rupture définitive entre Sainte-Beuve et Adèle Hugo.
Victor Hugo, maintenant orléaniste, se rapproche du roi Louis-Philippe. Il semble s'interroger sur son œuvre, douter de soi. L'écrivain, gêné par l'ambiguïté de son attitude, céderait-il le pas à l'homme politique ?
➺ Publication du recueil *Les Voix intérieures.*

1838

A trente-six ans, Hugo vend à un éditeur pour 300 000 F l'exploitation de ses œuvres complètes. L'écrivain se montre habile homme d'affaires.
➺ Première représentation de *Ruy Blas,* suivie de la publication de la pièce.

1839

Première rencontre de Victor Hugo et d'Honoré de Balzac; une longue amitié en naît. Aux obsèques de Balzac, en 1850, Hugo prononcera un discours très remarqué.

1840

Hugo voyage sur les bords du Rhin avec Juliette. Fasciné par la région, il multiplie lettres, notes et dessins.
➥ Publication du recueil *Les Rayons et les Ombres.*

1841

Après quatre échecs, Victor Hugo est élu (de justesse) à l'Académie française. Le vicomte Hugo commence à « s'embourber dans les honneurs ».

1842

La mort dans l'âme, Victor Hugo consent au mariage de Léopoldine et de Charles Vacquerie, frère de son ami Auguste Vacquerie, homme de lettres qui aidera Adèle Hugo à écrire *Hugo raconté par un témoin de sa vie.*
➥ Parution des lettres de voyage : *Le Rhin.* L'auteur y souhaite l'unité de l'Europe sur la base d'une alliance de la France et de l'Allemagne.

1843

Au cours d'un voyage avec Juliette Drouet, Victor Hugo apprend la noyade, à Villequier, le 4 septembre, de sa fille aînée et de son gendre, mariés six mois plus tôt. La mort de Léopoldine porte un coup terrible à Hugo.
Peut-être pour oublier le malheur qui l'étreint, Hugo s'éprend de Léonie Biard, jeune femme de vingt-trois ans, épouse du peintre Auguste Biard.
➥ Première représentation des *Burgraves,* suivie de sa publication. Après l'échec de cette pièce, Victor Hugo délaissera le théâtre et suspendra toute édition pendant près de dix ans.

1845

Victor Hugo est nommé Pair de France par Louis-Philippe. Il doit à cette promotion de n'être pas arrêté quand il est surpris dans un hôtel

parisien, avec Léonie, par Auguste Biard. Délit d'adultère et incarcération de l'épouse fautive. Le scandale qui s'ensuit fait beaucoup jaser à Paris ; Hugo y perd de son crédit d'homme public.
S'éloignant prudemment de Paris, Victor Hugo commence à écrire *Les Misères,* première ébauche des *Misérables.*

1846

Mort à l'âge de vingt ans de Claire Pradier, la fille de Juliette Drouet, que Victor Hugo considérait comme son enfant.
À la Chambre des pairs, Hugo prononce ses premiers discours importants. Ses opinions laïques et sociales le rapprochent de plus en plus de l'opposition de gauche.

1848

Une nouvelle révolution renverse Louis-Philippe. Lamartine fait proclamer la IIe République à l'Hôtel de Ville de Paris. Rallié, Hugo est élu député. Il soutient l'élection de Louis Napoléon Bonaparte à la présidence de la République, puis rejoint les socialistes devant la politique réactionnaire et les ambitions impériales du Prince-Président.

1849

Victor Hugo fait scandale à l'Assemblée par un discours sur la misère. C'est la rupture — définitive — avec le parti de l'Ordre. On discutera longtemps de son « extraordinaire métamorphose » au cours des années 1847-1851. Un autre Hugo était né. « La révolution littéraire et la révolution politique ont opéré en moi leur jonction... », écrira-t-il.

1850

Le journal que Victor Hugo inspire à ses fils, *L'Événement,* passe à l'opposition. Pour des articles jugés subversifs, l'un et l'autre seront emprisonnés l'année suivante.

1851

2 décembre : coup d'État du Prince-Président. Avec quelques députés de la gauche, Victor Hugo tente d'organiser la résistance. Le 11 décembre, menacé d'arrestation et muni d'un faux passeport, il se réfugie à Bruxelles. Juliette Drouet, qui l'a aidé à s'enfuir, le rejoint aussitôt.

➽ Victor Hugo commence *Histoire d'un crime,* qui ne paraîtra qu'à la fin de sa vie.

1852

Louis Napoléon Bonaparte devient Napoléon III. Et Victor Hugo n'est plus qu'un proscrit. Ses deux fils sont autorisés à sortir de prison et à le rejoindre. Avec toute sa famille, il gagne l'île de Jersey. Le long et fécond exil a commencé.
➽ Écrit en un mois à peine, *Napoléon le Petit* est publié à Bruxelles. L'ouvrage est la première parution importante de Victor Hugo depuis 1843.

1853

A Marine-Terrace, Hugo s'initie à la pratique spirite des « tables ». Et consacre beaucoup de temps à la photographie, qu'il pratique avec ses fils et le fidèle Auguste Vacquerie. Il n'en continue pas moins de dessiner avec passion.
➽ Publication du recueil *Châtiments.*

1854

Énorme production poétique, d'où sortiront la plupart des recueils futurs. Hugo y verra les « mémoires d'une âme » en exil.

1855

Mort d'Abel Hugo, le frère aîné de Victor.
Indésirables à Jersey, Hugo et les siens s'installent à Guernesey. C'est la fin des séances de « Tables parlantes », que le poète juge dangereuses pour la santé des participants.

1856

Hugo achète Hauteville-House (aujourd'hui musée Victor-Hugo), grande maison dominant la ville et le port, qu'il agence et meuble selon sa fantaisie. (« Faisons-nous un milieu que le songe remplit. »)
Adèle, la cadette des enfants Hugo, donne des signes inquiétants de maladie (dépression nerveuse).
➽ Publication des *Contemplations* simultanément à Bruxelles et à Paris ; succès éclatant de cette « grande pyramide » poétique.

1857

Juliette Drouet, quant à elle, emménage dans une petite maison voisine, d'où elle peut apercevoir son cher Victor à la fenêtre de sa chambre.

1858

Au milieu de l'été, Victor Hugo, qui s'est toujours « trop bien porté », souffre d'un grave anthrax qui met un moment sa vie en péril.

1859

Victor Hugo, contrairement à beaucoup de proscrits, refuse de profiter de l'amnistie que Napoléon III vient de décréter. « Quand la liberté rentrera, je rentrerai », écrit-il. Il sait qu'il est devenu le chef spirituel de la résistance républicaine.
Publication à Bruxelles et à Paris du recueil *La Légende des Siècles.*

1860

Avisé et âpre au gain, Hugo consolide toujours davantage sa fortune : il va recevoir 300 000 F pour la sortie prochaine des *Misérables.*
Victor Hugo relit le manuscrit des *Misérables* et en reprend la rédaction.

1861

Souffrant de la gorge, Hugo laisse pousser sa barbe. Il part avec Juliette pour la Belgique afin de visiter le champ de bataille de Waterloo. Premier voyage depuis qu'il s'est réfugié dans les îles anglo-normandes.
Victor Hugo poursuit et achève *Les Misérables.*

1862

Nouveau départ avec Juliette pour les bords du Rhin. Ils y retourneront toutes les années suivantes.
Après avoir publié *Les Misérables* à Bruxelles et à Paris, Victor Hugo réfléchit à un nouveau roman, *Quatrevingt-treize.* Succès phénoménal que celui des *Misérables,* dépassant toute attente.

1863

Adèle, amoureuse du lieutenant anglais Alfred Pinson, s'enfuit à Londres, puis au Canada où elle pense le retrouver.

➡ Publication anonyme de *Victor Hugo raconté par un témoin de sa vie,* ouvrage dicté par Hugo, rédigé par Adèle Hugo et revu par Auguste Vacquerie.

1864

Victor Hugo correspond avec tous les libérateurs et pacifistes du monde. Plus que jamais, il est l'ami des peuples en lutte. Ici, sa générosité n'est jamais prise en défaut.
➡ Parution de l'étude sur *William Shakespeare,* qui célèbre, à travers le dramaturge anglais, le génie créateur et visionnaire.
➡ Victor Hugo commence la rédaction des *Travailleurs de la mer.*

1865

Mme Hugo, qui supporte mal la solitude et le climat de Guernesey, s'installe à Bruxelles avec ses deux fils. Charles s'y marie. Victor reste seul (avec Juliette et de nombreux visiteurs) dans « son île-tombeau, son île-phare ». Toujours vêtu de noir, il se baptise « l'ours ».
➡ Publication du recueil des *Chansons des rues et des bois.*

1866

➡ Parution des *Travailleurs de la mer.*
➡ Victor Hugo commence sans plus tarder *L'Homme qui rit,* qu'il terminera en 1868.

1867

Alors qu'*Hernani,* repris au Français, obtient un grand succès, à Guernesey Juliette Drouet et Adèle Hugo se rendent visite pour la première fois.
➡ Publication de *Paris,* à l'occasion de l'Exposition universelle qui ouvre ses portes dans la capitale.

1868

Naissance de Georges Hugo, fils de Charles et petit-fils de Victor (Georges sera le père du peintre naïf et surréaliste Jean Hugo).
Mort de Mme Hugo, quasi aveugle, le 27 août à Bruxelles, frappée d'une attaque. Elle sera enterrée à Villequier, près de sa fille Léopoldine.

1869

Victor Hugo préside, à Lausanne, le Congrès de la Paix.
Naissance de Jeanne, fille de Charles. Georges et Jeanne, tendrement aimés, et derniers compagnons de route, inspireront au poète *L'Art d'être grand-père.* (Jeanne épousera en premières noces Léon Daudet, fils d'Alphonse).

- Parution de *L'Homme qui rit.*

1870

Napoléon III déclare la guerre à la Prusse et la perd. Hugo, de son côté, plante dans son jardin le chêne des États-Unis d'Europe. L'empereur fait prisonnier à Sedan, son régime s'écroule et la République est proclamée. Après dix-neuf ans d'exil, Victor Hugo rentre en France. Accueil triomphal : il est désormais une « chose publique ».

- Reprise à Paris de *Lucrèce Borgia.*

1871

Hugo, élu député de Paris, gagne Bordeaux où siège l'Assemblée nationale. Mécontent de la politique de cette dernière, il démissionne presque aussitôt. Le jour où éclate la Commune, Victor Hugo enterre son fils Charles, mort subitement. Après Bruxelles qui le chasse, Hugo se rend au Luxembourg. La guerre civile entre Communards et Versaillais, sous les yeux des Allemands, lui est insupportable.

1872

Drame encore : Adèle, la cadette, ramenée d'Amérique, doit être internée. Départ de Hugo pour Guernesey qui, finalement, lui manque. C'est le début d'une nouvelle liaison avec Blanche Lanvin, jeune femme de chambre de Juliette Drouet.

- Publication du recueil *L'Année terrible,* composé l'année précédente.
- Victor Hugo se remet à *Quatrevingt-treize,* avec l'intention de ne plus interrompre sa rédaction.

1873

Mort de François-Victor Hugo, le second fils. Ainsi, l'illustre vieillard a survécu à tous les membres de sa famille, comme à presque tous ses amis écrivains. Il aura payé chèrement sa longue traversée du siècle.

1874

➡ Parution de *Quatrevingt-treize,* dernier et grand roman.

1875

Hugo rédige son testament littéraire au cours d'un séjour à Guernesey.
Discours de Victor Hugo sur la tombe d'Edgar Quinet, historien et maître à penser de la République naissante.
➡ Publication des écrits publics et politiques de Victor Hugo : *Actes et paroles.*

1876

Victor Hugo est élu sénateur de Paris. Au Sénat, il prononce aussitôt un discours en faveur de l'amnistie des Communards.
Il écrit l'éloge funèbre de George Sand.

1877

Hugo mène ses derniers combats : contre toute restauration monarchique et contre les pouvoirs de l'Église.
➡ Publication du recueil *L'Art d'être grand-père.*
➡ Parution de l'ouvrage polémique, intitulé *Histoire d'un crime*; écrit en grande partie dès 1852, l'ouvrage rencontre un succès immense.

1878

Dans la nuit du 27 au 28 juin, Victor Hugo est frappé d'une congestion cérébrale. Départ secret pour Guernesey, où il a une rechute. Rétabli (mais il ne pourra pratiquement plus écrire), il regagne Paris et s'installe avenue d'Eylau (aujourd'hui avenue Victor-Hugo), son dernier domicile.
➡ Publication du recueil intitulé *Le Pape* et d'un discours prononcé pour le centenaire de la mort de Voltaire.

1879

Nouvelle intervention, au Sénat, en faveur de l'amnistie des prisonniers et déportés politiques.
Mort de Léonie Biard.
Victor Hugo se rend à Villequier, sur les tombes d'Adèle et de Léopoldine.

➺ Publication du recueil de poèmes philosophiques *La Pitié suprême.*

1880

Depuis son retour en France, Victor Hugo ne déroge pas à son programme politique : abolition de la peine de mort, réforme de la magistrature, instruction gratuite et obligatoire, droits de la femme, États-Unis d'Europe. Comme pendant l'exil, il reçoit du courrier en provenance du monde entier.
➺ Parution des recueils *Religions et Religion* et *L'Âne.*

1881

Manifestation du peuple de Paris en l'honneur de l'entrée de Victor Hugo dans sa quatre-vingtième année. Hommage du Sénat.
➺ Publication du recueil poétique *Les Quatre Vents de l'esprit.* Ils sont, pour le poète, d'ordre satirique, dramatique, lyrique et épique.

1882

Victor Hugo prononce l'éloge funèbre de Louis Blanc, historien et homme politique; de gauche, il s'était exilé lui aussi jusqu'en 1870.

1883

Le 11 mai, mort de Juliette Drouet, fidèle et dévouée compagne de presque toute la vie de Victor Hugo.
Hugo modifie le codicille de son testament : « Je désire être porté au cimetière dans le corbillard des pauvres. Je refuse l'oraison de toutes les Églises. Je demande une prière à toutes les âmes. Je crois en Dieu. »
➺ Dernière publication du vivant de Victor Hugo : *L'Archipel de la Manche.* Cette étude, destinée à préfacer *Les Travailleurs de la mer,* accompagne depuis lors le roman.

1884

Pendant l'été, dernier voyage de Hugo en Suisse.

1885

Atteint d'une congestion pulmonaire, Victor Hugo expire le vendredi 22 mai. Trois jours auparavant, il avait écrit : « Aimer, c'est agir. »

Le 1er juin, funérailles nationales. Catafalque sous l'Arc de Triomphe, veillé par une foule immense et fervente, venue de partout. Inhumation au Panthéon, rendu à cette occasion au culte des « Grands Hommes ».
Victor Hugo incarne pour les Français le poète, le prophète et le patriarche de la IIIe République.

➾ Principales publications posthumes :
1886 : *La Fin de Satan; Théâtre en liberté.*
1887 : *Choses vues.*
1891 : *Dieu.*
1896 : *Correspondance.*
1902 : *Dernière Gerbe.*
1942 : *Océan; Tas de pierres.*

Georges BELLE

BIBLIOGRAPHIE

Grandes Éditions de Victor Hugo

Œuvres complètes. Hetzel-Quantin, 1880-1885, édition Meurice et Vacquerie, 48 volumes, épuisée.
Œuvres complètes. Ollendorff-Albin Michel, 1902-1952, édition dite de « l'Imprimerie nationale », 45 volumes, épuisée.
Œuvres complètes. Jean-Jacques Pauvert, 1961-1964, édition Francis Bouvet, 4 volumes, épuisée.
Œuvres complètes. Club français du livre, 1967-1970, édition Jean Massin, 18 volumes, épuisée.
Œuvres. Gallimard, La Pléiade, 1963-1971, édition Pierre Albouy et Jean-Jacques Thierry, 8 volumes.
Poésie-Romans. Seuil, L'Intégrale, 1963-1972, édition Bernard Leuilliot et Henri Guillemin, 6 volumes.
Œuvres complètes. Laffont, Bouquins, 1985-1986, édition Jacques Seebacher, 15 volumes.

Romans de Victor Hugo en collections de poche

Han d'Islande (1823), Folio classique.
Bug-Jargal (1826), Folio classique.
Le Dernier Jour d'un condamné (1829), Folio classique — Livre de Poche classiques.
Notre-Dame de Paris (1831), Folio classique — Livre de Poche classiques — Pocket/Lire et Voir les Classiques — G.F./Flammarion.
Claude Gueux (1834), Livre de Poche/Les Classiques d'aujourd'hui.
Les Misérables (1862), Folio classique — Livre de Poche classiques — Pocket/Lire et Voir les Classiques — G.F./Flammarion.
Les Travailleurs de la mer (1866), Folio classique — G.F./Flammarion.
L'Homme qui rit (1869), G.F./Flammarion.
Quatrevingt-treize (1874), Folio classique — Pocket/Lire et Voir les Classiques — G.F./Flammarion.

Ouvrages biographiques et critiques récents

ALBOUY (Pierre), *La Création mythologique chez Victor Hugo,* Corti, 1963.
BARRÈRE (Jean-Bertrand), *Victor Hugo, l'homme et l'œuvre,* C.D.U. et Sedes, 1984.
COLLECTIF, *Victor Hugo,* Hachette (coll. Génies et Réalités), 1966.
CORNAILLE (Roger) et HERSCHER (Georges), *Victor Hugo dessinateur,* Gallimard, 1985.
DECAUX (Alain), *Victor Hugo,* Perrin, 1984.
ESCHOLIER (Raymond), *Hugo, roi de son siècle,* Arthaud, 1970.
GAMARRA (Pierre), *La Vie prodigieuse de Victor Hugo,* Messidor-Temps actuels, 1985.
GAUDON (Jean), *Victor Hugo. Le Temps de la contemplation,* Flammarion, 1985.
GELY (Claude), *Hugo et sa fortune littéraire,* Ed. Ducros, 1970.
GOHIN (Yves), *Victor Hugo,* P.U.F. (coll. Que sais-je ?), 1987.
GUILLEMIN (Henri), *Hugo,* Seuil (coll. Écrivains de toujours), 1994.
JUIN (Hubert), *Victor Hugo,* Flammarion, 3 volumes, 1980-1986.
LASTER (Arnaud), *Victor Hugo,* Belfond, 1985.
MAUROIS (André), *Olympio ou la vie de Victor Hugo,* Hachette, 1985.
PIVIDAL (Rafaël), *Hugo l'enterré vivant,* Presses de la Renaissance, 1990.
ROSA (Annette), *Victor Hugo, l'éclat d'un siècle,* Messidor, 1985.
SEEBACHER (Jacques), *Victor Hugo ou le Calcul des profondeurs,* P.U.F., 1993.
SEGHERS (Pierre), *Victor Hugo visionnaire,* Laffont, 1985.
UBERSFELD (Anne), *Le Roi et le Bouffon,* Corti, 1974.

Sur le romancier

BROMBERT (Victor), *Victor Hugo et le roman visionnaire,* P.U.F., 1985.
PIROUE (Georges), *Victor Hugo romancier ou les Dessus de l'inconnu,* Denoël, 1985.

Publications collectives

Magazine littéraire, janvier 1974, janvier 1985.
Europe, février 1952, mars 1985.
La Pensée, mai-juin 1985.
Revue d'histoire littéraire de la France, novembre-décembre 1986.
Éditions de la Réunion des musées nationaux, La Gloire de Victor Hugo, Catalogue d'exposition, 1985.

TABLE DES MATIÈRES

Préface VII

Bug-Jargal (1826) 1

Le Dernier Jour d'un condamné (1829) 209

Claude Gueux (1834) 341

Chronologie 373

Bibliographie 389

Ont participé à la fabrication :

Composition	AGaramond – Photocomposition C*MB* Graphic à Saint-Herblain.
Papier	Bouffant Lac 2000. Papeterie Salzer, fourni par l'agence Philippe Fargeas.
Impression	Sur rotative Timson par Aubin Imprimeur à Ligugé.
Reliure	Nouvelle Reliure Industrielle à Auxerre.
Recouvrement	Skinluxe. Peyer.
Fers à dorer	Michel Vincent.

Aubin Imprimeur
LIGUGÉ, POITIERS

Achevé d'imprimer en août 1996
pour le compte de France Loisirs
123, bd de Grenelle, 75015 Paris
N° d'édition 26878 / N° d'impression L 52252
Dépôt légal, août 1996
Imprimé en France